JN186695

はじめて学ぶ
ケーススタディ
第２版

ー書き方のキホンから 発表のコツまでー

編著：國澤 尚子

総合医学社

執筆者一覧

●編　集

國澤　尚子　　埼玉県立大学保健医療福祉学部看護学科 教授

●執　筆（執筆順）

國澤　尚子　　埼玉県立大学保健医療福祉学部看護学科 教授

新村　洋未　　埼玉県立大学保健医療福祉学部看護学科 准教授

水間　夏子　　埼玉県立大学保健医療福祉学部看護学科 助教

畔上　光代　　元埼玉県立大学保健医療福祉学部看護学科 准教授

武田美津代　　埼玉県立大学保健医療福祉学部看護学科 准教授

高橋　　綾　　埼玉県立大学保健医療福祉学部看護学科 准教授

大塚眞理子　　長野県看護大学 学長

青木　恭子　　武蔵野大学看護学部 講師

森田　牧子　　埼玉県立大学保健医療福祉学部看護学科 教授

服部真理子　　埼玉県立大学保健医療福祉学部看護学科 准教授

まえがき

本書は 2016 年に発行して以来，はじめてケーススタディに取り組む看護学生や新人看護師の方々，ケーススタディの指導をされる指導者や教員の方々に活用していただいています．今回発行する第 2 版では，ケーススタディの実例紹介の領域を増やして成人看護，老年看護，小児看護，母性看護，精神看護，地域看護とし，内容を充実させました．また，老年看護は実例数を追加しました．

本書は 6 つの章で構成されています．Chapter 1 でケーススタディの目的や方法を述べ，Chapter 2 以降は事例検討の内容や書き方を整理しました．Chapter 3，Chapter 5 では同じケースレポートの例を使って，ケースレポートの書き方，抄録の書き方，パワーポイントの作り方，ポスターの作り方について解説しましたので，ケースレポートを書き，抄録にまとめ，発表するという流れを一貫して理解することができます．

Chapter 4 では，9 つのケースレポートに対して詳細なコメントや書き方の修正案を示すことで，実習指導者や教員としての視点や思考を理解することができます．そして，Chapter 6 は，ケーススタディ全体について指導のポイントを整理しました．

ケーススタディは，看護学生や新人看護師にとっては自身の思考を整理し，自身の課題を確認することにより，もっと看護を知りたい，学びたいという意欲を高めることにつながります．教員や実習指導者にとっては，ケーススタディの指導を通して，自身の看護観を振り返る機会になります．

ケーススタディを通して看護実践の中での経験やもやもやした思いを看護の視点で言語化してください．それらが実践的な知識に変換され，他者に説明可能なものになっていきます．繰り返しケーススタディを行うことによって，その知識の積み重ねが看護実践能力の向上の一助になります．本書をきっかけに，日常的にケーススタディが行われるようになれば幸いです．

本書の発行にあたりご尽力くださった総合医学社の皆様に厚くお礼を申し上げます．

2020 年 11 月

國澤 尚子

本書の使い方

Chapter4の「ケーススタディの実例紹介」では，実際に書かれたケーススタディについて，各指導者が添削（指導）していますので，ケーススタディを書く際の参考としていただけます．重要な部分は「Good」「Point」のアイコンをつけています．

実際に書かれたケーススタディ

丸数字は指導者のコメントがある部分

丸数字部分について指導者がコメントしています

指導者が元のケーススタディを添削した部分

実際に書かれたケーススタディ

実例3 老年看護のケーススタディ

統合実習レポート❶

❶
タイトルがなく，実習名のみの記載では内容がわかりません．実習名の後に，内容を表すサブタイトルをつけると，読み手にとって興味がわくとともにレポートの論点が明確になり，読むための準備ができるでしょう．例えば下記のようなタイトルにします．

統合実習レポート
脳梗塞後遺症のある高齢者の自宅退院へ向けた家族支援と多職種連携

Ⅰ．はじめに❷

実習の中で患者さんから家族への感謝の言葉と，これから迷惑をかけてしまうことが申し訳ないという言葉を聞くことがあった．患者にとって家族は大切な存在であるからこそ，疾病や障害をもった自分と家族の関係性が変化するのではないかという，不安の気持ちが表れているように感じた．看護師は患者だけでなくその家族も援助の対象と捉え，かかわっていかなければならないと学んだが，今までの実習では患者さんへの援助のみで，❸家族の方にお会いしてかかわる機会が少なかった．患者と家族がこれまでの関係性を維持しつつ支え合って生きていくためには，看護師がどのような家族支援をすればよいのかということを考えるために，今回の統合実習で家族支援を学習課題とすることにした．

今回は退院直前の患者さんを受け持つことによって退院支援という場面での家族支援について考える．また，多くの職種がかかわる❷リハビリテーション期におけるチームアプローチについて考える．

❷
- 自己の課題を明確にし，それを動機づけにすることは，自身の看護の質を上げるために重要ですね．さらに，自己の課題とともに保健医療福祉の現場がもつ課題や社会的背景も同時に述べることで，このケーススタディが他のケースにもあてはめて考えられるきっかけになります．
- また，【はじめに】の最後にこのケースレポートの目的が簡潔にまとめられています．ここで初めて「チームアプローチ」という言葉が出てきますが，なぜそこに着目したのか，それ以前の文章からは読みとることができません．ですから，2段落目としてリハビリテーションと多職種連携について述べる必要があります．

Chapter 4 ケーススタディの実例紹介

実際に書かれたケーススタディ

2. 看護上の問題❽

1）患児の場合

①医療者に対する不安がストレスとなっている．

② CVC 包交や清拭などに慣れておらず苦痛が強い．

2）母親の場合

①医療者に対する遠慮があり，患児と自分自身のストレスを抱え込んでいる可能性がある．

②母親のストレスが患児の不安を増強させてしまう可能性がある．

3. 看護目標

患児と母親が少しでも医療者や日々行われる処置やケアに慣れ，安心して入院生活を送ることができるように支援する．

4. 具体策

1）患児に対して

①ケア以外の時間にも患児とコミュニケーションをはかり，保育園に通っていた患児にとって身近である遊びを通して患児との信頼関係を築く．

- 患児の機嫌がよいときを選ぶなど，タイミングに気をつけて訪室する．
- 患児の年齢や好みに配慮した遊びをする．
- 遊びの終了時には再度訪室する約束をし，その約束を守って時間通りに訪室する．

② CVC 包交や清拭は，❾ディストラクション[3]（子どもの注意や関心を痛みや不安に感じていることとは別のことに集中できるように促して苦痛緩和をはかる）で気を紛らわしながら行う．

- 患児が集中できること（例えば，DVD 鑑賞や携帯…

…できる

…を工夫して

…をはかり，

❽
- 【看護上の問題】は，多岐に及びます．しかし，このケーススタディの場合は，患児と母親のストレスに焦点を絞っていますので，これでよいでしょう．
- 【看護上の問題】は，患児と母親それぞれに，取り出していますが，看護目標は1つですね．患児と母親を一体と捉え，その関係性の安寧を含めて【看護目標】としていることは評価できます．

GOOD ❾
ディストラクション…ついてよく勉強して…ますね．授業や教科…で勉強したことを実…で意図的に実践する…とはとても大切なこ…です．（ ）でディ…トラクション言葉の…説を入れています…これも読み手に親切…すね．

98 Chapter4 ケーススタディの実例紹介

「Good」は指導者がよく書けていると評価している部分についてのコメント，「Point」はケーススタディを書くうえで重要なことをコメントしています

すべての実例の最後に指導者によるケーススタディの「講評」が記載されています

メヂカルフレンド社，1997.

…に記載しましょう．

●講　評

3週間の実習期間の中で学生がどのように患者さんにかかわったのかが丁寧に記述されており，患者さんに心を寄せて真摯な態度でかかわっている学生の様子が読み手に伝わってきました．また独自の息苦しさ評価表を作成して患者さんの苦痛を把握しようと工夫したことも理解できました．

一方，看護の実際の項目では，学生がかかわったことでの患者さんの反応についての記載が不足しています．看護は看護師と患者の相互関係の上に成り立つものですので，看護者と患者双方の記述が不可欠です．看護者が行った行為だけでなく，そのケアの結果，患者さんの表情や発言などの反応，身体面の変化を記述していきましょう．この記述があると，看護過程の評価が，実施側の独りよがりのものでなくなります．また患者の身体症状と心理的状況の関連についての記述は，経時的に説明できているものの，本来ケーススタディの考察で述べるべき内容に踏み込んだ記載もあります．結果にあたる「看護の実際」と考察を区別して述べられるといいですね．

今回は特定の理論を活用したケーススタディではありませんが，ターミナル期の看護については，危機理論，ストレス理論，死の受容過程，悲嘆や不安に関する理論などの中範囲理論を活用すると，別の視点で患者の心理や行動を理解したり，看護の必要性をアセスメントできると思います．今回のケーススタディの取り組みをきっかけに，このような理論についても学習することをお勧めします．

成人看護のケーススタディ① 53

目　次

Chapter 1　ケーススタディを始める前に（國澤尚子）……1

1 ケーススタディの3つの意味 ……2
1）事例検討 ……2
2）事例分析 ……2
3）事例研究 ……3

2 ケーススタディの目的 ……3
1）看護の考え方を学ぶ ……3
2）看護実践を評価し，よりよい方策を見出す ……5
3）リフレクションにより「行為の中の知」を明らかにする ……7
4）論理的な思考力を高める ……8

3 ケーススタディの方法 ……9
1）レポート ……9
2）カンファレンス ……9
3）個人での振り返り ……9

4 ケーススタディの時間の向き ……10

Chapter 2　ケーススタディを進めるためのステップ（國澤尚子）…11

1 看護過程 ……12

2 テーマ設定 ……14
1）看護問題の設定の妥当性の検討 ……16
2）ケアの方法の検討 ……16
3）状況の新たな解釈 ……17
4）いろいろなテーマ ……18
5）テーマの書き方 ……18

3 観察と記録 …… 18

1）観　察 …… 18

2）記　録 …… 19

4 情報の収集と整理 …… 22

5 倫理的配慮，インフォームド・コンセント …… 23

Chapter 3 ケーススタディの書き方（國澤尚子） …… 25

1 表　紙 …… 26

2 はじめに（または序論） …… 27

3 事例紹介 …… 27

4 テーマに関連したアセスメントと看護上の問題，看護目標 …… 28

5 看護の実際 …… 30

6 患者の反応・変化（看護の実践，実施・評価など） …… 31

7 考　察 …… 34

8 おわりに（または結論） …… 35

9 引用文献 …… 36

Chapter 4 ケーススタディの実例紹介 …… 37

1 成人看護のケーススタディ①（新村洋未） …… 38

2 成人看護のケーススタディ②（水間夏子） …… 54

3 老年看護のケーススタディ①（畔上光代） …… 72

4 老年看護のケーススタディ②（武田美津代） …… 92

5 老年看護のケーススタディ③（高橋　綾） …… 124

6 小児看護のケーススタディ（大塚眞理子）……149
7 母性看護のケーススタディ（青木恭子）……168
8 精神看護のケーススタディ（森田牧子）……187
9 地域看護のケーススタディ（服部真理子）……206

Chapter 5 発表のコツ（國澤尚子）……227

1 口頭発表……228
2 発表資料の作り方……229
3 スライドの作り方……232
4 ポスターの作り方……242
5 質疑応答時の対応……243

Chapter 6 ケーススタディの指導のポイント（國澤尚子）……247

1 学生のケーススタディに対する指導者または教員の役割……248
1）実習とケーススタディの関係……248
2）実習と記録のサポート……248
3）カンファレンス……249
4）レポートへのコメントと面接……249
5）ケーススタディの評価……250
6）指導の姿勢……250
2 看護師のケーススタディに対するかかわり……251

カバーイラスト：teacept/Shutterstock.com

Chapter1

ケーススタディを始める前に

1　ケーススタディの３つの意味

看護の分野のケーススタディは，**図１**に示すように，事例検討，事例分析，事例研究という３つの意味で用いられています．いずれも，教育の場で行われるものと臨床の場で行われるものがあります．教育の場では，紙面でのケーススタディと臨床実習に基づくケーススタディがあります．

●ポイント
ケーススタディは，事例検討，事例分析，事例研究の３つの意味で用いられる．

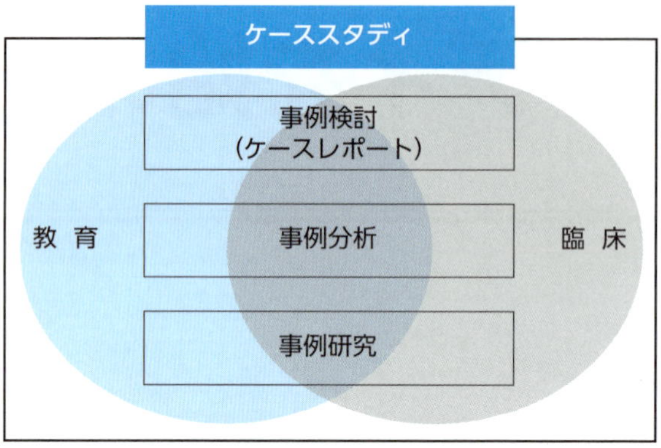

図１　ケーススタディの３つの意味

1）事例検討

事例検討には，**表１**に示すように，学生が学内で行う紙面上の事例を用いた看護過程の展開，学生の臨地実習での患者へのかかわりや学びの整理，看護師が現在かかわっている患者や退院した患者への実践について整理などの方法があります．

事例検討は日々のカンファレンスでも行われており，日常業務の一環でもあります．医師が診断・治療を中心に行う症例検討は事例検討に近いものであり，多職種で行われるケースカンファレンスも事例検討です．

事例検討のレポートがケースレポートですが，「ケースレポートを書く」ことを「ケーススタディをする」と同義として表現される場合もあります．

2）事例分析

事例分析としてのケーススタディでは，主にインシデントやヒヤリ・ハットなどの問題が発生したとき，良否や成功・失敗にかかわらず気になる事例，特殊な事例などを取り上げます．インシデントの分析を行うケーススタディでは，同じインシデントの事例が複数あれば量的な分析を行い，傾向を見ることもあります．カンファレンスや委員会などで，SHELL モデル，なぜなぜ分析，4M4E などの分析方法を使って議論することもあります．文章化することよりも，原因を追究し，対策を検討することが重視されます．

「インシデントレポートを書く」ことを「事例分析をする」ことと同

● SHELL モデル
SHELL は S（ソフトウエア：Software），H（ハードウエア：Hardware），E（環境：Environment），L（当事者以外の人：Live ware）の４要因と中心の当事者の L（Live ware）との相互関係に注目するモデル．

●なぜなぜ分析
抽出された事象に対して，「なぜ」を数回繰り返して根本的な原因を追跡する方法．トヨタ自動車工業元副社長の大野耐一氏が著書「トヨタ生産方式-脱規模の経営をめざして」（ダイヤモンド社、1978）の中で示した方法であり，RCA 分析（Root Cause Analysis, 根本原因分析）の１つとされる．

表 1　事例検討の方法

実施者	内 容	学 内	臨 床
学 生	対 象	架空の患者	担当した患者
	目 的	学内演習における 看護過程の展開	臨地実実習の整理
看護師	対 象		退院後の患者
			入院中の患者
	目 的		実践の整理

● 4M4E
事例の具体的要因を 4M（当事者：Man，機械・モノ：Machine，環境：Media，管理：Management）の視点から検討し，それぞれの要因の対策を 4E（教育・訓練：Education，技術・工学：Engineering，強化・徹底：Enforcement，模範・事例：Example）の視点で考える分析法．米国の国家航空宇宙局で事故の分析に用いられている．

義として用いている場合もあります．

3）事例研究

研究としてのケーススタディは，いわゆる事例研究です．「事例についての研究」と「事例に基づく研究」という異なる意味合いで用いられます．「事例についての研究」は，対象とした事例を掘り下げ，その事例を分析する研究であり，事例に関することがテーマとして取り上げられます．理論を用いて事例の心理過程を明らかにしたり，転倒防止チームのチームプロセスをチーム理論に基づいて分析したりするような研究がその例です．「事例に基づく研究」は，何らかの理論を構築するというような研究目的を達成するための方法として事例を用いる研究です．

2　ケーススタディの目的

1）看護の考え方を学ぶ

ケーススタディは基本的には看護過程の展開であり，看護過程の思考や書き方について学ぶだけではなく，看護の考え方そのものを学ぶ場にもなります．

以下の事例に対して，2 つのアセスメントを示しました．

●看護過程
12 頁参照.

〈事　例〉

患　者：I さん，80 代前半，女性．独居
経　過：20 年前から高血圧を指摘されていたが放置していた．1 ヵ月前に左脳梗塞を発症し，他院で内科的治療をした．脳浮腫が改善され，バイタルサインが安定したため，当院に転院と

なった．転院翌日から本格的なリハビリテーションが開始された．リハビリテーションは頑張っているが，終わった後の疲労感が強い．

あまりおしゃべりをしないが，繰り返し「人のお世話になるとは思わなかった」と言う．歩行時はふらつきが見られるため，看護師はトイレに行くときはナースコールを押すように伝えている．しかし，ときどき１人で行ってしまい，看護師が注意をするため，トイレに行かないように水分や食事を控えるようになった．便秘気味である．

アセスメント１

リハビリテーションによって活動性の向上が期待されるため，現在のＩさんにとってはリハビリテーションを進めることが大切である．特に自立して生活してきたＩさんにとって，排泄の介助は抵抗感が大きい援助の１つであろう．そのため，リハビリテーション室と連携をとり，トイレの自立を目標に，病棟でもリハビリテーションを行うとともに，１人でトイレに行けるようになるという目標をＩさんとも共有する必要がある．疲労感が強いのは，リハビリテーションを頑張りすぎている可能性があるが，活動量に見合った食事が摂取できていないとも考えられる．便秘も，食事，水分摂取を控えていることが一因になっていると思われる．体力をつけるために，食事や水分をとるように促す．また，転倒による骨折は退院を延長させる原因になるため，歩行が安定するまではナースコールを押すように理解を求める．

アセスメント２

Ｉさんは一人暮らしで人に頼ることに慣れていないため，看護師に遠慮をしている様子がうかがえる．何でも自分でやってきたＩさんは，今後も１人でトイレに行ってしまう可能性がある．しかし，リハビリテーションで疲れているため，下肢に力が入らず転倒する可能性がある．そのため，トイレ時には必ずナースコールを押すように伝えるとともに，離床センサーをつけて，Ｉさんの動きに合わせてこちらから訪室するようにする．日常会話を増やして看護師との信頼関係を築くことに重点をおく必要がある．また，日常生活動作の自立を目標にリハビリテーションを頑張っていることを肯定し，病棟では頑張りすぎないように，洗面所での洗髪や下膳など，できることであっても必要に応じて介助する．

アセスメント1は，Ｉさんにとって自立した生活を取り戻すことを目標としています．特にトイレが自立できるようにするために，Ｉさんと目標を共有することを重視しています．それが「水分や食事を控えている」ことや「便秘」「トイレ時にナースコールを押さずに1人で行くことがある」という問題の解決につながると考えています．また，Ｉさんの問題を解決するために，病棟の看護だけではなく，リハビリテーション室との連携も視野に入れています．

アセスメント2もＩさんの目標は日常生活動作の自立であると考えていますが，リハビリテーション後の疲労による転倒を回避することを重視しています．Ｉさんが人に頼ることに慣れていないと予測して，トイレに行くときにナースコールを押さないのは「看護師への遠慮」が一因であると捉えています．Ｉさんがナースコールを押したくないという気持ちを察し，機会を逃さずに看護師のほうから訪室できるように離床センサーの設置を検討しています．また，Ｉさんとの信頼関係が，Ｉさんの遠慮する気持ちを軽減できると考えています．そして，Ｉさんが頑張りすぎないようにする援助もまた，信頼関係を築く一助としています．

看護では，健康状態（身体的，精神的，社会的），環境，生活，安全・安楽・自立，ニーズ，家族，社会資源などの視点でアセスメント（情報の意味づけ）をします．アセスメントには看護師の経験や考え方が表出されるため，アセスメント1，アセスメント2のように，患者の全体像，看護問題，看護目標の捉え方は必ずしも一致しません．より患者に合ったアセスメントにするためには，看護の視点を深めながら自身の考え方を問う必要があります．そのため，ケーススタディは，看護の考え方を学ぶ機会になるのです．

2）看護実践を評価し，よりよい方策を見出す

ケーススタディは，看護実践を評価し，よりよい方策を見出すために行われます．看護過程における実践の評価とは，看護問題に対して行われたケアの有効性・効率性，看護問題や看護目標の設定の正否，アセスメントの方向性や内容，情報の不足などについて行われます．ケースス

タディも基本的には同様ですが，ケーススタディのテーマは必ずしも看護問題そのものとは限りません．

〈事　例〉

患　　者： Tさん，80代後半，男性．肺炎
看護問題： 筋力の低下による転倒の危険がある．
看護目標： 筋力が回復し，転倒しない．
看護計画： 生活の中でのリハビリテーションとして毎日下記を実施する．

・ベッド上の体位変換，ベッドから椅子への移乗，トイレやデイルームへの誘導．
・上肢の清拭，洗面所での洗面・歯磨き，整容動作など，できることは自分でやってもらう．
・病室外で行動するときはナースコールで呼んでもらい，見守る．

この患者は退院が決まった3日前に見守りが解除されましたが，退院前日の夜，1人でトイレに行き，転倒して足関節を捻挫し，退院が延期になりました．

転倒事故後，臨時カンファレンスでTさんを1人でトイレに行かせたことについての正否と今後の対策が検討されました．「Tさんはゆっくり歩くことはできたが，ときどき体幹のバランスを崩しそうになることがあった．トイレの中では，手すりにつかまって，ゆっくりと足を踏みかえながら身体の向きを変えていた．便器に座ったり立ち上がったりするときにも手すりを把持していた」という情報が出され，見守りを解除したことは間違いであったと結論づけられました．二度と転倒しないように管理体制を強化し，訪室の回数を増やしたり，ベッドから離れるときは看護師を呼ぶように再度説明したりすることが計画に追加されました．さらに，健側のリハビリテーションを増やすとともに，捻挫の回復を見ながら患側の筋力トレーニングを行うことも計画されました．

臨床では，即座に目の前の問題に対応することが優先されるため，短時間のカンファレンスでスタッフ全員が納得するまで議論を尽くすのは困難です．そのため，後日，「見守り解除の判断」を病棟のケーススタディのテーマとして取り上げ，Tさんの事例について改めて議論されました．そして，次頁のような振り返りをして，看護計画を見直しました．

Tさんは，入院前は1人でトイレに行っていたが，肺炎で入院してベッド上で過ごす時間が多くなったため下肢の筋力が落ちた．そのため，看護問題として「筋力の低下による転倒の危険」をあげて，Tさんがトイレに行くときには看護師や家族が見守っていた．しかし，筋力が回復したかどうかの評価をしないまま，3日前の退院決定を受けて見守りを解除した．病棟では，退院が決まると暗黙のうちに「回復の太鼓判が押された」と解釈するのが慣例だったからである．

Barthel Index（バーセルインデックス）を用いて，トイレ動作以外の日常生活動作を含めて評価し直したところ，60点であった．部分的介助が必要な状態と評価され，トイレ時には見守りが必要だったことが確認された．トイレに行くときには看護師を呼ぶように伝えること，健側筋力を維持するためにベッド上でリハビリテーションを行うという計画が立てられた．

また，呼吸器病棟のため動作の評価は系統的には行われていなかったが，入院患者の8割は65歳以上であるため，高齢者に対しては動作についてアセスメントすることになった．

Barthel Index
日常生活動作における障害者や高齢者の機能的評価を数値化したもの．①食事，②車いす・ベッド間の移乗，③整容動作，④トイレ動作，⑤入浴，⑥水平面の歩行・車いすの移動，⑦階段昇降，⑧更衣動作，⑨排便コントロール，⑩排尿コントロールの10項目を評価する．100点満点で60点以上は介助量が少なく，40点以下で介助量が多い．20点以下だと全介助レベルとなる．

Tさんに対する具体策は臨時カンファレンスで出された案と同じですが，転倒しないように患者を管理するための方法と看護としての必要性を判断して導き出された方法とでは，意味がまったく異なります．

また，テーマを設定したケーススタディによって，事例として取り上げた患者に対する具体的な方策はもちろん，別の患者にも適応できる方策を見出すこともできます．

3）リフレクションにより「行為の中の知」を明らかにする

ケーススタディは，自身の看護や行動の特徴，傾向を振り返る機会でもあります．

ドナルド・ショーンは，専門家とよばれる人たちには自由に操ることができる領域があり，その中で必要とされる「技術的合理性」（専門的知識や科学的技術）を基盤としている実践者を「技術的熟達者」と表現しています．「技術的熟達者」は実践の反復経験により過剰学習し，実践の知は埋もれ，自信の獲得と引き換えに疑問がわかなくなっていきます．しかし，現代社会の諸問題は専門知識と技術の適応だけでは解決できません．ドナルド・ショーンは「技術的熟達者」は問題を解決するモデルは提示できても，「問題（課題）を設定する」ことができない，つまり問題を認識することができないことを指摘しています．

そこで，今，まさにかかわっている「状況との対話」に基づく「行為の中の省察」によって，実践の中に埋め込まれた「行為の中の知」を理解し，明確にし，具体化することが新しい専門家像「反省的実践家」の専門性であると説明しています．また，「行為についての省察」は，「行為の中の省察」によって形成してきた理解の意味を問い，自らの「枠組み」を発見し，枠組みを捉え直す機会であり，1つの問題解決がさらに大きな問題の理解に発展する過程になるとしています．「省察」は1度だけではなく，時間が経ってから何度でも行うことによって，意味が深まっていきます．

この「省察」をリフレクションといいます．看護は，専門的知識や科学的技術を基盤としながらも，科学では説明できないような現象にも対応しています．「行為の中の知」のリフレクションを見える形にするための1つの方法がケーススタディです．ケーススタディは，行為の後にあれは何だったのかを振り返る「行為についての省察」です．しかし，行為について振り返るだけではなく，ある状況の中で行われる「行為の中での省察」や「状況との対話」を振り返ることでもあります．

下記のような経験は，いっとき心に残っても時間経過とともに忘れてしまいがちです．

訪室すると，患者がベッドに座って泣いていました．昨日，医師から，余命はあと3ヵ月と告げられていました．患者の横に座ったときに，患者の身体が冷えきっていることが伝わってきて，思わず背中をさすりながら，患者と一緒に自分も泣きました．同じような状況の患者は過去に何人もいたのに，なぜ今回は涙が出たのだろうか．背中をさするという行為は自己満足のような気がして，今までしたことがなかったが，あの行動はどういうことだったのだろうか．

このような，個人の体験で終わってしまいがちなことを取り上げ，ケーススタディをすることによって，体験をリフレクションし，意味づけ，看護師の役割に対する自分自身の枠組みや「行為の中の知」を明らかにすることができるのです．

4）論理的な思考力を高める

ケーススタディは，思考を整理し，論理的な思考力を高めるために行われます．論理的な思考とは，現象を構造化し，自分の考えを他者と共有するためのものです．

ベテランの看護師は，ある状況の中でいちいち根拠を思い出しているわけではなく身体が勝手に動く，といいます．学生は，実習中は緊張のあまり，患者とどのような会話をしたのか，自分がどのような行動をとったのか，その場では意識できていないことがあります．ケーススタディの中で，行為を改めて思い出し，その理由を考え，言語化したり文章化したりすることで，プロセスと思考を意識化することができます．

前述のように，看護の行為は科学的な裏づけによって説明できることばかりではありません．そのため，他職種から看護とは何なのかよくわからないと言われることがあります．看護の役割を理解して，協働しやすくするためにも，看護師の視点，行動，考え方，価値観を他者に伝わるように論じることが必要であり，ケーススタディはそのための訓練の場となります．

5）現象の特徴や法則性を抽出する

ケーススタディで取り上げられる事例は，看護実践がうまくいった，うまくいかなかった，どちらの場合もあります．なぜ，そういう結果になったのかを明らかにするためにケーススタディが行われます．他の事例とは何か違う似たような事例が複数あれば，それらを取り上げ，その特徴を見極めます．共通点と相違点を比較しながら，自分が気になったことが何だったのか，それはどのように解釈されるものなのかを明らかにしていきます．このような法則性の抽出は，事例研究として行われます．

3　ケーススタディの方法

1）レポート

ケーススタディのうち，事例検討はレポートとして整理することが求められることがあります．思考の訓練としては，文章化することが最も高度であり，あとで見直し，リフレクションに活用することもできます．事例研究では，文章化することは必須です．

レポートは分担して書くとまとまりが悪くなるため，基本的には個人で執筆します．ただし，1人でケーススタディを行うと，偏った考えになる可能性があります．上司，同僚，教員などからコメントをもらったりして何度か書き直すと，伝えたいことが明確になっていきます．

●ポイント
ケーススタディの方法には，①レポート，②カンファレンス，③個人での振り返り，がある．

2）カンファレンス

日々のケースカンファレンスや事例分析のカンファレンスは意見交換しながらまとめていくケーススタディです．不参加だった人にもわかるように記録を残します．カンファレンスはいろいろな考えを聞くことができるため，視野が広がります．

3）個人での振り返り

仕事が終わったあと，気になる患者の状態や患者との会話，自分は何を考えどう行動したかなど，1日を振り返ることがあると思います．このように1人で振り返ることもケーススタディの1つです．振り返ったことを記録したり同僚に話したりして言語化すると，自身の考えや看護観が明確になっていきます．この習慣は，レポートやカンファレンスでも役に立ちます．

4　ケーススタディの時間の向き

ケーススタディはすでにかかわりを終了した事例，現在かかわっている事例，先にテーマを設定してかかわる事例について行われます．時間軸の向きから，過去の事例は「後ろ向きのケーススタディ」，テーマを設定してかかわる事例は「前向きのケーススタディ」といわれます．前向きのケーススタディでは，テーマに沿って意図的に情報を集め，ケアを実践したことを記録し，考察します．

Chapter2

ケーススタディを
進めるためのステップ

Chapter2 以降は，ケーススタディの中でも主に事例検討について整理していきます．

1　看護過程

ケーススタディは，看護過程が基盤になっています．看護過程は，情報収集，アセスメント，看護計画（看護問題，看護目標，具体策），実施，評価という一連のプロセスであり，評価は情報，アセスメント，看護計画にフィードバックされ，看護過程はらせん状に循環していきます（**図1**）．

適切にアセスメントするためには，意図的に情報収集する必要があります．各学校では，看護理論や学校独自の看護の考え方をもとに，アセスメントの視点とアセスメントに必要な情報の内容を示しています．その人の情報を意図的に分類し，意味づけし，それらを統合して，その人の全体像を捉え直します．その全体像から問題を抽出し，問題ごとに目標を立て，問題ごとに具体策を立案します．問題ごとに切り分けていますが，それぞれの問題はバラバラなわけはなく，影響し合っています（**図2**）．1日の行動の中でいくつものケアを行いますが，1つひとつのケアには，いくつかの問題に対する具体策が含まれます（**図3**）．

例えば，網膜剥離の術後の患者の看護問題として，①術後感染を起こす可能性がある，②再剥離する可能性がある，③2週間のうつむき姿勢により身体的，精神的苦痛が生じる，④ADL（日常生活動作）が自立できない，⑤精神的に不安定である，⑥便秘気味である，などの問題があがったとします．この患者に全身清拭の援助を実施するときには，各看護問題を解決するために，**表1**のようなことを行います．このように，1つのケアはいろいろな問題が解決するように実施しています．

そして，実施後に評価するときには，ケアごとではなく問題ごとに評価します．

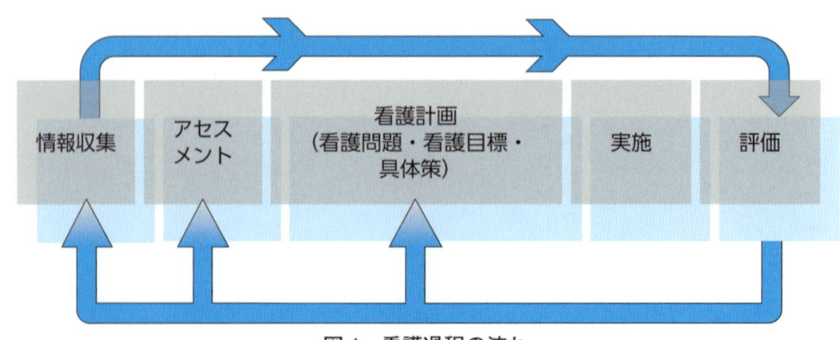

図1　看護過程の流れ

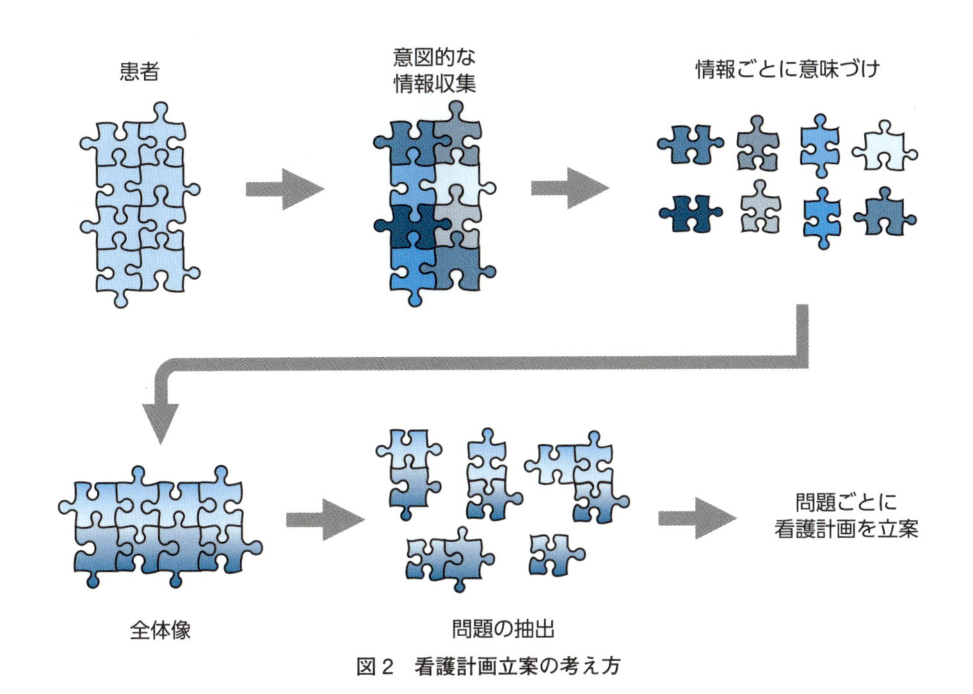

図２　看護計画立案の考え方

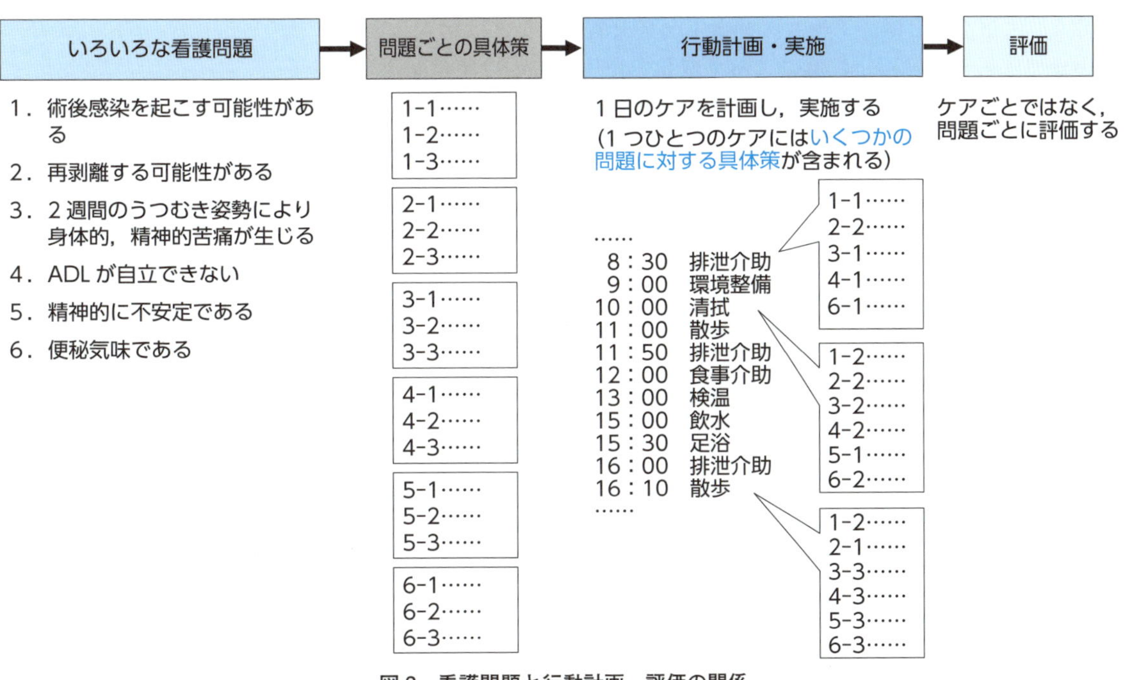

図３　看護問題と行動計画，評価の関係

表１　網膜剥離の術後患者の看護問題と清拭の関係（例）

看護問題	全身清拭の方法
①術後感染を起こす可能性がある	・目を濡らさないように，顔を拭くときはタオルで目を覆ってもらう．
②再剥離する可能性がある	・手が届くところは自分で拭いてもらう．その際，うつむき姿勢を保っているか確認しながら行う． ・うつむき姿勢では手が届かない背中は介助する．
③２週間のうつむき姿勢により身体的，精神的苦痛が生じる	・背中は熱布清拭し，凝りをほぐす． ・うつむき姿勢を保たなければならないことに対する患者の気持ちを聴きながら清拭する．
④ADL（日常生活動作）が自立できない	・１日１回清拭をする．
⑤精神的に不安定である	・清拭しながら，現状や将来への不安を聴く．
⑥便秘気味である	・背中と腹部を熱布清拭する．

看護計画には，アセスメントで示された看護の方向性が具体化されます．Chapter1 の事例Ｉさんに対するアセスメント１，アセスメント２をもう一度見てください（4 頁参照）．アセスメントが異なるため，具体策の方針も違っています．看護師は，最も適していると考えられる方法を選択し，具体策を実施します．多くの場合，何が正解なのかはわかりません．大事なことは，アセスメント１とアセスメント２はどちらが正しいかではありません．実施によって変化した（あるいは変化しない）状況を観察し，得られた情報をもとに再びアセスメントし，最初のアセスメントおよび看護問題，看護目標，具体策の妥当性を検討し，必要に応じて修正することが重要です．また，病状が変化すれば，当然アセスメントも修正が必要です．この繰り返しが看護過程です．

もし，アセスメントしなければ，根拠のはっきりしない具体策を提供し，小手先の修正をすることになってしまいます．アセスメントは知識や経験の統合であり，自分の看護に対する考え方や価値観が反映されます．そのため，アセスメントを修正することは自身を振り返ることであり，看護の思考力を育てることになります．

2　テーマ設定

前向き（10 頁参照）のケーススタディでは，自身の課題や興味・関心に沿ってテーマが選択されます．後ろ向きのケーススタディでは，一連の看護過程を振り返り，看護問題の中から課題を焦点化させていきます．

前述のように，ケアはいろいろな問題の解決に関係しながら実践されます．ケーススタディのテーマとしてケアを取り上げるときには，ケアの何に着目しているのかを明らかにする必要があります．

次頁は，学生が「実習中に実施した口腔ケアの効果」をテーマとした後ろ向きのケーススタディの内容を書き出したメモです．

テーマ：実習中に実施した口腔ケアの効果

<事　例>

Xさん，70代後半，男性

誤嚥性肺炎のため食事摂取を中止している．口腔内は白っぽく，痰がこびりついているところがある．ガーゼをお湯で濡らして，看護師が口腔内を清拭している．総入れ歯で，今は外している．無口で，同室者とも看護師とも話をしようとせず，ほとんどベッドサイドでテレビを見て過ごしている．

<看護問題>

口腔内が汚染している．

<看護目標>

1週間以内に口腔内が清潔になる．

<具体策>

- 1日5回，柔らかい歯ブラシでのブラッシングとレモン水に1滴はちみつを入れて薄めたお湯での含嗽を実施する．

<結　果>

- 実習2日目には自分から歩くようになった．
- 実習3日目には笑顔が見られるようになり，話をしてくれるようになった．
- 実習3日目には入れ歯を入れたいと言った．
- 実施4日目には口臭，舌苔がなくなった．

<評　価>

結果から，実施した口腔ケアには効果があったといえる．

看護目標は「口腔内が清潔になる」ことをあげていますが，結果には口腔内が清潔になった様子とXさんの行動の変化が混在し，これらの結果から「口腔ケアには効果があった」と評価しています．目標，結果，評価に一貫性がありません．

このような書き方になってしまうのは，看護問題「口腔内が汚染している」についてのアセスメントの記載がないためです．問題の原因や問題を解決する方策，問題が解決したときの状態つまり口腔ケアの「効果」

をどのように捉えているのかがはっきりしません．

1）看護問題の設定の妥当性の検討

実習中に，「口腔内の汚染」と「入れ歯を装着していない」「コミュニケーションの減少」の関連性についてアセスメントしていたのであれば，看護目標は「口腔内が清潔になる」だけではないはずです．

口腔内の汚染は食事摂取を中止していることによる唾液分泌の低下が一因と考えられますが，なぜガーゼをお湯で濡らして口腔内を清拭するという方法がとられていたのか，X さんは自分で歯磨きや含嗽はできないのか，食事摂取が中止になる前まではX さんはどのような口腔ケアを行っていたのか，入れ歯はなぜ外したままで過ごしているのか，まず現在の状況についてのアセスメントも必要です．

これらをふまえて，「口腔内が汚染している」という問題設定の妥当性や「口腔内の汚染」「入れ歯を装着していない」「コミュニケーションの減少」の関連性をケーススタディのテーマにするか検討するとよいでしょう（**図 4**）．

2）ケアの方法の検討

実施中に口腔内の汚染に対して行った「1 日 5 回，柔らかい歯ブラシでのブラッシングとレモン水に 1 滴はちみつを入れて薄めたお湯での含嗽」がX さんに適していたのかどうかを考察する，ということもケーススタディのテーマになります．ただ，実習中に口腔ケアの方法について検討し，いろいろな方法の中からこれを選択し，実施し，評価することを繰り返してきたのだろうと思いますので，単に実習記録を整理するだけでは，ケーススタディの意味はありません．また，解剖・生理学的

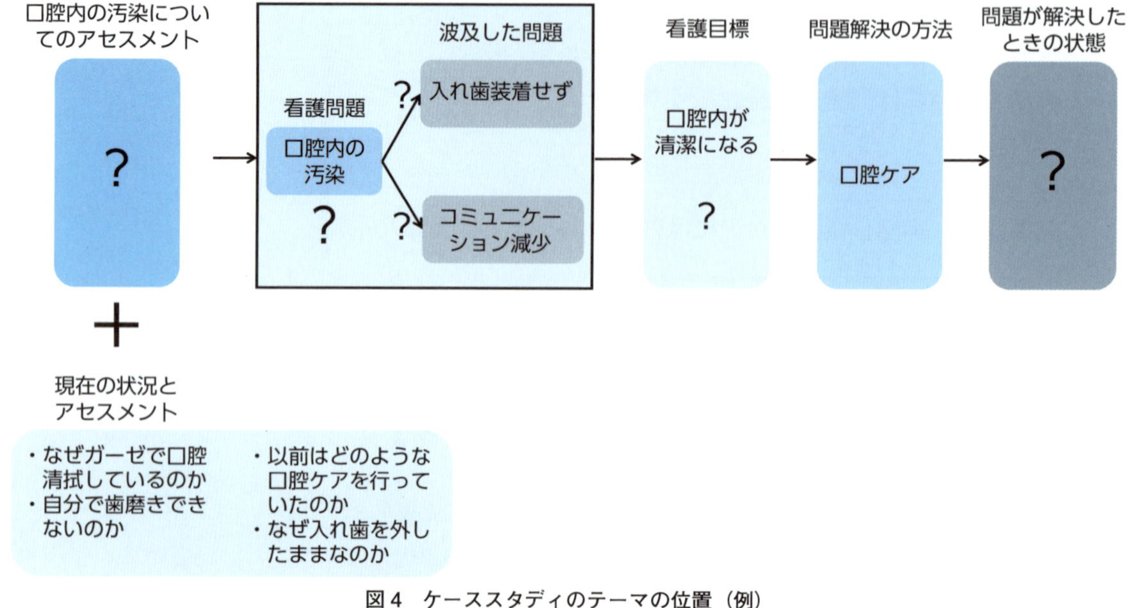

図 4　ケーススタディのテーマの位置（例）

視点から「誤嚥性肺炎を起こした患者，食事摂取中止，口腔内が白っぽく，痰がこびりついている」という状態についてさらに詳しく調べて，この状態に対して「1日5回，柔らかい歯ブラシでのブラッシングとレモン水に1滴はちみつを入れて薄めたお湯での含嗽」の何がどのように作用したのかを考察してもよいと思いますが，先行文献によりすでに解明されていることであれば，ケーススタディで取り上げる意味は小さくなります．むしろ，実習中にそこまで調べておく必要があります．

3）状況の新たな解釈

「実習中は口腔内が汚染しているので，口腔内を清潔にするために口腔ケアを行っていた．口腔ケアは実習中に頑張ったケアだったので，ケーススタディで取り上げてみようと考えた．Xさんは自分が実習で受け持ちになり，口腔ケアをするようになってから，言動に変化が見られた．口腔ケアが口の清潔以外にもよい効果をもたらした可能性について，口腔ケアとXさんの言動の変化を整理し考察する」ということで，ケーススタディを始める場合もあります．

後でよく考えてみたときに，状況の新たな解釈に気づき，ケーススタディのテーマにすることのほうが多いかもしれません．このような場合，テーマを決める前に，自分に都合のいい解釈をしていないかを吟味することが大切です．学生は，患者の活動性の変化は口腔ケアによるものであると断定しているようですが，もしかすると「他の病院に入院している家族の容体が心配して沈んでいたが，回復してきたという連絡があり

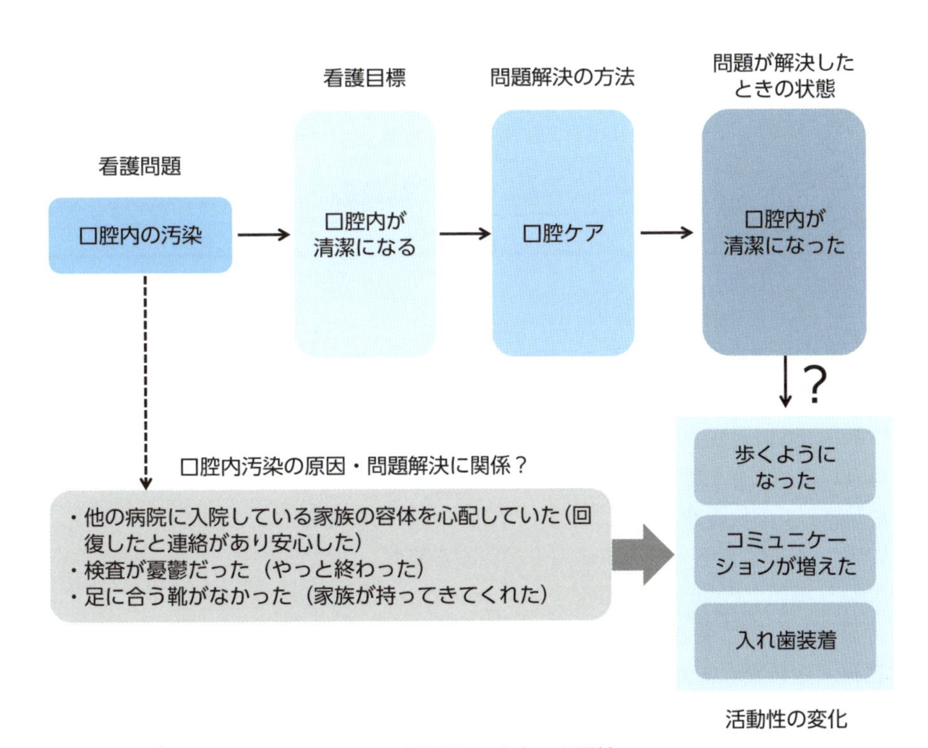

図5　看護問題の追究の必要性

安心した」「検査が憂鬱だったが，やっと終わった」「足に合う靴を家族が持ってきてくれた」など，口腔ケア以外の要因が関係している可能性もあるのです．単純に状況と状況を結びつけて考察するのは危険です．患者の口腔の汚染の原因は何だったのかを追究しなければ，真の問題に迫ることになりません（**図5**）．

以上のように，問題が解決した事例をケーススタディで取り上げる場合は，テーマを決める前に，問題の設定そのものが適切だったのかどうか，また，実施したケア以外の要因によって問題が解決した可能性の有無についても検討する必要があります．「頑張ったケア」「喜ばれたケア」をテーマに選択することもあるかもしれませんが，頑張ったから，喜ばれたから評価に値する，というケーススタディにならないようにテーマを設定します．

4）いろいろなテーマ

ケーススタディのテーマは，看護問題，ケア（技術や教育を含む）に関することだけではなく，患者の特徴（疾患，心理過程，受容過程，意欲，社会的役割など），自身の振り返り，かかわりの意味づけなど，いろいろあります．ケーススタディを行うことによって，今後の自身の看護に活かすことができそうだと思えるテーマを選択します．

5）テーマの書き方

テーマの書き方は，「実習中に実施した口腔ケアの効果」のように大きな捉え方ではなく，「活動性が低下した高齢者の口腔内汚染とコミュニケーション減少の関係」や「口腔内汚染の改善が高齢者の活動性向上に与えた影響」のように，テーマを見ただけで問題意識が伝わるように表現します．

3　観察と記録

1）観　察

患者の情報は，観察によって得られます．観察の方法は，五感，コミュニケーション，記録，計測です．観察力は患者の状態や患者を取り巻く状況に気づく力であり，それらの中から必要な情報を取捨選択する能力です．必要な情報が得られるかどうかは，得た情報を何に役立てるかという予想や予定をあらかじめ立てているかにもよります．予期せぬ事態に遭遇することもありますので，冷静さや客観性，記憶力や記録する能力も必要です．

学生が学内で行う紙面上の患者によるケーススタディは，与えられた事例ですので，記録から観察する以外に観察力は発揮されません．記録の情報を取捨選択する必要もありません．しかし，部分的ではあっても，看護過程の展開の練習をしておくと，実際に患者を受け持ったときに役立ちます．看護技術の練習も同様です．

2）記　録

学内での紙面上のケーススタディを除き，ケーススタディをするために必要なものは，実践と記録です．実践は相互作用が生じるような患者とのかかわりを指します．看護過程の中に実践があるからこそ，情報が追加され，アセスメントが修正され，自身の思考や感情が変化します．

ケーススタディには実践とともに，実践の詳細な記録が必要です．記録は過去の事実を確認する手段として用いられます．ケーススタディに必要な記録には，情報，アセスメント，看護計画，実施記録があります．記録には，正確さ，客観性，具体性が求められます．

●情　報

情報は，読み手に正確に伝わるように書く必要があります．下記の3つを比較してください．

①ご飯はまだですか，と患者が尋ねた．

②ご飯はまだですか，と患者が空腹を訴えた．

③ご飯はまだですか，と言いながら患者は口唇をなめており，その舌は乾いていた．

②のように事実に解釈が混ざってしまうことがあります．①は間違ってはいませんが③に比べると状況が詳しく書かれていませんので，患者がご飯はまだかと尋ねた理由に結びつくような情報がありません．

④患者が暴れた．

⑤患者が「やめろ」と言いながら前腕を5～6回振り回した．

④では「暴れた」という言葉の解釈が人によって差が生じますが，⑤のように書かれていれば「暴れた」という表現にはつながりません．

⑥ふらついていた．

⑦「めまいがする」と言い，ベッドサイドの椅子に座って右手で右頭部を押さえていた．

簡略化して⑥のように書くことがありますが，これも人によってふらつきの程度の解釈には差が出ますので，できるだけ状況を正確に表現する必要があります．

⑧入浴を拒絶した．

⑨入浴の順番が来たことを伝えると「今は入らない」と言った．

⑧のような表現は，学生が書いてしまうかもしれません．入浴を促すという自分の計画が否定されたような思いにとらわれると，拒絶という強い言葉で表現してしまう可能性があります．⑨のように正しい状況がわかれば，拒絶したのではなく断っただけだということがわかります．正しく記録されていないと，適切なアセスメントができません．

情報の内容もまた，アセスメントに影響します．以下は，20代の女性，職業は看護師，バセドウ病で入院中のYさんに関する情報です．

A 看護師の情報

病院の寮に一人暮らしをしている．将来が不安だと話していた．婚約者が毎日，見舞いに来ているが，あまり会話をしている様子はない．入院当初は長い髪をきれいに束ねて，部屋の人とも会話が見られたが，医師から説明を受けて以来ベッドに寝ていることが多くなった．

B 看護師の情報

一人娘（一人っ子）ということもあり，親が病気を心配し，仕事を辞めて帰ってくるように言っているとのこと．実家まで約5時間かかる．その話以降，ベッドサイドに座ってぼんやり外を眺めているかと思うと，煙草を吸いに行ったり，売店に行ったりして落ち着かず，イライラした様子も見られる．

2人の看護師の情報は，Yさんの違う面を捉えています．どちらもYさんの背景も含めて，すべての情報を把握しているわけではないようです（**図6**）．

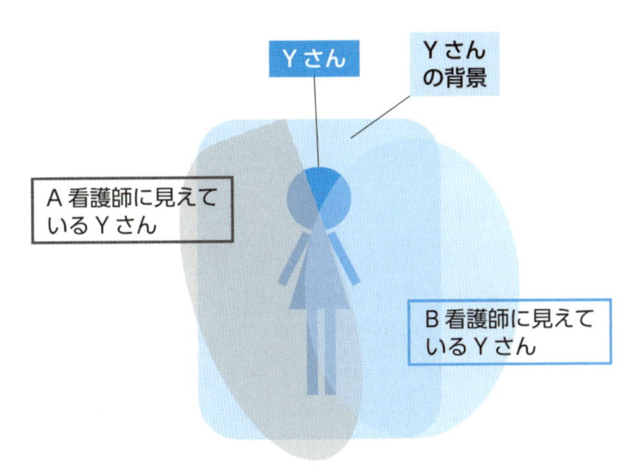

図6　A看護師とB看護師に見えているYさんは同じではない

看護記録には見たり聞いたりしたことのすべてを書くわけではありませんので，誰かがもっている情報を自分はもっていないかもしれないし，逆もあります．身体的な情報については共有することが多いかもしれませんが，精神的，社会的な情報は記録だけでは十分な情報が得られないこともあります．上記のA看護師とB看護師の情報は，もしかすると記録には残さないものの，ナースステーションでの会話の中で交わされるような情報かもしれません．つまり，ケーススタディに必要な情報は，通常の看護記録だけでは足りない可能性があります．そのため，テーマははっきりしていなくてもケーススタディをすることがわかっていれば，自身でノートを作って記録しておくような準備が必要です．その場合，個人が特定される情報を記載したり，ノートを落としたり，ケーススタディ以外のことに使ったりすることがないように注意が必要です．

アセスメントの違いは，知識や経験にもよりますが，情報の違いによるところも大きく，患者とのかかわりの程度により患者から得られる情報は違ってきます．自分が捉えている患者の全体像は，真の患者像とは違うかもしれない，という謙虚な気持ちで情報を扱い，患者に関心を持ち続けることが大切です．

●アセスメント

ケーススタディでは，実践ではどのようなアセスメントをして，どのような看護計画を立てたのか，ということをもとに論じることが多いため，実習記録も看護記録も，アセスメントを書いておく必要があります．

実際に患者にかかわっていたときのアセスメントが不十分な場合は，ケーススタディの中で補足します．アセスメントのための情報が不足している場合は，情報も追加します．アセスメントのどこに不足や見落とし，偏りがあったのかを確かめながら，看護過程全体について，こういう捉え方をしていれば違う方法を選択したのではないか，という検討をすることもあります．問題が解決した事例の場合は，患者の特徴をどのように捉えた（アセスメントした）ことが問題解決につながったのか，ということを考察します．

いずれにしても，もとのアセスメントの記録があればそのときの自分の考えと現在の考えを比較することができるため気づきにつながります．

●看護計画

看護計画（看護問題，看護目標，具体策）は，看護の方針を示すためにケーススタディの中で必ず記載します．アセスメンの追加・修正に伴って看護計画も修正されることがありますので実践を振り返り比較する材料として看護計画の記録が必要です．現場では看護計画が詳細に書かれていない場合があるかもしれませんが，ケーススタディをすることがわかっていれば，意識的に書くとよいでしょう．

●実施記録

実施記録は，具体策の実施によって何が起こったか（起こらなかったか）という事実と評価の記録です．言い換えれば，情報とアセスメントです．ここでの情報とアセスメントによって具体策の継続，修正，終了が決まります．実施記録が曖昧だと，ケーススタディは成り立ちません．ケーススタディをするときになって，必要な情報が実施記録に記載されていないということがないように，実施したことも自分のノートに記録をしておくと役に立ちます．

自分のノートを作ることについては，あくまでもケーススタディをする場合に限ります．ケーススタディでは，事実を探求するために詳細な記録が必要となるからです．

4　情報の収集と整理

情報は実習記録や看護記録に記載されていると思いますが，それらの記録の中からケーススタディのテーマに合わせて収集し，整理し直します．

テーマ設定の項で例にあげた，口腔ケアをテーマにしたケーススタディのように，口腔内の汚染に関する情報だけではなく，散歩やコミュニケーションなどの活動性に関すること，以前と現状の口腔ケアの方法に関すること，入れ歯を外している理由など，口腔内の汚染の周辺にあるさまざまな情報を収集し，情報同士の関係性がわかるように整理し直します．また，**図5**で指摘したように，活動性の変化は本当に口腔ケアの効果といえるのかを検証するために，口腔内の汚染の原因に関係しそうな情報を収集する必要があります．

情報，アセスメントを整理し直すことによって，全体像も違って見えてくる可能性があります．例えば，患者は定年前まで旅行代理店に勤めていたことは知っていたけれど，そのことと患者の言動を結びつけて，「最初，あまり話してくれないときはわからなかったけれど，話し好きな感じがした．人と話をする仕事だったからなのかもしれない」「人と話す職業だったので身だしなみに気をつけていただろう．入れ歯を早く入れたかっただろうし，口の汚れがとても気になっていたのではないか」「それならば，なぜあんなに口腔内が汚染されるまで放置していたのだろう」と，実践中には気づかなかったことをアセスメントしたり，疑問が生じたりするかもしれません．自身の視野の狭さが自覚できれば，次からはもう少し違った目で患者を観察できるようになっていくことが期待されますので，ケーススタディのために情報を整理し直すだけでも，得られるものはあるはずです．

5　倫理的配慮，インフォームド・コンセント

倫理的配慮とは，危害を受けない，利益に加担させられない，自己決定できる，情報や結果を知らされる，プライバシーが守られるなどの患者の人権を守るためになされるべき，具体的な対応です．ケーススタディのうち，事例研究については，倫理的配慮について厳しく問われるようになり，倫理審査を受けていない事例研究は，研究として認められません．医療の現場では，患者は「治療をしてもらう」という弱者の立場になりやすく，人権が侵されても主張しにくい，ということを理解する必要があります．

医療の倫理については，1947年にナチス・ドイツによる人体実験の犯罪を裁いたニュルンベルク裁判において提示されたニュルンベルク綱領が国際的な基準となっています．ニュルンベルク綱領の中で，被験者の自発的な同意が必要不可欠とし，インフォームド・コンセント（説明されたうえでの同意）のもとになる考え方が示されています．その後，1964年に世界医師会でヘルシンキ宣言（人を対象とする医学研究の倫理的原則）が採択され，2013年までに9回の修正が行われています．日本における看護の倫理については，2003年に日本看護協会が実践を行う看護者を対象とした行動指針として，「看護者の倫理綱領」を公表しました．次いで，2004年には「看護研究における倫理指針」を公表しました．

事例研究以外のケーススタディも，これらに準じて倫理的配慮が行われる必要があります．ただし，事例検討や事例分析が業務の範囲と見なされるか否かによって，インフォームド・コンセントを得るかどうかは異なります．日々のカンファレンスで患者について話し合うのは看護実践の一環ですが，病棟看護師のみで行われる事例検討会，複数の病棟合同で行われる事例検討会，病院の看護部主催の院内事例検討会，病院外の事例検討会などもあり，看護実践そのものというよりも学習の要素が強いものもあります．日々のカンファレンスや病棟看護師のみの事例検討会では，参加者が患者を知っていることを前提に患者を特定して話し合われますが，複数病棟での事例検討会，院内事例検討会，院外事例検討会には患者を直接知らない看護師も参加します．そのため，氏名，年齢，入院年月日，住所など個人が特定される情報は公表しない，抽象度

を上げて伝える，などの工夫が求められます．院内発表では，発表について患者からインフォームド・コンセントを得る，配布資料のコピーを禁止する，などのルールを決めておく必要があります（**表 2**）．看護を実践するために必要な議論・検討なのか，看護師同士の学習が目的なのか，発表者自身の学習が目的なのか，公表して広く共有することが目的なのかによって，配慮すべき点は異なります．

例えば，乳児は生後１ヵ月と生後８ヵ月では発達の状態に大きな差がありますので，個人情報を配慮して１歳未満と表記すると適切な議論ができません．しかし，症例数の少ない疾患で生後何ヵ月かを示すことにより個人が特定されてしまうこともあります．事例研究は発表することを目指して行われますが，研究によって得られる公的な利益よりも対象者にもたらされる可能性のある不利益のほうが大きいと判断される場合は，研究を取り下げなければなりません．事例検討や事例分析は，実践への活用や学習の意味のほうが大きく，必ずしも発表を目的としているわけではありませんので，個人が特定される可能性が払拭できない場合は学習の範囲にとどめ，公表しないという選択も検討すべきです．

学生の場合は，実習中の日々のカンファレンスでは，同じ病棟で実習をしている学生と担当教員，実習指導者だけがメンバーですので，患者名や個人情報も含めて報告や議論がなされます．学内に戻り，実習の振り返りをする場合も，閉鎖的なメンバーだけで行うのであればその延長上といえます．しかし，領域（基礎看護，成人看護，老年看護，精神看護，小児看護，母性看護，地域看護など）の中での発表会や，当該学年の学生全体の発表会，他の学年も参加する学校全体での発表会には患者を知らない人も参加しますので，倫理的配慮をしたうえで発表する必要があります．

表 2　発表の場と倫理的配慮

	日々のカンファレンス（病棟）	病棟事例検討会	複数病棟合同事例検討会	院内事例検討会	院外事例検討会	学会
仕事上の位置づけ	看護実践上，必要な議論・検討				学習	発表
参加者と患者とのかかわり	患者とのかかわりありの人のみが参加		患者とのかかわりがない人も参加			
患者個人の特定	個人を特定する		個人を特定しないようにする			
情報	そのまま提供する		抽象度を上げて提供する			
インフォームド・コンセント	得ない		必要に応じて得る			得る
個人情報保護	看護師個人のメモの取り扱いに注意する		資料を配布する場合にはコピーや転載を禁止する，必要に応じて資料を回収する			学会主催側の規程に従う

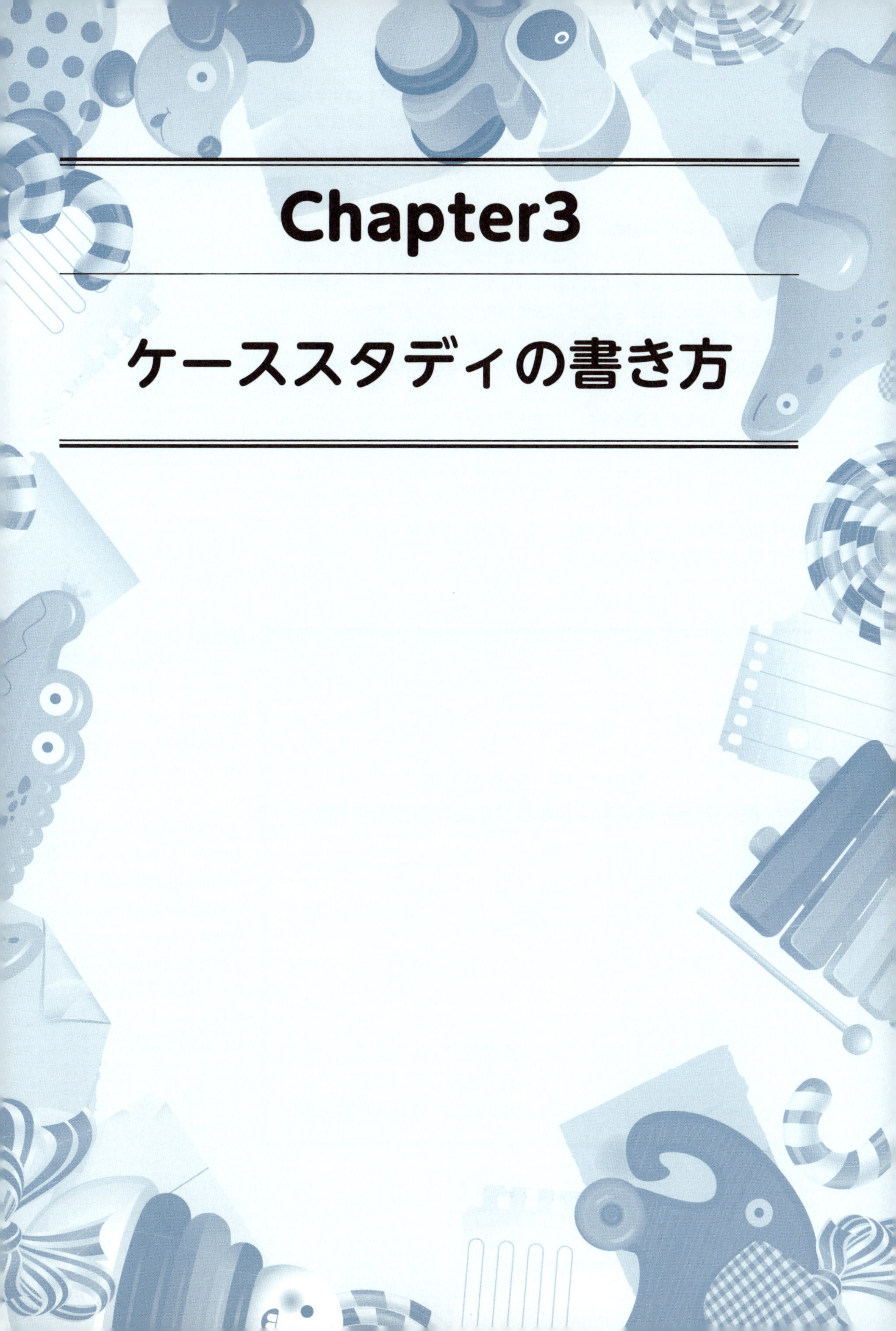

Chapter3

ケーススタディの書き方

実習では，学生は1人で患者を担当するため，自分のかかわりを中心にケーススタディを行います．アセスメントや看護問題，看護目標，具体策は，看護師の記録をそっくり真似るのではなく，自身の考えを記述します．

しかし，臨床では，チームで看護を提供しますので，1人の看護師の考えだけで看護過程を展開しているわけではありません．実践の中で得られる情報も，1人で得たものではありません．そのため，ケーススタディをするときに，自身の看護実践を評価するのか，チームの看護実践の評価をするのか，はっきりさせる必要があります．前者であれば，自分の思考やその変化を見極める必要があります．後者であれば，チームの動きや連携，チームの価値観，チームワークなども含めて，評価することになります．

ここでは，学生の実習後のケーススタディを例に，ケースレポートの書き方のポイントを解説します．

ケースレポートは①表紙，②はじめに（序論，ケーススタディの目的），③事例紹介，④テーマに関連したアセスメントと看護上の問題，看護目標，⑤看護の実際，⑥考察，⑦おわりに（結論），⑧文献で構成されます．要旨，図表，謝辞，脚注を入れることもあります．

❶

活動性が低下した患者の
昼夜逆転を改善するかかわりにおける成果の要因

学籍番号　1 2 3 4
氏　名　○川△子
提出日　平成×年●月■日

❶表紙

テーマ(表題)，学籍番号，氏名，提出年月日を記載します．テーマ（表題）の書き方については，Chapter2（18頁）を参照してください．

学校によって，実習名，病棟名，担当教員名，実習指導者名などを記載することが規定されていることもあります．

抄録集に綴じる場合は表紙をつけず，最初のページの冒頭に，テーマ，学生番号，氏名を記載することもありますので，指示に従ってください．

Ⅰ．はじめに❷

担当した患者は入院前まで60年間農業を営んでおり，朝から夕方まで身体を動かす生活をしていた．しかし，肺炎治療の入院中に発症した脳梗塞により，日常生活の大部分に介助を要する状態となり，認知機能の低下が見られた．問いかけにはうなずきで反応するが，表情は乏しく，日中はほとんど眠っていた．

活動性の低下や昼夜逆転を起こしている要因として，脳梗塞による認知機能の低下に加え，入院による刺激の低下や生活サイクルの変化により睡眠・覚醒リズムが障害されていることがあげられた．日中の覚醒を促すような刺激や生活サイクルを取り戻すように援助を実施したところ，発語や反応が見られるようになり，昼夜逆転が改善された．そこで，本ケーススタディでは，このような成果をもたらした要因について考察する．

❷はじめに（または序論）

テーマを選択した理由，動機，文献を用いた問題提起，ケーススタディによって明らかにしたいこと（ケーススタディの目的）を書きます．

このケースレポートでは担当した患者の状況，アセスメント，看護実践の概略を述べ，目的は看護実践の成果の要因を追究することであると述べています．

Ⅱ．事例紹介❸

1）年代，性別，職業

Aさん，80歳代，男性，家族で農業を営んでおり，入院前まで毎日畑仕事をしていた．

2）診断名

肺炎，脳梗塞

3）家族構成

妻，息子（50歳代），息子の妻と孫2人の6人暮らしである．農作物の収穫の時期であるため，家族はほとんど見舞いに来ることができない．

4）入院までの経過

39℃台の発熱があり，呼吸苦を訴えたため外来を受診したところ，胸部X線上肺炎像が認められたため緊急入院となった．

5）入院から受け持ちまでの経過

受け持ち開始は入院15日目であった．

❸事例紹介

事例を表す記号，年代，性別，診断名，治療の概要，全体像の要約，テーマに関連した看護上の問題を確定した時点までの情報などを記載します．

事例は記号化し，イニシャルや一部を匿名化した「○山○子」のような表現は用いません．記号化するといっても，γ（ガンマ）さん，％（パーセント）さん，H_2Oさんというのは違和感がありますので，アルファベッド一文字を使うことが多いようです．Aと呼び捨てにするよりも，Aさん，A氏のほうが自然です．

事例紹介にはテーマに関連する情報だけを記載します．ここに書かれた情報から，次のアセスメントと看護上の問題，看護目標が導

①肺炎

酸素療法,抗炎症薬の投与などにより,数日で病状は安定した.

②脳梗塞

入院後から徐々に意識レベルが低下し，入院５日目に軽い脳梗塞を起こしていると診断され，血栓溶解薬，抗凝固薬などが投与された．軽度の運動神経障害が見られ，右の上下肢に十分に力が入らない.

③意識レベル

JCS II −20（大きな声または体を揺さぶることにより開眼する）である．発語はほとんどなく，質問には縦横に軽く首を振ることもあるが，反応しないこともある.

④睡眠

家族の話によると，入院前は夜間１回くらいトイレに行くことはあったが，眠れないようなことはなかった．昼は畑仕事の後30分程度，家族とともに仮眠をするのが習慣だった.

入院後は日中眠っていることが多く，声をかけても覚醒しなかったり，話しかけている間に眠ってしまったりすることもある．夜は覚醒していることが多い.

⑤活動

関節拘縮や筋力低下を予防するために，リハビリテーションが開始され，現在は端坐位保持練習が行われている．リハビリテーションのために離床する以外は，褥瘡予防マットを敷いたベッド上に仰臥位で過ごしており,自分から動こうとはしない.坐位は支えがないとふらつく．立位保持・歩行はできない.

⑥食事

食事摂取が困難となったため，経鼻経管栄養により摂取している．水分は経口摂取することもあるが，量は少ない.

⑦清潔・整容

洗面，口腔ケア，清拭などすべて全介助であり，整髪，ひげ剃りなど自分では何もしようとしない.

Ⅲ．アセスメントと看護上の問題，看護目標[4]

1．アセスメント（図１）

Ａさんの看護上の問題として，昼夜逆転していることがあげられる．その原因は活動性の低下である.

活動性の低下には，身体が自由に動かせないことと認知機能

き出されることになります.

Ａさんの場合は，睡眠・覚醒リズムの障害に関連する情報をあげています．排泄も何らかの援助をしていると思われますが，今回のテーマには関係していないと判断されたのか，記載されていません．しかし，オムツにせよトイレ誘導にせよ，１日に何回か行う排泄の援助は，動作を促したり声をかけたりする機会でもあったと思われます.

情報を絞り込み過ぎると情報不足，アセスメント不足となりますので，幅広く捉え直してみる必要があります.

❹テーマに関連したアセスメントと看護上の問題，看護目標

テーマに関連した看護上の問題を確定した時点におけるアセスメント，看護目標を書きます．関連図（情報の因果関係や判断）を記載する場合はこの項で示します.

アセスメントは考察とともに文章力が求められる部分です．関連図を見ながら

の低下が関係している.

身体が自由に動かせない原因の１つは，脳梗塞によって運動神経障害を起こし，右上下肢に思うように力が入らなくなったことである．２つ目として，この状態に加え，入院後はほぼベッド上で生活していたため徐々に全身の筋力が低下してきた可能性がある．退院後また農業ができるようにできるだけ筋力を維持できるように，専門職によるリハビリテーションや生活の中でのリハビリテーションを進める必要がある.

認知機能の低下には，環境や状況の変化が関係している．入院により，知らない人たち（医療者や同室者）に囲まれ，治療を受けたり，これまで自分でできたことを援助されたりして，環境や状況が一変した．畑仕事ができなくなり，繁忙期で家族が見舞いに来られないため，普段の生活での刺激もなくなってしまった．高齢のため環境の変化に対する適応力が高いとはいえず，Ａさんらしい生活リズムを整えにくいことが認知機能低下の要因となっている.

また，Ａさんは身体が自由に動かせなくなってしまったことや環境・状況の変化に不安・緊張を抱いている可能性がある．このような不安・緊張や昼夜逆転も認知機能の低下に影響していると考えられる．認知機能を回復するために，日中はコミュニケーションをとるようにして１人で過ごす時間を減らし，Ａさんの好きな音楽を聞いてもらったり散歩に行ったりして刺激し，自分でできることを増やしていく必要がある.

高齢になると中途覚醒が増え，睡眠の質が悪くなる人が多いが，Ａさんは畑仕事をしていたため適度に身体が疲労して夜間よく眠れていた．しかし，前述のように活動性が低下し，活動と睡眠のバランスが変化したことによって睡眠・覚醒リズムが障害され，昼夜逆転の状態が生じている．逆に昼夜逆転もまた活動性の低下に影響し，悪循環を招いていると考えられる.

これらのことから，昼夜逆転の改善を看護の目標とし，評価する.

2. 看護上の問題

活動性の低下により昼夜逆転している.

3. 看護目標

活動性が高まり昼夜逆転が改善される.

文章を読むことによって，アセスメント（情報の意味づけ）とその理由が読み手に明確に伝わるように，文章の順序や表現を考えます.

このアセスメントでは，まず昼夜逆転という問題とその直接の原因として捉えている活動性の低下に注目させています.

次に，活動性の低下について，身体が自由に動かせないことと，認知機能の2つに分けて，それぞれ説明しています.

さらに身体が自由に動かせないことと環境・状況の変化が不安・緊張につながっていることを示し，認知機能にいろいろな要因が関係していることを示しています.

そして，昼夜逆転という看護上の問題と，活動性の低下や認知機能の低下との悪循環を指摘し，昼夜逆転の改善を看護目標とする根拠としています.

アセスメントの中で問題の根拠を論じるだけではなく，身体を自由に動かせないことや認知機能低下に対する看護の方向性を示し，具体策につなげる表現をしています.

しかし，脳梗塞の病態生理と運動神経障害，認知機能低下の関係および治療に関するアセスメントが不足しているため，現象の解釈にとどまっています.

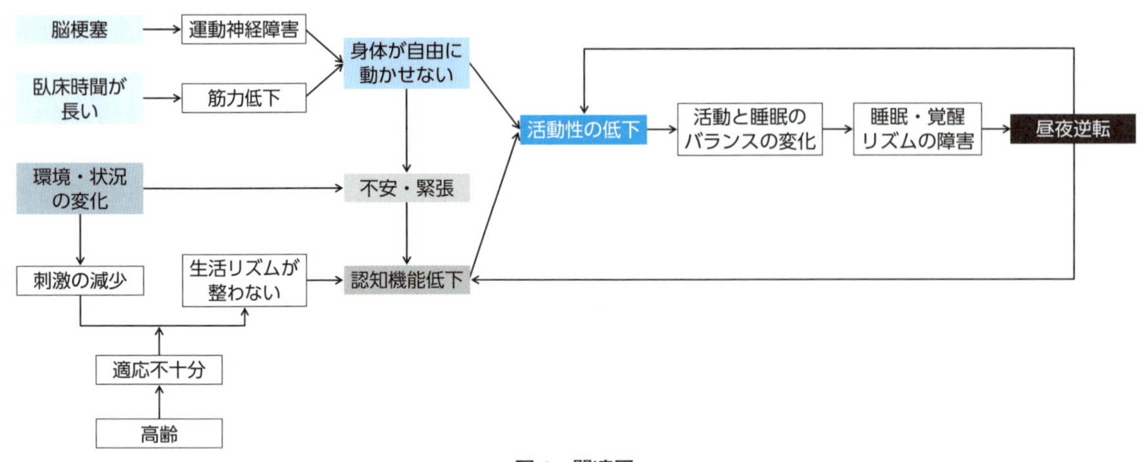

図1　関連図

Ⅳ．看護の実際[5]

1．具体策

OP：認知機能の状態と運動機能の観察

①夜間の睡眠と日中の覚醒状態を観察する．

②発語の有無や内容，話しかけたときの反応を観察する．

③自発的な行動の有無を観察する．

④坐位姿勢の保持状況，関節可動域，力の入り具合など，リハビリテーションのときの動きや病棟での身体の動きを観察する．

TP：生活の中でのリハビリテーション

①モーニングケアを行う．蒸しタオルで顔を拭く．スポンジで口腔内清拭を行う．家で使用していたシェーバーでひげ剃りを行う．髪をとかす．

②日中はベッドをギャッチアップする．

③日中はそばにいて，話しかけたり，身体をさすったりする．

④音楽を聞いてもらう．特に，昼の経管栄養のときにはイヤホンで音楽を聞いてもらう．

EP：自立に向けたかかわり

①家族に，Aさんの好きな音楽，趣味，好きな話題，テレビ番組などを確認する．

②モーニングケアや清拭のとき，できる範囲は自分でやってみるように声をかける．

5看護の実際

具体策，援助に対する患者の反応や変化，新たに得られた情報，目標への到達状況（データを含む），計画の修正（修正に関係する事実，アセスメント，修正内容）を書きます．

具体策は，OP（observation plan，観察計画），TP（treatment plan，実施計画），EP（education plan，教育計画）に分けて書いていますが，アセスメントで，活動性の低下の原因は身体が自由に動かせないことと認知機能であると述べていますので，この2つに分けてプランを具体化してもよいでしょう．

ここではOP，TP，EPの横に，それぞれの計画の概要を一言で記述しています．

2. 患者の反応・変化❻

1）受け持ち 1 週目

①睡眠・覚醒状態

ベッドサイドにいる間は，常に声かけタッチングを行ったが，肩をさすらなければ覚醒せず，覚醒後もすぐに眠ってしまった．質問に対しては首振りのみで返答していた．夜間は巡視のたびに開眼して起きていたと記録されていた．

②活動

リハビリテーションでの車いす移乗は全介助で行っており，端坐位保持練習時，最初は理学療法士の支えがないとふらついたが，後半は 1 分程度であれば自力で姿勢保持ができていた．

ギャッチアップ 30 度程度で過ごしていた．

③清潔・整容

モーニングケアとして，顔の清拭，口腔内清拭（スポンジ使用），ひげ剃りを全介助で行った．ずっと閉眼したままだったが，口腔内清掃時は嫌そうにしかめ面をした．

生活の中での刺激をして日中の覚醒を促したが，昼夜逆転は改善されていない．計画を続行する．

2）受け持ち 2 週目

①睡眠・覚醒状態

モーニングケアの間だけはずっと覚醒していたが，それ以外の訪室時は，肩をさすって名前を呼ぶと 1 分程度は開眼しているが，すぐに眠ってしまうという繰り返しであった．週の前半は，理学療法中も眠ってしまうことがあり，端坐位をしている間，支えていないと倒れそうであった．週の後半になると理学療法中は眠ることはなくなった．

看護記録には，夜間は開眼していることもあるが，閉眼して眠っているようだと記録されている日もあった．

経管栄養をしているときに音楽を聞いてもらっているが，眠っていることが多い．

②清潔・整容

モーニングケアを毎朝実施した．自分で整容を行うように促し．ギャッチアップ 60 度の長坐位にし，蒸しタオルを渡して，顔を拭くように左手を誘導すると，大雑把に自分で拭き，大き

❻患者の反応・変化

患者の反応・変化としましたが，「看護の実践」「実施・評価」のような項目でもよいでしょう．

ここでは週の最後に，その週の状態に関するアセスメントの総括と計画の修正の有無について述べています．

一般的に，実習何週目，受け持ち何日目という経時的な書き方を用います．経過はわかりやすいのですが，日記のようになってしまうことがありますので，項目を作ると伝わりやすくなります．

今回は，「睡眠・覚醒状態」「活動」「清潔・整容」に分けて整理しています．1 週目はこの分け方でよかったようですが，2 週目以降はうまく割り振れない情報が出てきているようです．1 週目，活動は 2 番目に記載していますが，2 週目以降は清潔・整容が 2 番目に記載されています．最初は運動機能の状態や姿勢の状態を重視していたと思われますが，2 週目以降はモーニングケアに反応が見られるようになったため，2 番目に記載するようになったと思われます．

しかし，「睡眠・覚醒状態」は観察，「清潔・整容」はケアとその反応，「活動」はリハビリテーションの状況と清潔・整容以外のケア

く口をあけて「あぁー」と気持ちよさそうな溜息のような声を出した．家族に持ってきてもらったシェーバーを渡すと，最初は眺めているだけだったが，使い方を説明し，鏡を見せながら左手に持ってもらうと，剃り残しは多いが鼻の下，頬，顎，首を自分で剃った．日を追うごとに剃り残しは少なくなっていった．

③活動

端坐位保持練習では，身体がやや麻痺側の右に傾いていた．しかし，理学療法士が指示すると，自ら身体の傾きを正そうとする動きが見られた．理学療法後は，そのまま車いすに端坐位かベッド上長坐位を保持したまま言語聴覚士のリハビリテーション開始を待つこともあった．

昼夜逆転はまだ改善されていないが，少しずつ日中の覚醒時間が長くなっている．自分でモーニングケアを行うことで，普段の生活感覚を取り戻しつつあると考える．計画を続行する．

3）受け持ち3週目

①睡眠・覚醒状態

朝の訪室時には名前を呼ぶだけで開眼し，モーニングケアのときはずっと覚醒していた．清拭や検査で，午前中はまったく眠ることなく過ごした日もあった．名前を呼ぶと「はい」と返事をするようになり，「おはよう」「ありがとう」という簡単な言葉を発するようになった．ひげ剃りがうまくなったことを褒めると，笑顔を見せた．視線がはっきり合うようになった．

看護記録には，夜間は眠っていると記載されている日が多かった．

経管栄養中に聞く音楽を，クラッシックではなくAさんが青年期に流行していた歌謡曲にしたところ，閉眼していても名前を呼ぶだけですぐに開眼するようになった．午後も起きていることが多くなった．

②清潔・整容

モーニングケアのときに，引き出しからシェーバーを出すと自ら手を伸ばし，スイッチを入れて，鏡を眺めながら自分でひげ剃りを行うようになった．剃り残しは少なくなっていった．スポンジブラシを用いた口腔ケアも自分で行うようになり，含嗽もできる．

とその反応が記載されており，ときどき混ざり合っているようです．例えば，2週目の活動に「理学療法士が指示すると，自ら身体の傾きを正そうとする動きが見られた」と書かれています．これは，自分で坐位保持できるようになってきたことを示すと同時に，理学療法士の指示を理解していることも示しています．

具体策のところで書きましたが，アセスメントで，活動性の低下の原因は身体が自由に動かせないことと認知機能であると述べていますので，「患者の反応・変化」もこの2つに分けて整理すると，経過を理解しやすくなるかもしれません．前述のように，中にはどちらにも関係する内容もありますので，どこで線引きして分類するか難しいところですが，読み手が理解しやすいかどうかを念頭において，整理します．

③活動

理学療法では，端坐位は安定してきたため，ベッドと車いす間の移乗練習が開始された．自ら手を伸ばし，車いすに移乗しようとする動作が見られている．

午後はギャッチアップ 60 度で，写真集を見ることを具体策に追加した．毎日続けて行ったところ，畑，森，海，空，動物，人，車，絵画など何冊かの写真集から自分が見たいものを選ぶようになった．また，自分でページをめくり，顔を近づけ見入っているような様子が見られた．「明日も本を持ってきましょうか」と声をかけると「うん」とうなずき，ゆっくりとした口調で「おいしそうな料理の写真が見たい」と言った．会話が成立している．

日中の覚醒時間が延長し，夜は眠っている様子が見られるようになったことから，昼夜逆転は改善しつつある．モーニングケアを自身で行うことや，午後は写真を見ることが日課となり，活動量が増えてきた．言葉を発するようになり，認知機能は少しずつ回復の兆しを見せている．

具体策として，TP ⑤午後は写真集を見る，を追加する．車いすに乗車できるようになったことから，TP ⑥車いすでの散歩，を追加する．

4）受け持ち 4 週目

①睡眠・覚醒状態

朝は学生の気配ですぐに開眼し，自分から「おはよう」と声をかけるようになった．「昨日，息子たちが来たよ」「早く退院して，畑仕事をしたいな」「畑は今が一番忙しいんだよ」などと話し，会話には支障がなくなった．

学生がいる間は，1 時間程度昼寝をする以外は眠ることはなくなった．看護記録には，夜は眠っていると記録されていた．また，週末，家族が面会に来て，笑顔で会話していたと記録されていた．

②清潔・整容

モーニングケアでは，自ら顔を拭き，シェーバーでひげを剃っている．剃り残しがあると指摘すると，「どこ？」と言って，鏡を見て，自分で剃っている．会話が成立している．口腔ケアのときに歯ブラシを渡したところ右手を使って歯磨きをして，

「(スポンジよりも) このほうがさっぱりする」と言うため，歯ブラシを使うようになった．全身清拭を行うときに，タオルを渡して腕を拭くように促すと，自分で拭いている．強くはないが，右手で左腕を拭いている．

③活動

理学療法では，車いす移乗は自分で行えるようになり，歩行練習が開始された．最初はふらついていたが，バーにつかまり5メートル程度歩くことができるようになった．トイレは，ベッドサイドでポータブルトイレを使用するようになった．会話をするときは，ベッドサイドやデイルームで椅子に座って話すことが増えてきた．

経管栄養は中止となり，流動食が開始となった．自分でスプーンを使って食べている．

車いすで病院の庭に散歩に行ったときに，「土のにおいがする」と言って，畑の話をしてくれた．

睡眠・覚醒パターンが修正され，昼夜逆転は改善された．歩行練習が始まり，食事が開始され，活動量が増えてきている．普通に会話できるようになり，認知機能が戻ってきた様子が確認された．

具体策として，TP ①の口腔ケアはスポンジを歯ブラシに修正する．TP ④経管栄養が中止となったため，経管栄養のときの音楽は中止とする．TP ⑦トイレ歩行を追加する．

V．考　察 ❼

馬場らは高齢者の入院による昼夜逆転について「高齢者の入院患者は入院による生活の変化や訓練以外の時間が臥床傾向になってしまうことにより昼夜逆転に陥る例があるといわれている」[1)]と述べている．Aさんは入院前は自立した生活を送っていたが，肺炎治療のために入院して生活が変化し，生活リズムが崩れた．また，脳梗塞を発症したことによって身体が自由に動かせなくなり，リハビリテーションでの離床以外は臥床傾向になった．Aさんも，入院による生活の変化や臥床傾向が昼夜逆転の原因になったといえる．

紙屋は意識障害患者の日常生活行動の獲得過程における看護援助の効果について「意識障害患者の看護の基本は，脳の学習

❼考察

アセスメント（看護上の問題を解決する具体策を実施した結果に対する予測・期待）と，結果（問題が解決された状態あるいは解決されていない状態）を比較しながら，文献を用いて意味づけします．その他，テーマに基づき，問題の根拠は明確だったか，ケアは患者の安全，安楽，自立を考慮したものだったか，目標，達成時期は適切だったか，計画は根拠が明確で，具体的，実際的だったかなどについて考察します．考察が事例から離れて一般論にならないように注意が必要です．

性・可逆性・代償性に期待し，患者の状態に適した刺激を与えることによって学習効果を高め，生活行動を獲得させることにある」[2]「患者に残された能力や小さな変化，（中略），健康時の日常生活に基づく方法で看護援助を提供するならば，意識障害患者にも生活行動を獲得する可能性が十分にあることが確認された」[3] と述べている．A さんにとってシェーバーを用いた毎朝のひげ剃りは生活習慣であったため，この援助の繰り返しが脳に刺激を与え，脳の学習効果を高め，失われていた生活行動を再獲得することができたと考える．

さらに，能條は坐位保持の効果について「座らせることで，姿勢保持のためのコントロール機能を働かせ，そのことが脳幹部にある脳幹網様体を刺激し，その刺激が大脳に覚醒を起こす」[4] と述べている．日中は坐位で過ごす時間を増やしたことや，リハビリテーションによる端坐位姿勢保持の練習によって，姿勢保持のためのコントロール機能が働き，脳幹部が刺激され大脳に覚醒を起こすことができた．これにより，覚醒時間の延長や認知機能の改善につながったと考えられる．

梅津らは生活リズムを整える援助の効果について「昼間に多くの刺激を与え，睡眠・覚醒リズムを確立させてやれば意識レベルのアップがはかれるとの報告がある」[5] と述べている．モーニングケアによる触覚刺激，坐位姿勢や写真集による視覚刺激，経管栄養中の音楽という聴覚刺激など，昼間に多くの刺激を与えたことで睡眠・覚醒リズムが確立され，日中は覚醒していることができるようになった．このような生活の中でのリハビリテーションや自立へのかかわりを継続したことにより，昼夜逆転が改善され，徐々に意識レベルがアップし，普通に会話できるようになっていったと考えられる．

Ⅵ．おわりに❽

活動性の低下により昼夜逆転していた患者に対して，生活の中でのリハビリテーションおよび自立に向けたかかわりを実施し，昼夜逆転は改善された．このような成果をもたらした要因として以下の 3 つが抽出された．

1. 入院前の生活習慣の一部を取り入れた援助を繰り返し行うことで，脳への刺激となり学習効果を高め，生活行動を再獲得していくことができた．

ここでは，アセスメントの正当性を示し，予測・期待のとおりの結果が得られたことへの根拠として文献を用いています．

文献 1 は「〜があるといわれている」という部分が引用されています．文献 5 も「〜との報告がある」と書かれています．文献 1 も文献 5 も，著者自身の言葉ではなく，著者が他の人の文献を引用した箇所のように読み取れます．もし，そうであれば，孫引きといい，研究の場合は研究倫理に反することとされています．文献を引用する場合は，原典を読むことが原則です．他の人が引用したものをさらに引用するということは，原典の著者の主旨を理解していないということですので，間違った解釈をして引用してしまう可能性があります．

❽おわりに（または結論）

【はじめに（序論，ケーススタディの目的)】に書かれた問題提起に沿って記述します．

このケーススタディでは，**【はじめに】**に「本ケーススタディでは，このような成果をもたらした要因について考察する」と書かれていますので，その要因は何だったのかを整理しています．

2. 日中，坐位を保持することで大脳を刺激し，覚醒時間の延長や認知機能の改善につなげることができた．
3. 日中，触覚・聴覚・視覚による多くの刺激が与えられることによって，睡眠・覚醒リズムが確立し意識レベルのアップをはかることができた．

引用文献❾

1）馬場寿美子：高齢者の昼夜逆転の改善を目指した車椅子乗車―入院前の生活パターンと整容を取り入れて．第39回日本看護学会論文集（老年看護），pp.129-131，2009.
2）紙屋克子：日常生活における看護技術の効果．保健の科学，36(6)：360，1994.
3）前掲書2)．364.
4）能條多恵子：脳外科ナースのための看護プログラムとその実際：札幌麻生脳神経外科病院の看護実践．医学書院，p.18，2000.
5）梅津徳子：意識レベルアップをはかる刺激づけの効果．第24回日本看護学会集録（成人看護Ⅱ），p.71，1993.

❾引用文献

ケースレポートの中で引用した文献を記載します．一般的には，参考文献は記載しません．知識を補うために文献を読むのは当然であり，参考文献は知識の習得の範囲とみなされます．

ここで用いられた引用文献には20年以上前の文献がいくつかあるようです．文献が古いから引用すべきではないということはまったくありませんが，最新の知見を得るためには5〜10年以内の文献も十分に検索しておく必要があります．

Chapter4

ケーススタディの実例紹介

実例1 成人看護のケーススタディ①

ターミナル期にある患者の心理プロセスと看護師のかかわり方

Ⅰ．はじめに❶

ターミナル期にある患者は，身体的な苦痛だけでなく，死や病状に対する不安・恐怖などさまざまな感情をもっており，精神的な苦痛も強い．柏木は「ターミナルケアの目指すものは，末期患者がその人らしく生を全うできるように援助することであり，患者のQOLをできるだけ高めることである．この場合，身体症状だけでなく精神症状に対しても目を向ける必要がある」[1)] と述べている．ターミナル期にある患者は，身体症状の進行に伴って精神状態の変化も大きい．看護を行ううえでは，この身体症状の進行に伴う精神状態の変化を理解したうえで，QOLを高めるようその人らしさを尊重したかかわりが重要である．

今回，筆者はターミナル期にある患者の心理プロセスを理解することを目的に，ターミナル期にあり，身体症状と精神状態の変動が多い患者を3週間受け持った．日々変化する患者の状態に応じた援助を心がけた一方，日々の変化に戸惑い，変化に応じた援助ができていたのか，QOLの向上につながるかかわりができたのか，実習期間中に客観的に評価することができなかった．そこで，看護実践と患者の状態を客観的に振り返りながら，ターミナル期の身体症状の進行に伴う患者の心理プロセスを知り，さらにターミナル期にある患者を支援する看護師のかかわり方を考察したい．

❶
【はじめに】は，ケーススタディの導入になる部分です．「緒言（しょげん）」「序論」などと表現されることもあります．この部分は，なぜこのテーマを選択したのかという理由や動機を記載したうえで，何を明らかにしたいのかという目的をはっきり記載することが必要です．

❶
- 今回は「ターミナル期にある患者の心理プロセスを理解する」というテーマに沿って受け持ち患者さんを選んで実習し，そのテーマについてまとめようとしています．このようなケーススタディの場合は，事前にどのような考え方（看護観，理論など）をもとに看護を行うのか検討しておくことが必要です．
- このケーススタディでは，目的がはっきり示されていません．誰を対象に，何を明らかにするのかをはっきり述べるとよいでしょう．本文から，「ターミナル期にある患者への援助の振り返りを通して，身体症状の進行に伴う患者の心理プロセスを知る」「ターミナル期にある患者を支援する看護師のかかわり方を考察する」ということが目的と思われます．この目的を明確にしていないと，ケーススタディをまとめていく途中で何を検討しているのか，見失ってしまうことがあります．

Good ❶

事前に文献をあたり，「身体症状の進行に伴う精神状態の変化を理解したかかわりが必要」と，かかわり方の方向性を示してケーススタディに取り組むことができています．高く評価できます．さらにこのことに関する看護理論，危機理論などの中範囲理論について学習したうえで実習に臨むことができると，実際の看護の経過と理論を対応させることができ，より深い考察ができると思います．

- 目的の記述は，**【はじめに】**の中の末尾に記載する場合もあれば，**【目的】**として別の項目に起こして記載する場合があります．いずれの場合でも，このケーススタディの末尾に，どのようなことがわかったのかという目的に対する答えを出せるよう，はっきり記載することが大切です．
- このケーススタディには「方法」「倫理的配慮」に関する記載がありません．ケーススタディでは「方法」を省略しているものも多いのですが，あくまでも研究方法の1つですので，方法を記載しておいたほうがよいでしょう．
- 具体的には，このケーススタディは1事例を用いたのか，複数の事例を用いたのか，どのようなデータを用いたのかといった方法を明記します．また，ケーススタディを行うにあたってどのように対象者の人権を守るための配慮を行ったのかを記載します．例えば，下記のような記述が考えられます．

看護実習において受け持ったターミナル期にある患者1事例への看護実践について，診療録，看護記録，実習記録から情報収集をして振り返り，分析を行う．倫理的配慮として，受け持ち時に患者および家族に対し，研究の趣旨とプライバシーの保護について文書と口頭で説明し，署名による同意を得た．本文をまとめるにあたり，患者自身を特定する表現は可能な限り避けた．

Ⅱ．事例紹介

H. A 氏：女性，❷ 77 歳．B 市在住

〈入院期間〉

20 ○○年 7 月○日～

〈受け持ち期間〉

20 ○○年 7 月○日～3 週間

患者入院 3 日目～20 日目まで

❷

- 患者名をイニシャルで記載したり，正確な年齢を記載すると個人が特定されるおそれがあります．倫理的な配慮として，患者名は実名とは無関係のアルファベットを使ってAさん，A氏と表現しましょう．年齢も正確な数字ではなく，「70 代後半」としましょう．住んでいる地域は，患者の背景として必要がなければ

〈診断名〉

#1 肺小細胞がん　T2N2M0 ステージⅢA（ターミナルステージ）

#2 小脳転移　定位放射線照射後消失

#3 問質性肺炎

〈既往歴〉

60 歳　高血圧　内服

73 歳　白内障　両目手術

〈現病歴〉

昨年 1 月，血痰にて C 医院受診後，D 病院を紹介された．

昨年 2 月，D 病院に精密検査目的で入院，左上葉肺小細胞がん，肺門縦隔リンパ節転移，肺線維症を合併していると診断があり，化学療法（CDDP＋ETP：シスプラチン・エトポシド併用療法）が開始された．化学療法は 4 クールの実施の予定だったが，3 クール実施時に食欲不振と疲労が強くなり，本人から化学療法の拒否の訴えがあったため，3 クールで終了となり退院となった．

昨年 9 月，めまいがあり，MRI の結果，小脳転移あり．放射線療法目的で再入院し，加療後，退院となった．12 月に MRI にて小脳転移が消失していることが確認された．

今年 2 月，肺小細胞がん原発巣の腫大のため，化学療法目的で入院．CDDP＋ETP の化学療法が開始されたが，副作用が強く，4 クールの予定のうち 3 クールが終了した時点で中止し，退院となった．前胸部と肋間の疼痛があり．鎮痛薬を服用して，症状が軽減している．

今年 3 月，呼吸苦が出現．入院となり，4 月に❸ HOT 導入し退院となった．

今年 6 月下旬から気分不快，嘔気が出現し，胸がつかえる感じで食事の摂取ができなくなった．様子を見ていたが，「具合が悪かったらいつでもかかりなさい」と医師より言われていたため，7 月○日の朝，救急車にて来院し，入院となった．

〈入院後の経過〉❹

・入院 4 日目（受け持ち 2 日目）

腹部 CT 上，縦隔リンパ節転移と腫瘍がつながり，左肺動脈

記載する必要はありません．記載が必要な場合は，特定の市町村名ではなく，「首都圏の大規模都市」「農村部」などのように表記しましょう．

❸

● HOT（ホット）は Home Oxygen Therapy の頭文字をとった略語で，日本語では在宅酸素療法のことです．略語で表現する場合は，一番最初に出てきたところで「在宅酸素療法（Home Oxygen Therapy，以下 HOT）」といったように正式名称の後に括弧書きで表現し，その後略語を使いましょう．本文中に一度しか出てこない場合は，略語を用いずに在宅酸素療法と正式名称で表現しましょう．

が狭窄していることが確認された．「腫瘍の増大が著しく，急変・突然死もありうる」と医師から家族へ説明が行われた．本人は化学療法を望んでいないため，積極的な治療は行わずに，様子観察をし，本入が退院を望んだ時点で退院する方向となった．

・入院 6 日目（受け持ち 4 日目）

血痰（鮮血）の喀出あり．その後出血が止まった．

・入院 11 日目（受け持ち 9 日目）

悪寒戦慄と呼吸苦の出現あり．酸素吸入 4L/分と気管支拡張剤，ステロイド剤の点滴投与が開始となった．悪寒戦慄，呼吸苦ともに消失した．その後，呼吸苦が増強したり，SpO_2 の低下があるときは，酸素流量増量と塩酸モルヒネの臨時使用の指示が出されたが，使用せずに経過した．酸素吸入は 3L/ 分で投与された．

・入院 13 日目（受け持ち 11 日目）

再度血痰の喀出あり．不安感が強まった．

・入院 16 日目（受け持ち 14 日目）

排ガスがなく，腹部膨満感と嘔気が出現した．またそのため熟眠できなくなった．

・入院 17 日目（受け持ち 15 日目）

腹部 CT 上腸管内にニボー像が確認でき，イレウスと診断あり．禁食，点滴が開始となった．睡眠不足と身体的苦痛から，精神的な落ち込みが見られた．

〈家族背景（図 1）〉

長男（50 代前半）とその嫁（40 代後半），孫（20 代前半）の 3 世代同居．キーパーソンは，長男の嫁である．長男の結婚以来同居しており，嫁姑関係は良好である．

また以前，長男の嫁も仕事をしていたため，A 氏は孫の育児に協力的であった．そのため，孫との関係も良好である．A 氏が体調を崩してから，嫁は仕事を辞め，家事を担当している．20 代半ばの孫とその世帯も少し前まで同居していたが，曾孫

❹

● **【事例紹介】**は，医学的な診断，治療経過，入院後の経過，家族・生活の状況に区別して記載されているので，全般的な患者さんの様子がイメージしやすいです．しかし，患者さん自身の疾患に対する受け止め方の記載がありません．患者さんは疾患についてどのような説明を受け，どのように認識しているのでしょうか？「心理プロセスを理解する」というテーマをふまえると『病気に対する受け止め方』といった心理的側面に関する記述が必要と思われます．テーマに関する患者さんの様子が，読み手に伝わるよう記載することが大切です．

● 今回はターミナル期で，これまでの経過が長いせいもあり，特に現病歴の分量が多いように思われます．すべての情報を記すのではなく，テーマに関連した情報を整理して示すとよいでしょう．

● 入院後の経過に，「不安感が強まる」「睡眠不足と身体的苦痛から，精神的な落ち込みが見られる」といった，患者の心理状態など結果で分析すべき内容に踏み込んでいる記述が見られます．

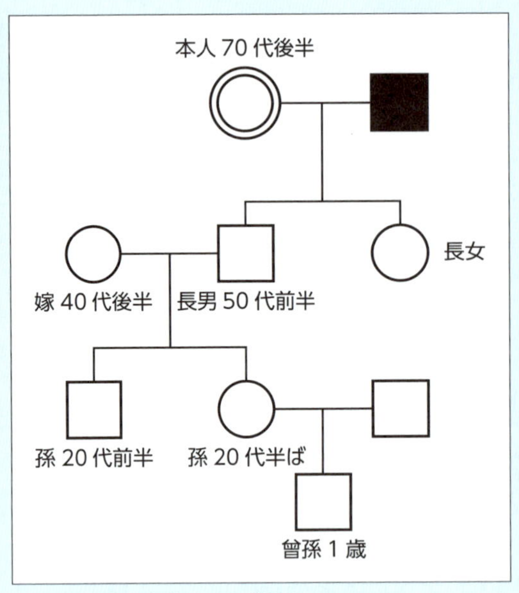

図 1　A 氏の家族のエコグラム

が歩き回って A 氏の在宅酸素療法の酸素ボンベなどを触るようになったため，歩いて近くのところに移り住んだ．

長女（50 代半ば）は近隣の市に住んでいるが，仕事の後に毎日病院に面会に来ている．長男の嫁，長女は毎日面会に来るほか，週末には長男や親戚の面会がある．

〈生活背景〉

閑静な住宅街の一戸建てに住んでいる．HOT 導入以前は，自宅で書道を教えたり，趣味の裁縫や手芸をして過ごすことが多かった．裁縫や手芸の作品を近所の人やバザー，老人施設などに寄付することも多かったとのこと．またこれらの活動のほか，孫の世話と家事も効率よくこなしていたようである．HOT 導入後は，疲労感から家事や趣味はせずに，テレビを観たり曽孫と遊んで過ごすことが多くなったという．❺

❺

【事例紹介】の中で，〈入院期間〉〈入院後の経過〉など内容を示す見出しがつけられています．〈　〉，○と見出しのつけ方を工夫してはいますが，見出しは大きな見出しから段階的に小さな見出しになるよう，系統的に順番をつけましょう．これは事例紹介の項目に限らず，本文中すべて同じです．

Ⅱ．患者紹介

1. 入院期間

2. 受け持ち期間

3. 診断名

1）#1 肺小細胞がん　T2N2M0 ステージⅢA（ターミナルステージ）

2）#2 小脳転移　定位放射線照射後硝失

3）#3　間質性肺炎

4. 既往歴

5. 現病歴

6. 入院後の経過

1）入院4日目

2）入院6日目

3）入院11日目

4）入院13日目

5）入院16日目

6）入院17日目

7. 家族背景

8. 生活背景

Ⅲ．看護の実際⑥

1. 看護問題

#1 腫瘍の増大・圧迫による労作時の呼吸苦や胸痛がある．

#2 呼吸苦，血痰，疼痛や食欲不振などに伴い，生命への危機感を感じやすく不安が強い．

#3 腸蠕動運動の減退，ガス貯留により，腹部膨満感が強い．

#4 肺の換気障害，酸素療法に関連した抵抗力の減退により感染しやすい状態にある．

#5 今後の症状変化，在宅療養継続に対する家族の不安感がある．

#6 労作後の呼吸苦や疲労感出現のため，日常生活リズムが単調となりやすい．

#7 酸素ボンベの移動，呼吸苦・疲労の増大により転倒しやすい．

⑥
がんは進行性の疾患であり，療養中の身体状態の悪化は避けがたいものです．**【1．看護問題】**の記述から，この患者さんは疾患の進行に伴って数多くの身体的苦痛，心理的苦痛に関して問題を抱えていることが伝わってきます．問題の表現方法も抽象的なものでなく患者さんの個別状況をふまえて具体的に書かれていますね．

⑥
● あげた看護問題に対してどのような目標があり，どのような看護介入を計画したのか，という記述がありません．本ケーススタディは，「ターミナル期にある患者への援助の振り返りを通して，患者の心理プロセスを把握し，看護師のかかわりを考察する」という目的があります．この患者への援助の振り返りにあたっては，実践した看護過程を記述する必要があります．看護過程は，ご存じの通り，患者の身体的，精神的，社会的状況をアセスメントして，解決しなければならない問題は何か，さらにどのような状態を目指し，どのようなケアを実施するのかという方向性をもってかかわったのか，ケア実施後は，目指した状態に到達したのかを評価するものです．方向性をもって意図的にかかわっている内容（目標と具体的な計画）も記述しましょう．

- そこで，この**【看護の実際】**の項目では，まず，すべての看護問題，テーマに即した看護問題の抽出とその理由，抽出した看護問題に対する看護目標，具体的な看護計画を述べます．その後，計画に照らしてどのように実施したのか（実施），実施した結果どのような反応（表情・発言）や変化があったのか（結果），看護目標が達成できたのか（評価）を問題ごとに記載するとよいでしょう．看護は患者と看護師の相互関係の中で進むものですので，看護師の実施行為だけでなく患者についての記述が必要となります．

2. 実施・評価

ここでは本ケーススタディの目的に沿い，ターミナル期にある患者の心理的状態に影響すると思われる看護問題 #1，#2 への援助について，実施内容と評価を述べる．❼

1）#1 について❽

生活パターンと呼吸苦の出現状況を把握するために❾「息苦しさ評価表」を作成した．「息苦しさ評価表」は，呼吸苦が出現した時間，その呼吸苦の段階とそのときの気持ちを自由に書いてもらうもので，呼吸苦の段階は 5 段階のフェイススケールの顔の絵を見ながら，あてはまる言葉を A 氏とともに決め，「0：苦しくない」「1：ほんの少し苦しい」「2：少し苦しい」「3：苦しい」「4：とても苦しい」とした．

評価することが A 氏の苦痛・負担にならないよう，強制ではないことを強調すると，「宿題じゃないなら，いいね」と発言があった．

実際に書かれた内容は，以下のようなものがあった．

Good ❼

数多くの看護問題がある中で，なぜこの #1，#2 を抽出しているのか理由を説明しています．このように**【看護の実際】**の項目の中では，看護問題のすべてについて記載するのではなく，ケーススタディの目的に沿ったものを選んで記載することが大切です．今回のケーススタディの場合は，ターミナル期の患者の心理プロセスを理解することが目的となっているので，直接的に影響する生命の危機に関する不安についてとその不安に影響を及ぼすと考えられる身体的苦痛に焦点をあてているのですね．

❽

- #1 について，という見出しがついています．#1 は，看護問題を記号化したもので，このケースにとっての問題の中身は，本文をさかのぼって読み返す必要があります．
- 「#1　腫瘍の増大・圧迫による労作時の呼吸苦や胸痛がある　について」とわかるように記載しましょう．看護問題を記載するとともに看護目標と看護計画を記載しましょう．

#1 腫瘍の増大・圧迫による労作時の呼吸苦や胸痛がある.
看護目標：労作時の呼吸苦や胸痛をコントロールしながら, 日常生活行動ができる.
看護計画：①労作時の呼吸苦, 胸痛の有無と程度を把握する.
・「息苦しさ評価表」を用いた苦痛の有無・程度の把握
②症状を増悪させないよう, 日常生活行動を援助する.
・清拭：……
・排泄：……
③症状による苦痛を緩和するよう, 気分転換をはかる.
・温罨法：……
・マッサージ：……

Good ⑨
息苦しさ評価表, というツールを独自に作って患者さんに活用してもらうという工夫をしたのですね. フェイススケールをどのように使うのか, 丁寧に記載していますが, さらにその評価表を写真や図で示すとさらに読み手の理解が容易になります.

「2」検査やトイレ移動に伴う疲労に関して
「1」腹部膨満感による苦痛に関して
「3」胃もたれに関して
「4」同室患者からの言動に関して
「1」病室移動による同室患者からの開放に関して

この息苦しさ評価表は, 実習時間以外の息苦しさを把握する目的で作成したが, A氏は, 呼吸苦に関する記載だけでなく, 呼吸苦以外の身体的・精神的苦痛についての記載をしていた. また苦しさや気持ちの変化によって記された⑩文字の大きさや筆圧に違いが見られた. A氏は同室となった患者のA氏に対する言動にストレスを感じていたものの, 口で表現できずにいた. この評価表があることによって, 口には出しずらい思いを書くことができ, ⑪発散することができたようである. また記載内容を, 学生が「どうされたのですか」と尋ねると, A氏はその場面を思い出しながら, 語り始め, 語った後は穏やかな表情をしていた. ⑪苦痛の表出, 発散につながったと思われる. ⑪作成時には, 生活パターンを把握し, 退院後の指導に役立てる目的を重視していたが, A氏にとって気の向くままに書く表は, 口から発する以外の身体的・精神的苦痛を表出するきっ

⑩
苦しさや気持ちの変化によって記された文字の大きさや筆圧に違いが見られた, という記述があります. よい気づきができていますね. 具体的にどのような違いになって現れたのかを分析し, 記述してみましょう. 苦しいときは文字が大きくなるのか, 小さくなるのか, 筆圧は強くなるのか, 弱くなるのか, 分析されると, 患者さんの苦しさの程度をより詳細に把握することができるのではないかと思います.

Point ⑪

この**【看護の実際】**の項目で記述される目的，方法，評価は，看護過程の一部です．研究全体の目的，方法，評価とは区別する必要があります．本ケーススタディでは，看護実践の評価と本研究の目的に対する考察が混同しているようです．評価は，計画した援助を実施した結果，設定した看護目標が達成したのか，達成しなかったのか，どうして達成しなかったのかを記述します．一方，考察は，研究目的に照らして看護の実際の報告を解釈したり，考え方を述べる部分です．区別して書いていくことが大切です．

かけとなり，また，見るほうにとっても，文字の揺れ・評価から気分や苦痛の変化を推測することができ，互いの理解がより深まると考えられるため，有効だったと考える．

A 氏の希望を最優先に考え，清潔ケア・温罨法やマッサージにより気分転換を促した．またトイレ移動などの体動やケアの前後で呼吸状態や SpO_2 の変化を注意深く観察した．体動やケア実施の後は，SpO_2 が 90%台前半まで低下し，呼吸数の増大や努力呼吸が見られることが多かった．その場合は，深呼吸・起坐呼吸の後に安静臥床を促し，安楽な体位（左側臥位）を保持することで，呼吸苦が軽減するまで見守った．

清潔の援助は，主に清拭を実施した．清拭実施時は，下方を向くと胸部が圧迫され呼吸数が増大するため，下肢と背部の清拭は学生が行ったが，上肢と腹部は，A 氏の何でも自分でやろうとする気持ちを尊重して自分で拭いてもらい，希望に応じて介助を行った．

排泄の援助は，ポータブルトイレを使用することに対しての抵抗感が強かったため，車いすでのトイレ移動の介助を行った．⑫

⑪症状変化の観察や見守り，自尊心への配慮は必要であるが，A 氏の希望をそのまま受け入れるのではなく，思いを尊重しながらも苦痛なく移動できるように，トイレの移動まで車いすを使用するなどの工夫が必要であった．

1 日の中でも身体状態の変化が著しく，午前中は浴室まで自力歩行し足浴をし「気持ちいいね．お昼後もやってもらいたいくらいだよ」と話されても，午後から急に呼吸苦が強く悪寒戦慄が出現することもあった．頻回に訪室し身体状況の変化を観察し，異常の早期発見・報告に努めた．⑪A 氏の疲労度に合わせて訪室時間を調節して，症状の変化を迅速に察知し，対処

⑫

筆者が行った援助は書かれていますが，その援助の結果起こった患者さんの反応（表情・発言）や変化についての記載がありません．看護は患者と看護師の相互関係の中で進むものですので，患者，看護師（学生）双方の記述が必要となります．清潔ケア，排泄ケア，温罨法やマッサージの際，どのような発言や表情が見られたのでしょうか．身体状況に変化はあったでしょうか．

することが重要である．短時間で状態を把握するとともに，急変時に起こりうる状態を事前に予測してかかわることが必要である．

2）#2 について⑬

ケア実施時のコミュニケーションを中心に，ありのままの感情を受け止め傾聴した．患者の訴えの傾聴においては，長く座り話をすべきか，短時間で状態を把握し安静を促すべきかを，A 氏の気分や身体状態を観察したうえで判断し，訪室時の対応を変化させた．呼吸苦や苦痛が強いときには，安心感を与えるように静かにそばに付き添った．

3．身体症状と心理状態の変化と学生との関係性

・入院 5 日目（受け持ち 3 日目）

「ここ（前胸部）が痛いんだけど，何かねぇ？」「いちいち先生には聞けない」

清拭終了後に発言があった．これまで痛みの訴えはあったが，質問を学生に直接してくることがなく，初めての疑問の投げかけであった．2 日間，検査介助や全身清拭などのケアを通じ，学生が A 氏に関心をもち常にそばにいると認識していただけたから，1 人で苦しんでいたことを疑問として投げかけたのではないか．感情表出の第一段階といえるのではないだろうか．

・入院 6 日目（受け持ち 4 日目）

「どんな状態でもよいから，こんな状態とおさらばしたい」

朝食後に鮮紅色の血痰の喀出があった．血痰が止まったときに，上記の発言があった．気分が沈み，弱気な発言が聞かれる．血痰という死を直接連想させる事象が起こったことで，衝撃を

#1 と同じように，看護問題，看護目標，看護計画を記載したうえで，看護の実際を記載してみましょう．

#2 呼吸苦，血痰，疼痛や食欲不振などに伴い，生命への危機感を感じやすく不安が強い．
看護目標：身体的苦痛，生命への危機に関する不安を表出することができる．
看護計画：①訴えや不安を受容する．
・コミュニケーションをとる際，傾聴，受容の姿勢を，態度で示す．
・ケア時以外にもこまめに訪室する，約束を守るなど信頼関係をつくる．
・不安を表出しやすい環境をつくる（静かで，リラックスできる環境の調整）．

受け，症状の進行を自覚し，生へのあきらめの思いが表出されている．

・入院 9 日目（受け持ち 7 日目）

「土日は体が楽でね．このままだったら早く退院できるかな．やりたいこと（趣味）もあるしね」

症状の軽減とともに気持ちが落ち着いたことで今後のやりたいことをあげて，生の希望を表現できている．

・入院 10 日目（受け持ち 8 日目）

「ただ生きてりゃいいってものじゃないのよ」

いったん止まっていた血痰が再度，喀出した．それにより，死に対して改めて考え直し，悲嘆と現在の苦痛から逃れたいという生と死の葛藤の思いを表していると思われる．

・入院 11 日目（受け持ち 9 日目）

「もういい加減あっちの世界に行って楽になりたい，でも孫が独立する姿も見てみたい」「他の学生より世話をかけて申し訳ないね」

悪寒戦慄，呼吸苦が突然現れた．その症状が落ち着いた後に涙声で話し始めた．死を直接的なものとして感じ，不安が増大し，死をも覚悟する大きな衝撃を受け，身体の苦痛から解放されたい思いと，生への希望が混在していると考えられる．学生に気兼ねしている発言が聞かれているが，苦痛の時間をともに過ごしたことの意味は大きいと思う．

・入院 12 日目（受け持ち 10 日目）

「ホスピスって知ってる？」「まさか自分ががんになるなんて思わなかったよ」「子どもたちが小さいときは，生活が大変だったけど，なんとか頑張って進学させた」「旦那が 79 歳の 10 月に亡くなったから，もうすぐ同じころにお迎えがくる」

緩和ケア病棟への転院を進められた話，「がん」という言葉を用いてこれまでの入院の話をする．

前日の呼吸苦発作によって，死を直接的なものとし痛感させられている．今までの入退院の日々を整理しながら話すことで，自分のおかれた状況やこれまでの頑張り・人生の意味づけをしている．死を覚悟し受容的な発言をする一方で，ホスピスの話

⑭ 下線の部分は，「実施・評価」ではなく本研究の**【考察】**にあたる部分です．

題をもち出し，苦痛が少なく，残りの人生を自分らしくありたいという気持ちを表現しているようである．

・入院 19 日目（受け持ち 17 日目）

「トイレをこんなところでしなきゃいけないなんて，情けない．当たり前のことができなくなったらもうおしまい」「もう未練なんてない，ただ苦しくないように逝かせてほしいだけ」「何も悪いことしていないのに……」

悪心・嘔吐，腹部膨満感や呼吸苦があり，ポータブルトイレでの排泄を余儀なくされた際に，涙を流して話をする．身体的苦痛に加え，今までできていた排泄ができなくなったことの情けなさから，心理的に張りつめていた糸が途切れたようである．

⑭ポータブルトイレへの抵抗感が強いため，訪室時に確認しすぐに片づけ，環境への配慮を心がけたことによる関係性の強化や，これまでの共有体験が率直な思いを引き出したと思われる．つらさをありのまま曝け出しており，感情表出の第二段階と考えることができる．今まで相手への気兼ねから，1 人で抱えていた思いを少し話したことの意味は大きいと思う．

⑭3 週間の間で，病状の進行に伴い，呼吸苦発作や血痰など身体的苦痛が衝撃となり，死の意識が高まっている．一方，その苦痛が緩和されると生への希望が高まる．苦痛の出現・増大と軽減を繰り返す中で，生と死との間での心理的葛藤が起こっている．

⑭ターミナル期にある患者が死を受容する過程において，誰しもがもつ生への欲求をもちつつ，身体的苦痛による衝撃が起こることで，死への意識が高まったり，生への思いを高めたりと感情の波，揺れがある．症状の変化とともに，さまざまな感情の揺れが起こる．看護師の役割は，患者の揺れ動く感情の波を受け止めていくことが重要である．衝撃の後の心理的落ち着きは，苦痛からの解放に伴って見られている．このことから身体的な苦痛を除去し，安楽をはかることが重要である．身体的な苦痛を除去するには，まず素早くその苦痛の有無・程度を把握する必要がある．今回は，学生が患者と長時間にわたって同じ時間を共有して，思いを傾聴してきたことで，A 氏との関係性が深まり，死への恐怖などの本心を少しずつ表出してくれるようになったのではないだろうか．⑮

⑮

- 研究目的のメインとなる部分で，身体症状の変化に伴って，心理状態がどのように変化していくのかについて具体的な事実をあげていく必要があります．
- しかし，ここにきて，「学生との関係性」という新しい視点での記述が加わりました．身体状況と心理状況の関連性と学生のかかわりについて，ケーススタディの目的に入れ，さらに方法のときにどのような視点で見ていくかを明記しておいたほうがよいです．
- 患者さんの状態（身体状況・言動）とその状況の解釈が混在しています．実習期間の進行に伴う具体的な事実の変化とその解釈を分けて，わかるように表を用いて表現してみるといいでしょう．

Point ⑮

言葉だけでなく，そのときの声のトーン，スピードはどうだったでしょうか．表情，視線，姿勢はどうでしょうか．文脈の中から，この解釈は妥当と思われますが，同じ言葉であっても，話し方，表情によっては，違う解釈もできるかもしれません．

Ⅳ. 考　察⑯

「人には，身体的・精神的・社会的・霊的な4つの苦痛があり，4つの苦痛は単独というより，相乗的に作用する」と河野[2]が述べているように，A氏も身体的苦痛によって精神的苦痛が増大し，またその逆の状況も起こっている．人間は心と身体を切り離して考えることができない．つまり，精神症状と身体症状は相関が強いため，苦痛の緩和をはかるためには，投薬などの処置や看護ケアにて直接的に身体的苦痛を除去すると同時に，精神的なケアに比重をおくことが重要であるといえる．

今回3週間の実習期間で，患者の身体状態や気分の変動は非常に大きかった．患者は身体的苦痛が大きくなると，精神的な落ち込みも増した．逆に身体的苦痛が緩和されると精神的安定を取り戻した．この繰り返しによって，⑰自己洞察を深めるというプロセスをたどっていたように思う．⑱身体的苦痛の1つである疼痛は，不安と密接な関係にあり，疼痛が不安を助長し，不安があると疼痛閾値が低下することが多くの研究から明らかにされている．痛み刺激は，自律神経や情動・記憶などの活動を司る大脳辺縁系にも伝達されることで不安や恐怖の感情変化が引き起こされる．疼痛が持続すると末梢血管収縮や筋のれん縮により組織が酸素欠乏状態に至る一連の反応が進行し，疼痛はますます強くなる．このような疼痛は不安や恐怖の増大，睡眠障害の悪化など，いわゆる⑲疼痛の悪循環を招くことになる[3]．この疼痛の悪循環の断ち切るよう，患者の苦痛を迅速に捉え，医師との連携を密にして，疼痛や苦痛のコントロールができることによって精神的な安寧が得られ，その結果，患者と医療者との信頼関係は増強し，精神的な働きかけが有効に機能すると考えられる．看護者は言語的・非言語的コミュニケーションを活用して患者を十分に観察し，どのような処置が患者にどのような変化をもたらし，今後どのような病態をたどるか予測を立ててかかわることが重要であると実感した．

筆者は，実習目的でもある心理プロセスを理解するために，A氏や家族とのかかわりを重要視して，多くのコミュニケーションをはかることに努めた．会話の中で，どう反応したらよいか戸惑い迷う場面も多々あったが，高橋が「患者から語りかけてきた時，患者は話したいのである．多くの場合，答えを求めているのではなく，本当は自分の気持ちを聞いて，自分を受

⑯

【考察】は，ケーススタディの目的と対応させて行うものです．【考察】の導入部分で，「身体的苦痛と精神的苦痛は切り離すことはできないこと，直接的な身体的苦痛の除去と同時に精神的なケアが必要」という目的に対する筆者の立ち位置が述べられています．この研究で何を検討しようとしているのかが，わかりやすく記載されています．

⑰

「自己洞察を深めるプロセス」という語句は，本ケーススタディの目的に直結する部分と思われます．自己洞察という言葉についてもう少し丁寧に解説を加えて説明したほうがよいでしょう．

⑱

うまく文献を使えていますね．このように文献を使うことで先人たちの研究成果や論述とディスカッションができ，独りよがりの解釈にならずにすみます．

け止めて欲しいのではないだろうか」[4] と言っているように，つらいときほど頻回に訪室し，話すときには腰を据えて傾聴したことで，A 氏の⑳思いを受け止めることができたのでは㉑ないだろうか．またフェイススケールを用いた表を作成し，ありのままの⑳感情を共有でき，不安の緩和に役立ったのではないかと思われる．また高橋は，「最後まで暖かく，患者のゆれる心に寄り添いながら，ある時は，患者の辛い気持ちに共感しながら，ある時は患者の喜びを共に喜び，希望を支えていくことが重要である」[5] と述べている．学生は，患者の身体的苦痛が生じたとき，具体的には血痰が喀出したとき，呼吸苦発作が起こったとき，腹部膨満感で苦しいときに患者に寄り添い，⑳感情の揺れや不安感を共有すること，ケアを通じた会話を大切にしてきた．それによって，学生と A 氏との関係性が近づき，家族や医師・看護師とは違った⑳感情の表出先となり，その結果，患者が自分自身の感情を整理する手助けになったの㉑ではないか．看護者に求められる精神的ケアとは，患者に関心をもち，寄り添いながら⑳思いを共感して傾聴し，患者自身が感情を整理するのを手助けすることにあるのでは㉑ないだろうか．黒田らは，「『話す』という行為は『離す』という側面があり，人に表現することで自分の置かれている状況について距離をおいて客観的にとらえ直すことができたり，自分のつらさを他者と共有することで他者に少しあずけ心を軽くすることができることがある」[6] と呼吸困難がある患者であっても，コミュニケーションにより感情表出することの大切さを述べている．A 氏も会話することで酸素消費量や疲労感は増大してしまうが，精神的苦痛もまた呼吸苦を増大させるので，話すことで⑳気持ちに整理がつくのであれば，A 氏にとっての会話を通じた精神的ケアは重要である．やはり，看護者には，確かなコミュニケーション技術をもって患者と真に向き合うことが求められる．

V．結　論㉒

今回，ターミナル期にある患者に対する看護実践と患者の状態を客観的に振り返ることによって，患者の心理プロセスを知ることで，看護師の役割について検討を行った．医療の進歩に

⑲

「疼痛の悪循環」というキーワードを使って，身体症状と精神状態の関連の根拠を説明しています．このケーススタディで述べたいこととフィットした概念を見つけられていますね．ただ，文章だけでは理解がしがたいように思われます．内容を図を用いて説明してはどうでしょうか．文章だけでの説明より理解がしやすくなると思います．

⑳

- 「感情」「思い」「気持ち」など，似通った言葉が数多く出てきます．筆者は使い分けしながら書いていても，読み手にとっては同じ意味なのか，違う意味なのかが判断できません．意味が同じ場合は言葉を統一したり，意味が違う場合は説明をしたうえで使用するといった工夫が必要です．

㉑

- 「ではないか」「ないだろうか」という問いかけの表現は，筆者自身が読者に判断を委ねるものです．筆者の意見として，「～と考える」「～と推察できる」「～示唆される」といった方向性を示す表現にしましょう．

伴い，症状のコントロールがしやすくなりつつあるものの，症状の急変などによって患者の不安感は強いままであると考えられる．今回は1事例の検討であり，ターミナル期にある患者が皆同じ状況ではないと思う．引き続きターミナル期にある患者が残された時間を有意義に過ごすことができ，安寧な死を迎えられるための援助について考えていきたい．

22

- このケーススタディの**【目的】**に対する回答が記載される部分です．残念ながら，この回答の記載がありません．
- 今回のケーススタディの**【結論】**では，**【目的】**の「ターミナル期の患者の心理プロセスはどのようなものか」「それに対して看護師はどのようにかかわる必要があるのか」という問いに対する回答を簡潔に伝えることが大切です．箇条書きにしてもよいでしょう．一般的な結論にとどまらないよう，今回は特別な1つの事例を分析した結果であることを添えたうえでのまとめが必要です．例えば，以下のような記述が考えられます．

V．結　論

肺がんのターミナル期にある患者1事例への看護実践を振り返り，ターミナル期の患者の心理プロセスについて検討した結果，以下が明らかになった．

1. 病状の進行に伴い，身体的苦痛の出現・増大と軽減を繰り返す中で，生と死との間での心理的葛藤が起こる．
2. 身体的苦痛から解放されると，心理的な落ち着きをもたらし，自己洞察（自分自身の状況を客観的に捉える）できるようになる．

この心理プロセスについての検討から，ターミナル期にある患者を支援する看護師のかかわり方として，以下が重要と考えた．

1. 患者自身が安寧な死に向けて自己洞察ができるよう，まず身体的苦痛を取り除く．
2. 身体的苦痛の除去においては，苦痛の有無や程度を把握するために観察を密に行う．
3. 患者がありのままの苦痛や不安を表出しやすい関係性を築く．
4. 患者自身が感情を整理するのを手助けするよう，思いを傾聴する．

文　献[23]

1) 淀川キリスト教病院ホスピス編：ターミナルケアマニュアル第３版．最新医学社，1997．
2) 恒藤暁，内布敦子編：緩和ケア（系統看護学講座別巻）．医学書院，2014．
3) 小松浩子，井上智子，麻原きよみ，他：成人看護学総論（系統看護学講座専門分野Ⅱ）．医学書院，2014．
4) 高橋正子：終末期がん患者の心理とコミュニケーション．ターミナルケア，12（10），2002．
5) 前掲書 3)．
6) 黒田裕子監修：呼吸機能障害をもつ人の看護（臨床看護セミナー③）．メヂカルフレンド社，1997．

[23]
文献の書き方は指定された形式に従って記載します．一般に著者名，書籍名（表題），発行所（雑誌名，巻，号），ページ，発行年などがあり，並べ方もさまざまな指定があります．今回は，著者名，書籍名，発行所，発行年のみしか記載がありません．過去の情報の根拠を示す部分ですので，正確に記載しましょう．

●講　評

３週間の実習期間の中で学生がどのように患者さんにかかわったのかが丁寧に記述されており，患者さんに心を寄せて真摯な態度でかかわっている学生の様子が読み手に伝わってきました．また独自の息苦しさ評価表を作成して患者さんの苦痛を把握しようと工夫したことも理解できました．

一方，看護の実際の項目では，学生がかかわったことでの患者さんの反応についての記載が不足しています．看護は看護師と患者の相互関係の上に成り立つものですので，看護者と患者双方の記述が不可欠です．看護者が行った行為だけでなく，そのケアの結果，患者さんの表情や発言などの反応，身体面の変化を記述していきましょう．この記述があると，看護過程の評価が，実施側の独りよがりのものでなくなります．また患者の身体症状と心理的状況の関連についての記述は，経時的に説明できているものの，本来ケーススタディの考察で述べるべき内容に踏み込んだ記載もあります．結果にあたる「看護の実際」と考察を区別して述べられるといいですね．

今回は特定の理論を活用したケーススタディではありませんが，ターミナル期の看護については，危機理論，ストレス理論，死の受容過程，悲嘆や不安に関する理論などの中範囲理論を活用すると，別の視点で患者の心理や行動を理解したり，看護の必要性をアセスメントできると思います．今回のケーススタディの取り組みをきっかけに，このような理論についても学習することをお勧めします．

＊本ケーススタディは学生の事例研究として指導しています．

実例2 成人看護のケーススタディ②

[1]病棟における[2]呼吸器リハビリテーションの[1]有効性

[3]

[1]

- ケーススタディを書くにあたって，タイトルは大変重要です．タイトルは，ケーススタディの大筋を読み手に伝える役割を担っています．ケーススタディの内容を拝見するに，対象者は人工呼吸器を装着した患者さんですね．「病棟における」と書かれていますが，この表現ですと「この病棟に入院する患者さんの中で，呼吸器リハビリテーションを行う患者さん」が対象で，個別のケースではなく，集団に対するケーススタディだと解釈する方もいるでしょう．また，「人工呼吸器装着中の……」や「人工呼吸器離脱を目標としている……」のように，患者さんの特徴を追加すると，タイトルからケーススタディの内容を読み取ることができます．さらに，「有効性」とありますが，ケーススタディの内容から考えると，「ある1事例の呼吸器リハビリテーションの効果を検証した」という意味合いが強いようですので，「効果」のほうが適切ですね．

[2]

- 次に，用語の使い方として，「呼吸器リハビリテーション」という表現は適切でしょうか．文献をいくつか確認すると「呼吸リハビリテーション」という用語を用いている文献もありました．呼吸リハビリーションとは，「徹底した患者評価に基づいた包括的な医療介入である．続いて，運動療法，教育，行動変容だけではなく，患者個人個人に対してオーダーメイド治療を行い，慢性呼吸器疾患患者の心身状況を改善し，長期アドヒアランスを増強する行動を促進しようとするものである」（高橋仁美，宮川哲夫，塩谷隆信編：動画でわかる呼吸リハビリテーション第3版．中山書店，p.2, 2012）とされており，呼吸リハビリテーションプログラムの内容として，患者教育，呼吸理学療法，運動療法，栄養療法などがあります．このケースで実施したプログラム内容は，体位ドレナージ，スクイージング，バイブレーションの3つですね．これらは呼吸理学療法の手技の中で「排痰法」に含まれますので，タイトルの表現として「呼吸理学療法」や「排痰法」のほうが適切ですね．文献によっては，「呼吸理学療法」の他に「肺理学療法」という用語を用いているものもありました．
- また，呼吸リハビリテーションの対象疾患として確立しているのは慢性閉塞性肺疾患（COPD）であり，術後の呼吸リハビリテーションの効果については，エビデンスを示すほどの明確なデータは出ていない（高橋仁美，宮川哲夫，塩谷隆信編：動画でわかる呼吸リハビリテーション第3版．中山書店，pp.25-27，2012）と記している文献もあります．呼吸リハビリテーションや呼吸理学療法における効果について，文献から得られた情報を**【はじめに】**に記述することも1つです．ここでは，「呼吸理学療法」に統一して説明していきます.
これらをふまえて下記のようなタイトルはいかがでしょうか.

人工呼吸器装着中の患者の呼吸理学療法の効果
人工呼吸器離脱を目標とした患者の呼吸理学療法の効果

ケーススタディを書くにあたってのレイアウトのポイントは以下の通りです.
・タイトルは目立つように大きめのフォント（書体）で用紙の中央に書く.
・タイトルの右下に自分の所属や氏名を記載する.

❸
所属・氏名の後に，下記のような**【要旨】**を入れることにより，このケーススタディの内容を短時間で把握することができます.

要　旨

C病棟は心臓血管外科病棟であり，入院患者の特徴として，全身麻酔下における開胸手術を受ける患者が多く，術後呼吸器合併症を引き起こすこともまれではない．これまで，呼吸理学療法を取り入れたリハビリテーションを行ってきたが，継続的な実践には至っていない．S氏に対しての呼吸理学療法の実施により，S氏の呼吸苦の軽減や呼吸状態の悪化を防止し，人工呼吸器離脱を目標とした呼吸理学療法の効果について明らかにする．また，一般的な呼吸理学療法についての理解を看護師間で共有して，実施・評価することを目的とした．

体位ドレナージ，スクイージング，バイブレーションの3つの方法を組み合わせ，1日3回，10日間実施した．実施当初は呼吸理学療法に対して非協力的であったが，10日後には呼吸苦の自覚症状が軽減し，日中のみ自発呼吸が見られるようになった．呼吸理学療法を看護計画に取り入れ，患者の協力のもと毎日の日課として実施したことにより，S氏の呼吸状態の改善に一定の効果を得られたため，ここに報告する．

タイトルの次に書く内容は序論です．このケーススタディでは**【目的】**と**【選択理由】**を1つの項目にまとめて記述していますが，**【はじめに】**に選択理由を含むこのケーススタディの導入部分を，**【目的】**では端的にこのケーススタディの目的のみを記述しましょう．具体的には，書き出し部分の「これまで……（中略）……困難であった」までが，ケーススタディの導入部分ですので，この病棟に入院する患者さんの特徴や，呼吸理学療法の実施状況について詳しく書くことにより，読み手に病棟の現状を伝えることができます．

★目的・選択理由

これまでC病棟では，既往に呼吸器疾患のある患者や，術後呼吸器合併症を引き起こした患者に対し，排痰時のみスクイージングや体位ドレナージを実施してきたが，❹手技の統一や継続した呼吸器リハビリテーションの実施が困難であった．

今回，看護師サイドでの肺理学療法を❹チーム全体で取り組み，継続して行うことで，❹病棟での呼吸器リハビリテーションの有効性の検証を行う．また，呼吸器リハビリテーション❹実施内容の統一，技術の向上をはかることを目的とする．

❹

●このケーススタディの目的として，「病棟での呼吸理学療法の有効性の検証」と，「呼吸理学療法実施内容の統一」「技術の向上をはかること」の3つがあがっています．ここで考えてほしいことは，3点あります．

●1つ目に，「手技の統一」という言葉を用いていますが，「手技の統一」という表現が適切かどうか考えてみましょう．呼吸理学療法は体位ドレナージと併用して，その他の方法を組み合わせて実施することが一般的です．例えば，バイブレーションのみを実施することが効果的とはいえない可能性があるのです．しかしながら，必ずこの組み合わせ・順序で行うという決まりがあるわけではありません．看護師は患者さんの状態をアセスメントし，一般的な呼吸理学療法の方法に基づき，看護計画上に設定された回数や時間で実施が可能か否かアセスメントし実施します．要するに，看護師間で一般的な呼吸理学療法の方法を理解したうえで看護計画の内容を共有し，これに基づいて呼吸理学療法を実施することが目的なのではないでしょうか．**【はじめに】**の項目に書かれていたように，これまでもこの病棟では日常的に呼吸理学療法を実践していたようですが，計画に沿って実施されていなかったり，看護計画に反映されていなかったりした現状があったのではないでしょうか．このように考えてみると，このケーススタディの目的は「一般的な呼吸理学療法についての理解を看護師間で共有して実施すること」となります．これにより，看護師の知識や技術の質の向上のための原則を見出すことにつながるのではないかと考えられます．

●2つ目に，なぜこれまでは呼吸理学療法の手技の統一が困難だったのでしょうか．看護師によっては，実際に排痰を促すための援助として，すでに呼吸理学療法を取り入れ，実践していたことからも，呼吸理学療法が日常的に実施されていたことが述べられています．これまで手技の統一が困難であった理由を**【はじめに】**に記述することで，このテーマを選択した理由がさらに明確になります．

●3つ目に，2段落目に「チーム全体で取り組み……」という表現がありますが，チームとはどのようなチームを指すのでしょうか．一口に「チーム」といっても，チームナーシング体制における看護師のチーム，病棟全体の看護師を指す看護師のチーム，医師やリハビリ職も含めた多職種のチームなど捉え方はさまざまです．詳しく記載する必要がありますね．

項目立てをする場合，「★」マークではなく数字で書きましょう．【　】のように記号を用いる場合もあります．以下の記載例のように項目を分けて書き，内容や構成に合わせて表記しましょう．

Ⅰ．はじめに

C病棟は主に心臓血管外科の患者が入院している．心臓血管外科手術は，手術時間や麻酔時間が長く，全身麻酔下における侵襲の大きな開胸手術を受ける患者が多く入院する．そのため，術後に呼吸器合併症を引き起こすこともまれではない．これまでは，看護師個人のアセスメントにより，既往に呼吸器疾患のある患者や，術後呼吸器合併症を引き起こしている患者に対し，排痰時のみのスクイージングや体位ドレナージを実施していた．しかしながら，呼吸理学療法の一般的な方法を病棟の看護師全体が共通理解できていなかったり，看護計画に反映されていなかったことから，継続的に患者に実践するまでに至らなかった．

このケーススタディでは，呼吸理学療法の知識や理解を深め，看護師間で一般的な呼吸理学療法についての理解を共有して実施し，人工呼吸器離脱を目標とした患者に対して取り組んだ呼吸理学療法の効果について考えていきたい．

Ⅱ．目　的

呼吸理学療法の実施により，患者の呼吸苦の軽減や呼吸状態の悪化を防止し，人工呼吸器離脱を目標とした呼吸理学療法の効果について明らかにする．また，一般的な呼吸理学療法についての理解を看護師間で共有して，実施・評価することである．

★呼吸のメカニズム[5]

〈呼吸とは〉

ヒトが生存していくために必要なエネルギー源は，炭水化物，脂肪，蛋白質である．これらを酸素（O_2）を使って燃焼（酸化）させることによってエネルギーを得ている．呼吸とは，必要な酸素を体内に取り入れ，不要な炭酸ガス（二酸化炭素：CO_2）を体外に排泄することをいう．呼吸によって血液内に入った酸素は，心臓の力で必要な臓器や筋へ送られ，その臓器や筋の細胞内に存在するミトコンドリアで消費される．炭酸ガスは酸素と逆のルートを通って，呼気として体外へ排出される．

〈ガス交換〉

換気＝呼吸運動によって，肺に空気が吸入され，ガス交換が行われること

5
- ケーススタディの場合，学習内容の記載は不要です．
- 引用箇所については，引用順に番号をふりましょう．

呼吸 ｛外呼吸…肺を介して外界と血液の間でガス交換
　　　 内呼吸…血液・組織間のガス交換

〈呼吸運動のしくみ〉

吸気（図 1）

①外肋間筋が肋骨を挙上
②横隔膜が収縮し腹部へ下がる
③胸腔が広がる
④胸腔内圧低下
⑤肺拡張，O_2 流入

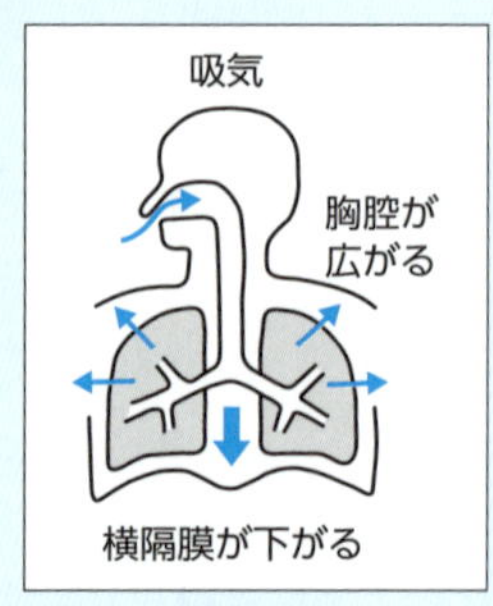

図 1　吸気

呼気（図 2）

①内肋間筋が肋骨を引き下げる
②横隔膜が緩み胸腔側へ上がる
③胸腔が狭まる
④胸腔内圧上昇
⑤呼吸筋収縮，CO_2 排出

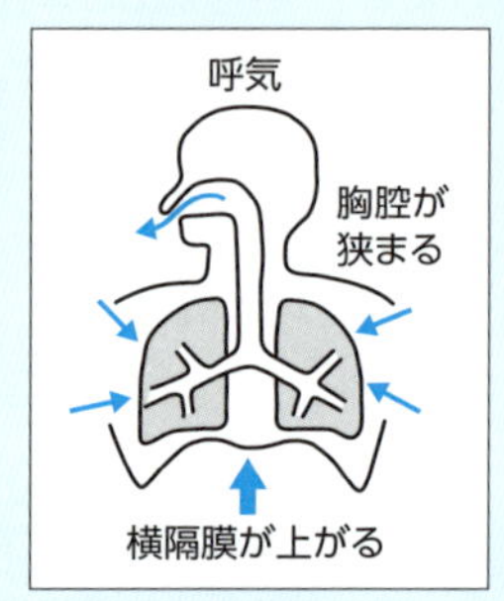

図 2　呼気

〈胸郭と呼吸筋〉

呼吸は胸郭の働きによって行われる.

胸郭：骨格系（脊椎・肋骨・胸骨・鎖骨・肩甲骨）
　　　筋肉系（横隔膜・外肋間筋・内肋間筋・斜角筋・胸鎖乳突筋・大小胸筋）

呼吸筋：吸気筋＝横隔膜・外肋間筋（斜角筋・胸鎖乳突筋・大小胸筋）
　　　　呼吸筋＝腹筋群（外腹斜筋・内腹斜筋・腹横筋・腹直筋）・内肋間筋

健常者の安静時呼吸は，吸気時に横隔膜と外肋間筋が収縮し，胸郭が拡張することで空気が吸入される．また，呼気時は吸気筋の横隔膜と外肋間筋が弛緩し，胸郭の弾性により受動的な呼出が行われる．

横隔膜は上に凸のドーム型をしており，安静時呼吸では収縮によって 15mm 程度引き下がる．

健常者の安静時呼吸において，呼吸筋はほとんど収縮が見られない．呼吸筋は気道内分泌物を喀出するときに重要な働きをする．

★患者紹介⑥

Sさん，50歳代後半，女性

〈経　過〉⑦

200X/8/12　胸痛出現しB病院救急救命センターを受診，胸部大動脈破裂の診断
同日人工血管置換術（下行）施行
8/16　状態が安定したためICUからC病棟へ転棟
8/24　肺炎増悪・SpO_2低下・血圧低下見られ挿管ICUへ入室となる．
8/31　人工呼吸器装着し，C病棟へ転棟

〈既往歴〉

45歳　肺気腫

〈内服薬〉

分3
セルベックス細粒10%　1.5g
エンテロノン-R散　3g
ミヤBM細粒「40mg」　1.5g
ムコダインDS　3g
デパス1%「10mg/g」　0.15g
酸化マグネシウム（9/15より中止）
グルコンサンK　7.5g（9/12より開始）

分2
サラゾピリン末
ラシックス「40mg」（8/31〜9/8分1）

分1
プレドニゾロン散1%（0.25g）
アーチスト（2.5mg）2錠

貼用薬
ニトロダームTTS，ホクナリンテープ（2mg）

⑧

⑨

⑥

- 基本的なケーススタディの場合，**【目的】**の後には**【事例紹介】**が入ります．
- 「患者紹介」は**【事例紹介】**と書くほうがケーススタディとしては適しています．また，「Sさん」ではなく「S氏」としてもよいと思います．

⑦

- 経過について書く前に，診断名を書いたうえで入院後の経過を書きましょう．この事例の患者さんは，ICUと病棟の転出入を繰り返していることがわかります．日付を追って書いてもよいですし，文章で表現してもよいでしょう．
- 次に，既往歴や安静度，ADL，治療概要について書きます．さらに術後の患者さんの場合，管類などが多く挿入されていることがありますので，ドレーンなどの挿入物についても書き足しましょう．手術を受けた患者さんの場合，挿入物の種類や位置，創部の位置などを書くことにより，患者さんの状態をイメージしやすくなります．患者さんの状態に合わせて項目を検討してみましょう．また，家族構成や患者さんの性格などを書くこともポイントです．

❽

●また，このケーススタディには書かれていませんが，**【事例紹介】**の次に，C 病棟転入時の**【看護目標】**や**【看護計画】**について記載すると，介入当初の患者さんの看護上の問題を知ることができます．病棟転入時の看護計画について，その後どのようにアセスメントして評価し，修正したのか，その変化がわかるようにするためでもあります．

●内服薬について書かれていますが，内服薬の効果や副作用と呼吸理学療法とが関連しているのかどうかが記載されていません．もちろん，患者さんの状態や症状に影響があると予測できますが，羅列するのではなく，関連性の高い薬剤のみを記載したり，テーマとの関連性が低ければ記載しなくてもいいでしょう．

Ⅲ．事例紹介

1. **患者名**：S 氏，50 歳代後半，女性
2. **診断名**：胸部大動脈破裂
3. **治療概要**：上記診断に対して，人工血管置換術（下行）施行術後，ICU から C 病棟に転棟後，肺炎の増悪や血圧低下により再度挿管し ICU へ入室した．現在は C 病棟に再転入し，気管切開部から人工呼吸器による呼吸管理を行っている．
4. **入院期間（受け持ち期間）**：200X 年 8 月 31～9 月 17 日
5. **既往歴**：45 歳　肺気腫
6. **挿入物**：人工呼吸器装着中（気管切開下），中心静脈カテーテル（右内頸静脈），右前後方胸腔ドレーン，バルンカテーテル
7. **安静度**：端坐位可
8. **受け持ち当初の ADL**
   1）食事
   2）移動
   3）清潔
   4）更衣
   5）活動と休息
   6）精神・心理面
   7）手術や疾患に対する受け入れなど
9. **家族構成・キーパーソン**
10. **職業**

Ⅳ．転入時の看護計画

1.
2.
3.

❾

- 【事例紹介】の次は，実際に行った看護について書いていきましょう．他病棟から転入する場合，継続的なかかわりができるように，すでに立案されている看護計画の内容の確認や見直しが必要になります．立案されている看護計画を改めてアセスメントし，実施，評価するという流れが一般的です．
- このケーススタディでは，実施した呼吸理学療法の方法やポイントが書かれていますが，呼吸理学療法に関するプランがすでに立案されていたのかどうかは不明です．さらに，【アセスメント】が書かれていないため，なぜ呼吸理学療法を実施することになったのか，その経緯も不確かです．実際には，カンファレンスで実施方法や実施回数を決定しているようですので，呼吸に関連する看護計画について，どのようにアセスメントしたのか，追加や修正した箇所がわかるように記述しましょう．

★方　法

〈体位ドレナージ（図 3）〉

特　徴

①体位を利用し，重力によって末梢気道から中枢気道へ分泌物の移動を促進させる．
②喀痰の貯留した末梢肺領域を高い位置から中枢機能を低い位置に置く．
③他の排痰法と組み合わせるのが一般的．
④適応は自力での体動が困難な患者，意識障害患者，鎮静化されている患者．

実施時のポイント

- いかに患者が安楽な状態で実施できるかを考慮する（体交枕を使用して体位を整える）．
- モニタリングをしながら排痰部位の気管支をできるだけ垂直に近づける．
- 複数の肺葉に喀痰の貯留がある場合には，上位の肺野より体位の選択をする．
- 実施時間は原則的に各体位数分から 15 分を目安とし，患者の状態や喀痰量などによって時間を調節する．

実施方法

1 日 3 回（30 分間），痰の貯留部位を確認し，適した体位をとる．終了後吸引を実施し，痰を除去する．

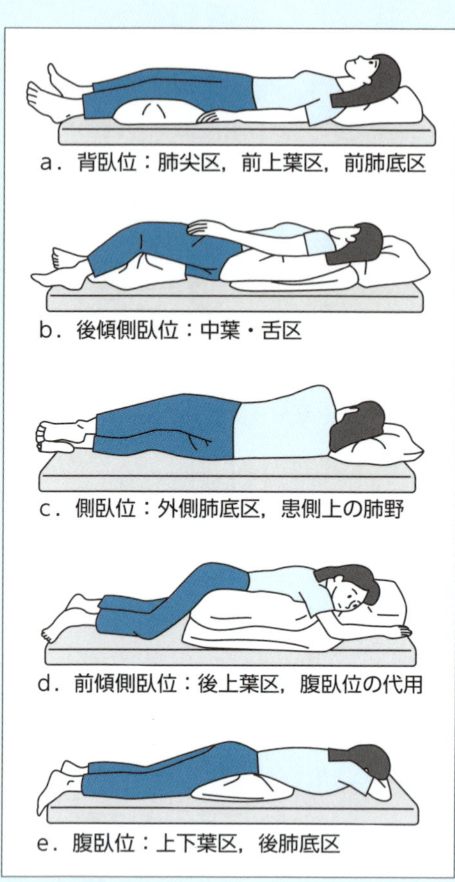

図3　体位ドレナージ

〈スクイージング（図4）〉

特　徴

①侵襲が少なく，効果的である．

②無気肺や病巣部の胸郭の動きが限局されていると換気が低下してしまうが，痰のある胸郭を呼気時に圧迫することにより，呼気流速を高める．これにより痰の移動が促進し，受動的に吸気を行う．

③循環動態に大きな変化を与えず実施できる．

実施時のポイント

人工呼吸器に同調して実施することにより，局所換気の促進と気道内分泌物の移動を促進させる．

実施方法

毎食前各30分間，体位ドレナージとともに実施．

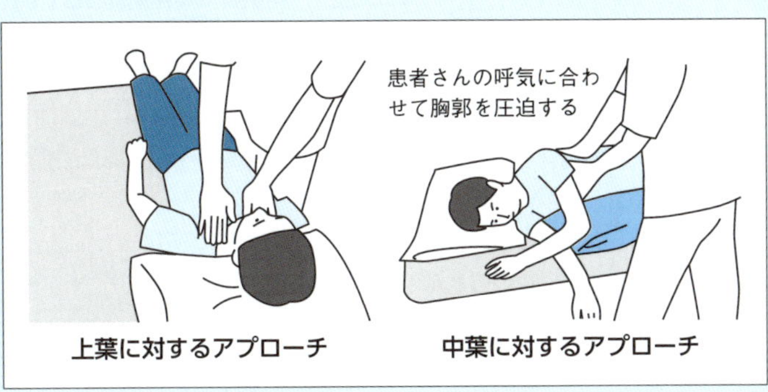

図4　スクイージング

〈バイブレーション〉

特　徴

①侵襲が少なく，効果的である．

②胸腔から気道に振動刺激を与えることにより，分泌物を移動しやすくする．

実施時のポイント

スクイージングと併用して行うと，さらに痰の移動を促進できる．

実施方法

毎食前の体位ドレナージの際に，スクイージングと併用して実施．電動式バイブレーターを使用する．

Good ⑩

次頁のようにこれまでの経過を**表1**のようにまとめることで，継時的に患者さんの状態を追うことができ，読み手は理解しやすいですね．表にまとめる場合，情報が多すぎるとかえって伝えたいことが曖昧になることもあります．情報は厳選し，より患者さんの状態や変化を捉えられる情報を記載しましょう．この表に加えてほしい項目・内容は，患者さんの主観的情報です．呼吸理学療法開始当初は非協力的だった患者さんが，何をきっかけに変化し，呼吸理学療法に対して協力的に取り組むようになったのかを考え，患者さんの言動や行動でその根拠を示し整理するということです．これにより，患者さんの心情やその変化の経過を目で追うことができます．

表1　経過表（実施期間8/31〜9/17）

		ICUにて	前期（8/31〜9/7）
患者状態	呼吸状態	肺雑音あり SpO_2 98〜100% $EtCO_2$：30〜50 白・粘・中〜多	両肺全野雑音あり・AIR入り弱（左右差なし） SpO_2 96〜100% $EtCO_2$：60〜80Torr 痰：白色・粘稠・多量（1時間おきに吸引） 自発呼吸ほとんどなく設定回数にのっている.
	血液データ	PO_2：101 PCO_2：50.6 O_2SAT：97.7	（9/4）PO_2：96.4 PCO_2：61.7 O_2 SAT：97
		WBC 11.0　BUN 55.5 RBC 370　Cr 0.7 Hb 11.6　K 4.1 Ht 35.6　CRP 9.6 TP 6.2	WBC 11.6　BUN 55.2 RBC 370　Cr 0.6 Hb 11.7　K 4.0 Ht 35.6　CRP 9.8 TP 6.2
実施項目	レスピ設定	8/31　SIMV FiO_2：0.8　PC/VC：400　f：16　PEEP：5　PS：10 9/4　FiO_2：0.6　f：25　PS：14へ変更	
	リハビリ		9/1〜体位ドレナージ30分×3，スクイージング開始 9/2〜端坐位or車いすリハ開始 9/6〜ROM運動開始
	処置 その他		8/31〜右胸腔前方ドレーン，CVカテーテル挿入中 9/2　気管支鏡施行，右胸腔ドレーン挿入 9/3　RCC-LR4単位施行 9/4　右胸腔後方ドレーン抜去 9/5　右胸腔前方ドレーン抜去
経過			スクイージングを実施するも患者の協力が得られず，受け持ち看護師によって手技の差が見られる.吸引痰量は白色多量.SpO_2低下なし．胸部X線上，透過性変化なし.

V．アセスメント

S氏は人工血管置換術後の呼吸器合併症により，呼吸機能が著しく低下し，気管切開下で人工呼吸器管理を行っている．今後の治療方針としては，人工呼吸器の離脱を目標としている．現在は同期的間欠的強制換気（synchronized intermittent mandatory ventilation，以下SIMV）モードで呼吸状態は安定しているものの，離脱（ウィーニング）の条件である自発呼吸は見られていない．さらに，吸引を1時間おきに実施していることからも喀痰量が多く，既往歴に肺気腫があることからも，肺のコンプライアンスの低下が考えられる．また，排痰を促すためのスクイージングに対して非協力的であることから，呼吸理学療法についての説明不足，理解不足が考えられる．

中期（9/8〜9/14）		後期（9/15〜9/17）
両肺全野雑音あり・AIR 入り弱（左右差なし） SpO_2 98〜100% $EtCO_2$：40〜60Torr 痰：白色・粘稠・中等量（1.5〜2 時間おきに吸引） 自発呼吸なし.		両肺全野雑音あり・AIR 入り弱（左右差なし） SpO_2 98〜100% $EtCO_2$：30〜50Torr 痰：白色・粘稠・多量（1.5〜2 時間おきに吸引） 日中のみ自発呼吸あり，夜間は消失.
（9/4）PO_2：96.6 PCO_2：39.7 O_2 SAT：98	（9/14）PO_2：190 PCO_2：50.4 O_2 SAT：99.3	（9/17）PO_2：104.1 PCO_2：35.6 O_2 SAT：98.3
WBC 11.6　BUN 55.3 RBC 370　Cr 0.6 Hb 11.7　K 4.0 Ht 35.6　CRP 9.7 TP 6.1	WBC 7.8　BUN 21.6 RBC 370　Cr 0.4 Hb 9.9　K 3.6 Ht 28.7　CRP 8.7 TP 6.1	WBC 10.1　BUN 21.8 RBC 281　Cr 0.5 Hb 8.8　K 4.2 Ht 27.6　CRP 7.9 TP 6.4
9/14　SIMV FiO_2：0.8　PC/VC：400　f：20　PEEP：2 PS：14 へ変更		→
9/8〜呼吸リハ開始（カンファレンスで体位ドレナージ，スクイージング，端坐位リハを実施すると統一）		9/16〜腹臥位リハ開始
9/9　CV 抜去		
呼吸器リハビリテーションについて看護計画に反映させ，本人の協力を得ながら実施．ドレーン・CV を抜去し，理学療法士によるリハビリが開始された．また，端坐位・ROM 運動も開始された．胸部 X 線上の肺炎像変化なし．炎症所見は改善傾向，血ガスデータは横ばい．		本人の意欲に合わせてリハビリを実施し，リハビリ内容が拡大してきている．胸部 X 線上，透過性軽度改善．8/31 と比較すると PCO_2 低下．呼吸回数の設定を下げると呼吸苦出現．日中自発呼吸あるが，夜間帯は消失．

人工呼吸器からのウィーニングを目標とするにあたり，S 氏自身がウィーニングを意識できるようにかかわりながら，効果的な吸引や排痰の援助を実施する必要がある．

また，人工呼吸器管理により臥床傾向となりやすく，これにより無気肺や肺炎の再燃の危険性も高い状態である．人工呼吸器関連肺炎（ventilator associated pneumania，以下 VAP）や誤嚥のリスクを回避するためにも，1 日の生活リズムを考慮にした排痰時のケアを実施する必要がある．S 氏の呼吸状態の安定や臥床時間を短縮するための援助として，喀痰の貯留部位を把握したうえで，体位ドレナージを併用した呼吸理学療法を用い，複数の方法を組み合わせて実施する必要がある．

さらに，S 氏は気管切開中のため発語が困難であり，人工呼吸器装着による精神的苦痛を感じていると予測される．S 氏の精神面についても注意深く観察し，活動と休息のバランスについてもアセスメントしたうえで援助方法を検討する必要がある.

Ⅵ. 修正した看護計画

看護問題：呼吸器合併症に起因した肺炎の再燃と人工呼吸器使用の長期化のおそれ
看護目標：人工呼吸器の早期離脱ができる

OP

［呼吸状態に関連する項目］

バイタルサイン，SpO_2，呼吸苦の自覚症状の有無，表情，皮膚色，頸動脈の怒張の有無，チアノーゼの有無，両側の胸郭の動き（左右対称か），中心静脈圧（CVP），狭窄音や副雑音の有無，喀痰量，喀痰色，粘稠度

血液一般検査，血液生化学検査，血液ガスデータ，胸部X線所見

胸腔ドレーンの排液量，排液色，性状，ドレーン挿入部の疼痛や感染徴候の有無，呼吸性移動の有無，皮下気腫の有無

［人工呼吸器装着に関連する項目］

人工呼吸器の設定・回路の確認，気管切開部の皮膚状態，カフ圧の確認，口腔内汚染の有無，1回換気量，分時換気量，自発呼吸の有無（回数），$EtCO_2$，血液ガスデータ，ファイティング・バッキングの有無

［全身状態に関連する項目］

睡眠時間，臥床時間，尿量，排便回数，便性状，排便間隔，水分出納，S氏の訴えや思い，肺理学療法についての理解度・意欲

TP

・定期的に口腔・鼻腔・気管内吸引を実施する.
・VAP予防のため，口腔ケア・含嗽を介助する.
・良肢位を保ち，2時間ごとの体位変換の介助をする.
追加・患者の状態に合わせ，呼吸理学療法（体位ドレナージ，スクイージング，バイブレーション）を1日3回実施する（実施方法については以下参照）.

EP

・呼吸苦がある場合，ナースコールを押すよう説明する.
追加・呼吸理学療法における目的と効果について説明する.
追加・呼吸理学療法に関する疑問点や不明点があれば，看護師に伝えるよう説明する.
追加・呼吸理学療法について，その日の体調を確認したうえで実施することを説明する.

● この項目では，実際に行った3つの手技（体位ドレナージ，スクイージング，バイブレーション）について，その特徴や実施時のポイント，実施方法を図や絵を用いて紹介しています．図や絵を用いることで，看護師間の理解をさらに深め，実施前にそれぞれの方法を確認するためのツールとして使用することもできますね．しかしながら，これら3つの手技について，実際に病棟でどのようにしてスタッフへ周知していたのかが書かれていません．例えば，「看護記録に挟み実施前に確認できるように工夫した」や，「病室に掲示し，患者や日々の受け持ち看護師が確認しながら実施できるようにした」などです．また，連日実施していたことを確認するために，どのような策を講じていたのでしょうか．例えば，「日程表を作成し，実施した場合は○，実施できなかった場合は×をつけていた」（**表2参照**）や「電子カルテに実施項目としてあげ，経過表に入力してもらった」などです．実際に使用した資料やチェック表に関しては，画像として載せるとより読み手に伝わりやすいですね．画像を使用する場合は，患者さんの氏名などの個人情報はふせるなどの倫理的配慮が条件になります．このように，実際に工夫した内容を紹介することにより，手技の統一が可能になった要因を伝えることができます．

● 最後に，呼吸理学療法の1日の実施回数や実施時間について，なぜ1日3回と設定していたのでしょうか．いくつかの方法を組み合わせて行うことになった理由や経緯を書くと，この計画の意図が読み手に伝わります．

表2　呼吸理学療法チェック表

項目＼月日	／	／	／	／	／	／
体位ドレナージ（体位）						
スクイージング						
バイブレーション						
患者の言動 バイタルサインなど 特記事項						

○：実施　△：実施したが途中で中止した　×：実施できなかった・しなかった

★考　察⑪

C病棟転棟時より，看護師サイドでのスクイージングを開始するが，呼吸状態・血液データ上ほぼ改善は見られていない（表1）．これは，患者の協力が得られず体位ドレナージの施行拒否や受け持ち看護師の手技の差などにより，有効な呼吸器リハビリテーションが実施できていなかったからと考えられる．そのため，肺理学療法の重要性について，チーム全体で共有するとともに患者への意識づけを行い，その必要性を説明することで，有効なリハビリを実施できるよう働きかけた．その後，徐々にではあるが，データ・X線上改善が見られ始めた．また，呼

⑪

● **【考察】**では，実際に行った看護実践について分析してみましょう．このケーススタディの目的を振り返ってみると，「人工呼吸器離脱を目標とした患者の呼吸理学療法の効果」について検証することでしたね．そこで，患者さんの情報や看護計画，実際に行ったケアと患者さんの呼吸状態につ

吸器リハビリテーションを依頼し，日々内容の変更や，レベルアップを患者本人の体力や意欲に合わせて行うことで，腹臥位などの有効な体位ドレナージを施行することができた．患者自身からも，呼吸器リハビリテーションを行う前よりも，呼吸苦の自覚症状が軽減したことが確認できた．

以上より，データ上呼吸状態改善の著明な変化は見られていないが，徐々に改善方向へ向かっていったという点では，呼吸器リハビリテーションの有効性はあったと考えられる．

いて，表を改めて眺め，呼吸理学療法開始前と後を比較し，その効果について考えてみましょう．

- 1つ目の視点は，呼吸状態についてです．経過表の前期と後期を比較すると，肺音については，両肺の副雑音が持続しているものの，喀痰量は減少していることがわかります．動脈血血液ガスデータについても，二酸化炭素分圧（$PaCO_2$）は低下し，おおむね正常値になっています．これは終末呼気炭酸濃度（$EtCO_2$）の値にも反映されていますね．しかし，自発呼吸は日中のみであること，人工呼吸器の呼吸回数の設定を変更すると呼吸苦が出現するという記録からも，目標としている人工呼吸器の離脱にまでは至っていないことがわかります．また，ドレーンなどの挿入物が減ったことや血液データの変動も呼吸状態の変化に関与している可能性があります．
- 2つ目に，今回のケーススタディには書かれていなかった「患者さんについてさらに深く理解」したうえで，患者さんに合わせたかかわりや援助を行っていたのではないかという視点です．実際に病棟では，患者さんの情報をふまえたかかわりや援助を実践していたかもしれませんが，この考察では，患者さんを統合的に捉えたかかわりであったかどうかを知ることは難しいですね．例えば，「患者さんの性格を考慮し，個別性をふまえたかかわりを通して，リハビリへの意欲を引き出した」などの考え方です．この視点は，患者さんへの説明の工夫や，呼吸理学療法の理解度を把握することにも関連します．患者さんの特性を活かした指導やかかわりによって，呼吸理学療法に対して意欲的に取り組むきっかけになっていたかもしれませんね．
- 3つ目の視点として，日々の受け持ち看護師のアセスメントについてです．時に患者さんは呼吸理学療法への意欲が低下していたり，拒否したりして，実施に至らなかった可能性も考えられます．例えば，患者さんの状態によっては，体位ドレナージのみを実施した日もあったかもしれません．看護師は，気管切開中の患者さんが発する非言語的な訴えや思いを理解し，アセスメントしたうえで呼吸理学療法を実施していたのではないでしょうか．さらに，当初，リハビリに意欲的ではなかった患者さんが，呼吸理学療法に協力的になったのはなぜでしょうか．2つ目の視点とも関連しますが，看護師からの説明により患者の呼吸理学療法への理解が深まったのでしょうか．または，患者さん自身の呼吸苦が日に日に軽減したことが，行動変容につながったのでしょうか．このあたりも考察の視点として重要なポイントになりますね．
- 4つ目の視点として，中期から理学療法士によるリハビリが開始になっています．他職種がかかわることによって，患者さんの状態や，看護師のかかわり方・援助方法などの変化があったのでしょうか．この時期には，端坐位やROM運動が加わり，ADLの拡大が予測されます．ADLの拡大が呼吸状態にどのような変化をもたらしたのかを考察することもできます．

以上4つの視点を考察したうえで，これまで呼吸理学療法の手技の統一が困難だったのか改めて考えてみましょう．看護師によっては，実際に排痰を促すための援助として，すでに呼吸理学療法を取り入れ，実践していたのですが，

①看護師によって呼吸理学療法に関する知識や技術の理解に差があったこと
②呼吸理学療法に関する内容が看護計画に反映されていなかった可能性があること
③呼吸理学療法の目的や方法を患者さんと看護師双方が共通理解できていなかったこと

これらの要因が統一が困難だった理由として考えられるのではないでしょうか．このように，さまざまな角度からこのケースについて分析することが，考察を書くうえでのポイントとなります．

★まとめ⑫

今回の呼吸器リハビリテーションにおいて，状態が悪化することなく，病棟に転入した直後と比較して改善傾向に至ったことは評価できた．

日程表に組み込み，チーム全体で呼吸器リハビリテーションを実施することにより，患者自身に1日の生活リズムがつき，患者とともに取り組むことができた．さらに他職種とも連携し，リハビリ内容を再検討し実施できたことは意義あるものであった．また，看護師の呼吸に関する知識・技術の再認識につながった．

先行研究では約1ヵ月間を調査期間としているものもあったが，今回の事例検討では，実施期間が18日間と短期間であったため，有効な結果が得られなかった．しかし病棟での在院日数を考慮すると，長期にわたって実施していくことは困難である．今後は短期間での効果的な呼吸器リハビリテーションが行えるようにしていく必要がある．また，患者の主観的情報を取り入れ，結果に反映させることにより，患者の意欲向上にもつながるため，必要であったと予測できる．

⑫
【まとめ】は**【結論】**ともいいますね．ここでは，このケーススタディ全体を通して明らかになったこと，目的が果たされたかどうかについて記述します．文章でも箇条書きでもかまいません．先行研究では約1ヵ月の調査期間であったことと，このケースでは18日間のかかわりであったことは，**【はじめに】**にも書いてもよいでしょう．

Ⅶ．結　論

呼吸理学療法における効果に関する結論は以下のとおりである．

1. C病棟に転入した直後と比較して，S氏の呼吸状態は改善傾向にある．
2. 呼吸理学療法を看護計画に取り入れ，看護師間での共通理解をはかり，患者の協力を得ながら毎日の日課として実施したことは，S氏の呼吸状態の改善に一定の効果を得られた．

参考文献⑬

1) 岡里美，長島尚子，山村智美：肺理学療法の EBN にも続く有効性について―上腹部外科術後患者の排痰からの検証．臨牀看護，28(12)：1794-1799，2002.
2) 小島専司，富澤恒二，新井雅子，他：高齢者における呼吸器リハビリテーションの有効性に関する検討．看護学雑誌，69（12）：1224-1228，2005.
3) 黒田裕子：黒田裕子の看護研究 step by step．学習研究社，2004.
4) 日野原重明，井村裕夫監修：呼吸器疾患（看護のための最新医学講座 2）．中山書店，2004.
5) 黒田裕子：呼吸機能障害をもつ人の看護（臨床看護学セミナー 3）．メヂカルフレンド社，1998.
6) 石川朗，松本真希：呼吸理学療法の第 1 歩―集中治療における呼吸管理．南江堂，2001.

⑬

最後に文献についてです．このケーススタディの中では「参考文献」としてまとめて記載されていますね．改めて内容を拝見すると，「★呼吸のメカニズム」や「★方法」は文献の引用のように読み取れます．そこで，以下３つのポイントを参考に記載しましょう．

①引用文献と参考文献を区別する

文献から引用した表現については「引用文献」として，文献を参考にした場合には「参考文献」として，区別して考えるようにしましょう．参考文献は，関係の深い代表的なものを載せることがありますが，引用した場合のみ記載するよう規定される場合もあります．

②引用文献の書き方について

「引用文献」は，引用順に記載し，文中の引用箇所の番号と合うように記載しましょう．また，「引用文献」には引用したページを明記しましょう．

③文献の選び方について

書籍の場合，最新の情報を掲載して次々と新しい参考書が出版されたり，内容の一部が改訂された書籍が「第○版」として出版されています．テーマや参考にする内容にもよりますが，医療や看護は日進月歩ですので，その時代に即したより新しい文献を探すようにしましょう．

●講　評

実際に病棟全体で取り組んだ実践例を用いたケーススタディについて書かれていますね．ケーススタディを書くにあたり，形式面は大変重要です．「Ⅰ．はじめに　Ⅱ．目的　Ⅲ．事例紹介　Ⅳ．結果　Ⅴ．考察　Ⅵ．まとめ　Ⅶ．文献」が基本的な項目になりますので，基本を理解したうえで書くようにしましょう．

このケーススタディでは，主に患者の呼吸状態に焦点があたっています．もちろん，このケーススタディの目的は「呼吸リハビリテーションの有効性」ですので，患者の呼吸状態について記述することが最も重要ですが，患者の主観的情報や精神面も考察するうえでは重要な要素になります．また，看護計画を実施するうえでの工夫や，手技の統一に関する工夫についても結果や考察でふれるようにしましょう．これらの工夫があって患者の呼吸状態が改善に向かったことを裏づけることができます．

患者の日々の変化を表にまとめたことにより，患者の状態や変化が把握しやすく，新たな気づきにつながりますね．

今回のケーススタディは実践報告のような内容になっていますが，もう一歩踏み込んで，先にテーマを設定して意図的にかかわる前向きのケーススタディ（10頁参照）として行ってみることを検討してみましょう．文献を参考にした方法で実践したり，呼吸状態改善の指標をあらかじめ決めておいたりすることによって，評価が妥当であることを示すことにつながります．

看護師1人の単発的な援助ではなく，継続的な援助を行うことがいかに大切かが，このケーススタディから伝わってきます．このような実践を参考に，今後も看護の質の向上と継続看護の重要性を頭におきながら，日々のケアに携われるとよいですね．

実例3 老年看護のケーススタディ①

統合実習レポート❶

❶

●タイトルがなく，実習名のみの記載では内容がわかりません．実習名の後に，内容を表すサブタイトルをつけると，読み手にとって興味がわくとともにレポートの論点が明確になり，読むための準備ができるでしょう．例えば下記のようなタイトルにします．

統合実習レポート
脳梗塞後遺症のある高齢者の自宅退院へ向けた家族支援と多職種連携

Ⅰ．はじめに❷

実習の中で患者さんから家族への感謝の言葉と，これから迷惑をかけてしまうことが申し訳ないという言葉を聞くことがあった．患者にとって家族は大切な存在であるからこそ，疾病や障害をもった自分と家族の関係性が変化するのではないかという，不安の気持ちが表れているように感じた．看護師は患者だけでなくその家族も援助の対象と捉え，かかわっていかなければならないと学んだが，今までの実習では患者さんへの援助のみで，❸家族の方にお会いしてかかわる機会が少なかった．患者と家族がこれまでの関係性を維持しつつ支え合って生きていくためには，看護師がどのような家族支援をすればよいのかということを考えるために，今回の統合実習で家族支援を学習課題とすることにした．

今回は退院直前の患者さんを受け持つことによって退院支援という場面での家族支援について考える．また，多くの職種がかかわる❷リハビリテーション期におけるチームアプローチについて考える．

❷

●自己の課題を明確にし，それを動機づけにすることは，自身の看護の質を上げるために重要ですね．さらに，自己の課題とともに保健医療福祉の現場がもつ課題や社会的背景も同時に述べることで，このケーススタディが他のケースにもあてはめて考えられるきっかけになります．

●また，**【はじめに】**の最後にこのケースレポートの目的が簡潔にまとめられています．ここで初めて「チームアプローチ」という言葉が出てきますが，なぜそこに着目したのか，それ以前の文章からは読みとることができません．ですから，2段落目としてリハビリテーションと多職種連携について述べる必要があります．

回復期リハビリテーション病棟は脳梗塞後遺症などで生活機能障害のある患者が，集中したリハビリテーションを行うことで機能回復を目指す病棟である．患者のADLおよびQOLの向上のためには，理学療法士（PT），作業療法士（OT），言語聴覚士（ST）などのリハビリの専門職だけでなく，医師，看護師，介護士，医療ソーシャルワーカーなど多職種が連携・協働し，患者の目標に向かってチームで援助を行う必要がある．統合実習では看護学生も多職種チームの一員であるという自覚をもって援助を行い，病院から在宅への移行の時期に必要なチームアプローチについて考えていきたい．

❸
文中に「家族の方にお会いして」という表現があります．文章は常体（だ・である）か敬体（です・ます）のいずれかに統一しましょう．レポートでは通常，常体を用います．

Ⅱ．患者概要

氏　名：❹ T. K さん，年齢 73 歳
診断名：多発性脳梗塞，左不全麻痺，左半側空間無視，高血圧症
入院期間：❹ 2015 年 5 月 23 日〜2015 年 8 月 18 日
❺**現病歴**：2015 年 4 月 1 日朝・昼と TIA 様発作あり（片麻痺）．A 病院を受診したが，降圧剤を舌下され，内服薬をもらい帰宅．夜間自宅にて立位不能となり，4 月 2 日朝，救急車にて

❹
ケーススタディを書くうえで，注意したいのが個人情報の取り扱いです．カルテなどに記載された個人情報および，実習上学生自身が得た情報は患者本人のものです．各学校が定める個人情報取り扱いのガイドラインを遵守しましょう．

氏名：C さん，年齢：70 歳代前半
入院期間：20XX 年 5 月下旬〜20XX 年 8 月中旬

❺
現病歴はおそらく A 病院からのサマリーやカルテの冒頭に書かれているものを，そのまま書き写したのではないでしょうか．サマリーやカルテに書かれている情報を統合し，体言止めではなく，文章で書きましょう．

20XX 年 4 月初旬，朝と日中に一過性脳虚血発作（transient cerebral ischemic atta-clt，以下 TIA）と思われる左上下肢の運動麻痺が出現した．家族とともに A 病院を受診し，降圧剤を舌下投与され，内服薬を処方されて帰宅した．その夜，自宅にて立位不能となり，翌朝，救急車で A 病院に入院となった．A 病院で急性期の治療とリハビリテーションを行い，さらなる日常生活動作獲得を目的にリハビリ専門病院である B 病院に入院となった．

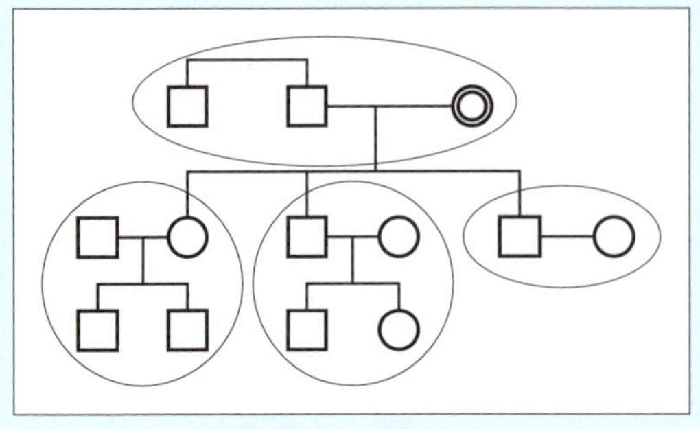

図1　Tさんの家族のジェノグラム

入院．その後リハビリをスタートするも，さらなるリハビリ目的でB病院に入院となる．

現在のADL：移動：車いす移乗中等度介助

食事：セッティングすれば自力摂取可能

排泄：トイレ移乗は介助にて可能．リハビリパンツ使用

清潔：特殊浴槽で入浴．口腔ケアもセッティングすれば自力で可能

家族構成：義兄，夫と同居．同敷地内別棟に長男家族が住んでいる．長女・二男夫婦は県内に住んでいる（**図1**）．

仕　事：農業

Ⅲ．看護計画

❻ **1．実習1～2日目：情報収集**

看護上の問題・課題①②③を導いた患者と家族の情報を（文中の①②③は看護上の問題・課題につながる情報）一部示す．

〈Tさんとの会話・Tさんへのかかわり〉

Tさんの興味を引く話題を考えるが，うまくいかない．できるだけTさんと一緒にいる時間をもち，話しかける．入浴介助を行う．PT，OT訓練に同行し，Tさんの現在の運動能力を観察する．

Tさんは表情が乏しく，会話をしていても返事がないことが多い．しかし，訓練時にはPTやOTに笑顔を見せる（①）．

（1）折り紙の場面

リハビリ目的でOTから病棟で折り紙をするとよいという指

❻

【実習1～2日目：情報収集】記載内容に，情報だけでなくアセスメントも入っているようですね．❼部分は，アセスメントに入れるようにしましょう．

示をもらう．Tさんに食堂テーブルで折り紙をしようと促す．Tさんは使っていい折り紙があるのか気にしている様子で，看護学生に何度も聞く．作業中も，「本当に使っていいの？」と聞く．鶴1羽，箱3個を一緒に作る．

折り紙の角がきっちりとそろわず「うまくできない」と少し不満そうな表情を見せる．「(手元が) 見えない」と，作りかけの折鶴を看護学生に渡す（②）．左手（患側）も紙を押さえる程度なら使えるが，1回折り紙を押さえてしまうとそこから動かすことができずに止まってしまう．

翌日も折り紙をしようと提案するが，「今日はいい」と拒否される．

(2) 外泊について

次週に決定した外泊について，「久しぶりに家に帰れるから嬉しいですか？」と聞くと，Tさんは表情を変えず「どうなっているのかね」と言う．❼嬉しいというよりも不安を抱いている様子である（②）．

〈夫との会話〉

夫「こっち（患側下肢）がもう少し動くと思ったんですけどね．なかなかよくならなくて．家でマシンを使ってみようと思ったんだけどこれではね．（足を）使いすぎても，もう年だし減っちゃうからね」と言う（③）．リハビリをしても劇的によくなるものではないことを話す．夫は❼頑固な性格なようで，言葉で説明してもなかなか理解していない様子である．

〈Tさんと夫と3人での会話〉

(1) 今後の生活について

夫「風呂は車で来てくれるやつを週2か3回くらい頼もうと思っているんですよ．夏は外で夜にでもやればいいかなと思って」と言う（③）．

(2) 食事について

Tさんが入院してからはどうしているのか，今後どうしようと思っているのか質問すると，夫「私が兄の分も作っています．でも惣菜なんかを買ってくることが多いかな．料理は大変だからね」と言う（③）．配食サービスについて，情報提供をしてみると，夫「そういうのもあるらしいですね．でもお金がかかるでしょう」と言う（③）．Tさんは終始何も言わずにいる（①）．

❼
●この部分はアセスメントに入れましょう．

2. アセスメント1

①Tさんは PT, OT には自ら話しかける様子も見られるが，日々変わる受け持ち看護師や初対面である学生には表情をあまり変えずに反応が乏しいことや，学生が持ってきた折り紙を「本当に使っていいのか」と何度も確認する様子から，社交的というよりは慎重に人間関係を築いていく性格であると思われる．Tさんと夫と3人で，現在の夫の食生活について話をしているときも，Tさんは終始何も言わずに聞いており，一緒に会話を楽しんでいる様子は見られない．

②自宅退院へ向けた調整が行われている中で，外泊は療養環境を整えることや生活上の課題を見出すきっかけになると考えられる．しかし，Tさんは「どうなっているのかね」と，主婦である自分が不在の自宅の様子が気になるようである．退院後，どうしたいか，どのあたりが不安なのかをアセスメントするためにも，Tさん自身に具体的に退院後の生活をイメージしてもらう必要がある．
しかし，折り紙を一緒に行う様子からも日々のリハビリが今後の生活につながっているという実感が薄いのではないかと考えられる．できることを少しずつ増やしていくためにも，リハビリで ADL が向上している実感をもってもらう必要がある．

③Tさんの夫は退院後の生活について，サービス利用などを考えている．夫が今後の生活について話していてもTさんは終始発言しないことから，夫が1人で頑張っており，Tさんがその後をついて行くようで控えめな印象を受ける．夫も高齢であり介護負担が大きくなる可能性や，Tさんの思いと夫の思いのずれが生じる可能性も考えられる．

3. 看護上の問題・課題[8]

①病院の援助者や夫に自分の思いを言葉で表現しない．

②Tさんが退院後の生活について，具体的にイメージできていない．

③夫の介護負担が大きい．

4. 看護目標

①Tさんが自分の思いを他者に言葉で伝えることができる．

②Tさんが退院後の生活をイメージしてリハビリをすること

[8]
【看護上の問題・課題②】については，本当に退院後の生活についてのイメージができれば，この課題は解決するのでしょうか．「外泊を嬉しいというより不安に思っている様子」とアセスメントしていますが，その不安の要因は何なのか，身体的（例：運動機能の低下）・心理的（例：回復意欲の喪失）・社会的（例：家族との関係）側面から考えてみることで，より効果的な援助方針を見出せると思います．

ができる．

③外泊を通して継続可能な介護生活を考える．

5．看護計画

OP：バイタルサイン，麻痺の部位と程度，左半側空間無視の範囲，睡眠状況，疲労の程度，Tさんの麻痺に対する思い，他者から援助を受けることに対する思い，今までの生活状況，家族内でのTさんの役割

TP：Tさんができることを認識できるように声かけをする．
自分でできるところはできるだけ自分でやってもらう．
折り紙など病棟でできるリハビリを行う．
退院後，何ができるようになりたいか一緒に考える．
退院後の生活について不明なことや不安を傾聴する．
退院後の生活について，Tさんがイメージしやすいように情報提供する．

Ⅳ．看護の実践

1．実習3〜5日目：外泊準備の時期

看護上の問題・課題①②③を修正した患者と家族の情報（文中の①②③は看護上の問題・課題の修正につながる情報）を一部示す．

〈Tさんとの会話・Tさんへのかかわり〉

会話の中でTさんの発語が増える．時おり，Tさんから看護学生に問いかけることもある．

自宅に戻ってからの役割獲得の第一歩として外泊を意識づけるために，家に帰ったら何をしたいかTさんに聞く．Tさんは「何もできないよ．足が動かないもの」と言う（❶）．発症前，家事全般はTさんの仕事だった．そのため，Tさんに洗濯物をたたむことならできそうではないかと問いかける．Tさんは「できないよ」と答える（❶）．Tさんに，看護学生も外泊に同行するので，何か考えてみようと話す．また，外泊時に夫1人ではいろいろ大変だろうから，できる限りお手伝いすると伝える．

〈Tさんと夫と3人での会話〉

(1) 退院後に通うデイケアについて

夫が退院後に通うことになったデイケアの宛名が書かれた封筒をTさんに見せ,「ここに週2回行くんだ」と話す. Tさんはじっとその宛名を見ている. Tさん「見えないよ. なんて書いてあるんだ?」と夫に聞く. その後も, 表裏とじっくり封筒を見ている. 夫がデイケアでリハビリと入浴をすることになったと話しても, Tさんの表情はあまり変わらない. Tさんがデイケアについてのイメージがわかないのかと思い, 詳しい話を夫を交えてするが, Tさんの反応は特にない(②).

(2) トイレ移乗介助について

❼夫は, 外泊を翌日に控えて不安感が強くなっている. OT訓練時トイレ移乗介助を行うと「トイレは難しいんだよな〜」「う〜ん」「(Tさんの体が) 重いな」と今までにはあまり見せなかった渋い表情を見せる(③). 今までの訓練で徐々に介助が上手になっていると, 夫の介助力を認める働きかけをする.

〈Tさん・夫と他職種と看護学生とのかかわり〉

(1) ペダル式運動器具の使用について

夫が退院後に自宅でペダル式運動器具を使用してリハビリすることを考えているということを, PTに報告する. PTからは, 下肢の交互運動としてペダル式運動器具の使用はよいと思うが, 特に効果は望めないと返事をもらう. しかし, 夫がTさんにやらせたいなら無理に使用を止める必要はないとアドバイスをいただく.

看護学生が夫にペダル式運動器具使用時の注意点を説明する. 夫はペダル式運動器具使用の注意点を聞いて, 気をつけて行うことや転倒しないように寝たまま運動させると言う.

(2) 外泊のための移動手段について

外泊時の移動手段に自家用車を使用したいということで, OT訓練で車の乗降練習をする. 夫1人で車への移乗介助を行うのは困難であるため, 外泊同行時に看護学生が援助できるように介助方法を学ぶ. しかし, OTより福祉タクシーを頼んだほうがいいと言われる.

翌日, 夫が「親戚のワゴン車に車いすごと乗せて, 縄で縛って固定すれば大丈夫だろう」と言う. Tさんは「危ないからやめたほうがいい」と夫に言う(①). 看護学生もTさんの意見に賛同する形で，危険だということを夫に話す．

ケースワーカーが「ワゴン車での移動はとても危険だから，お金はかかってしまうけれど福祉タクシーを頼んだほうがいい」と夫に話す．夫も了解し，ケースワーカーが利用可能な福祉タクシーを探す．

(3) 外泊同行について

外泊に同行することを PT と OT に伝える．OT より家屋改修後の様子を写真撮影してくるように頼まれる．家屋調査報告書を見て，撮影場所を確認する．在宅用の車いすやベッドなども撮影してくるか OT に確認する．

1) アセスメント 2

①Tさんが自宅でできることを探せるような働きかけを試みるが，Tさんは今後の生活の中でどのような役割や生きがいをもって暮らしていくのか，具体的に考えることができる状態ではないと思われる．外泊のときに具体的にTさんにできる家事がないか，Tさんと一緒に考える必要がある．外泊のための移動手段についてのやりとりから，Tさんも自分でイメージできるもの（親戚の車を知っているので，今回はイメージできたようである）については，夫にきちんと自分の考えを言う．このことから，今後のTさんの役割として，家事やその他の場面で夫にアドバイスをする役割を担うことができるのではないかと考える．

②夫がデイケアの話をしてもTさんはあまり興味を示さないことから，夫とTさんの間で今後の生活についての意思の確認がされていないのではないかと思われる．夫は実際にデイケアに見学に行き，どのような場所であるか理解しているが，Tさんは退院後初めて体験することなので，文字を見ただけではどのような場所なのか，何をしに行くのかイメージできない．夫に，見学での感想などを交えて具体的に話してもらえるように促す必要がある．

③外泊前日に病棟では夫から不安についての話題はなかったが，実際に訓練することによって具体的にトイレ移乗介助が不安だということがわかった．外泊のときに，トイレ移乗介助の手順を夫と一緒に確認する必要がある．

9

- Tさんと看護学生さんの距離が少しずつ近づいていく様子がわかります．それでも，Tさんからは「何もできない」などの否定的な表現しか聞けず，Tさんの役割やTさんが望む生活は何かといった，具体的な目標設定が難しいと感じたのではないでしょうか．
- 実習1〜2日目では，**【看護上の問題・課題①病院の援助者や夫に自分の思いを言葉で表現しない】**が，実習3〜5日目では**【看護上の問題・課題①左上下肢が思うように動かないため，何もできないとTさんがあきらめている】**に変化していますね．どのような情報が増えたから，アセスメントが変わったのか整理してみましょう．
- 実習1〜2日目では，Tさんは慎重で控えめな性格であり，自分の思いを言葉で表現しないとアセスメントしていましたね．その理由として看護学生さんがTさんと夫に質問しても，夫が1人で返事をしていてTさんが何も言わないこと，看護学生さんがTさんに話しかけても表情が乏しく返事がないことが多いこと，折り紙を使っていいのかとしきりに気にしていたことが情報とし

2）修正：看護上の問題・課題⑨

①左上下肢が思うように動かないため，何もできないとTさんがあきらめている．

②退院後の生活を具体的にイメージできない．

③夫がトイレ移乗介助について不安がある．

3）修正：看護目標⑩

①Tさんが今後の生活の中で実行可能な役割を見つけることができる．

②Tさんが退院後の生活や利用するサービスを具体的にイメージすることができる．

③夫が外泊を通して，自宅環境に合わせたトイレ移乗介助方法を再確認することができる．

てあげられます．しかし，実習3～5日目で，夫が提案したワゴン車の乗り方に対して，Tさんが「危ないからやめたほうがいい」と夫に反対意見を述べたやりとりを見てから，Tさんは自分の意見を伝えることができないわけではないと考え始めたのではないでしょうか．さらにこの時期に，家に帰ったら何をしたいかTさんに聞いても「何もできないよ．足が動かないもの」と答えたことやデイケアの説明をしても反応が薄いことなど，新しい情報を得ましたね．これらの情報から，Tさんは自分の思いを言えないわけではなく，障害をもったことでTさんが自分自身に否定的感情をもち，回復への意欲が低下していることに目を向けて，**Tさんが何もできないとあきらめている**というアセスメントに変化したのではないでしょうか．

- このように，それぞれの時期で得た情報が違うことで，アセスメントも大きく変わってきます．得た情報をどのようにアセスメントしたのか，またそれがどのように変化していったかというつながりをわかりやすく書くことを意識しましょう．

⑩

- 夫が提案したワゴン車の乗り方に対して，Tさんが夫に「危ないからやめたほうがいい」と言う姿を見て**【看護目標①今後の生活の中での実行可能な役割】**の具体化として**夫にアドバイスをする役割**が見えてきているようですね．この目標はTさんだけで達成できるものではなく，アドバイスを受ける夫との関係が重要になるので，これまでの家族関係や夫以外の家族との関係性も情報に入れてさらにアセスメントを深めていく必要があると思います．

Point

⑩

①～③の**【看護目標】**は，目標達成の期限，目標達成のために必要な期間が大きく異なっています．例えば，③は外泊から退院日までに達成しうる目標ですが，①は在宅生活が始まってもしばらくは目標達成が難しいかもしれません．看護過程の中で，その計画がどの程度達成しているのか適切に評価するためにも，長期目標と短期目標を立てて評価していきましょう．病院から在宅へ看護を継続していくためにも，長期目標を立ててケアを継続していく視点を忘れないようにしましょう．

2. 実習6日目：外泊

Tさん，夫とともに福祉タクシーで自宅へ向かう．自宅で，ケアマネジャー，福祉用具の業者さんと車いすやポータブルトイレの調整を行う．文中の④⑤は看護上の問題・課題の追加につながる情報の一部を示す．

〈Tさんとの会話・Tさんへのかかわり〉

(1) 家屋内での様子について

自宅内での移動の様子や，家屋の状況などを観察する．屋内には段差が多く，廊下の幅も狭いためTさんが自由に家の中を行き来できる状況ではない．Tさんはケアマネジャーや福祉用具の業者さんに囲まれて，新しい車いすやポータブルトイレのフィッテングをするが，❼少し緊張した様子で乗り心地などについて発言することもない（④）．ベッドからポータブルトイレの移乗時に，病院では介助が必要であった深く座り直す動作が，声かけをすれば1人で行うことができる（⑤-1）．

看護学生が段差解消機の使用方法を紙に書き，見やすい位置に貼る．Tさんと書いた紙を見ながら，手順を確認する．車いすのブレーキをかける動作はTさんの役割であることを話し，その部分に印をつける．Tさんはじっと紙を見ながら聞いている（⑤-1）．

(2) 親戚との会話について

近所に住んでいる親戚が訪問する．Tさんの様子を見て，歩けないのかと聞く．Tさんは「こっちの足は動かないんだよ．歩けないよ」と言う．⓫病院で頑張ってリハビリをしてきたことや1人で立ち上がることができることなどを話すことによって，Tさんがリハビリの成果を自覚できるように働きかける．親戚の方にTさんが1人で立ち上がることができる姿を見てもらう．

〈夫の様子〉

夫は車いすやポータブルトイレの調整，段差解消機の使用説明など，すべてを1人で対応している（④）．夫がすべての対応を1人で行っているため，看護学生がポータブルトイレを使用できる状態にセッティングする．ケアマネジャーが夫に家事援助などのサービスがあるので，これから生活してみて，必要なサービスを考えていこうと話す．

⓫

●下線の一文の主語がありません．「看護学生が親戚に」と入れましょう．また，下線部はアセスメントと看護実践が混在しています．看護学生さんは「Tさんがリハビリの成果を自覚できるような働きかけ」が必要とアセスメントし，「病院で頑張ってリハビリをしてきたことや1人で立ち上がることができることなどを話す」という実践をしたのです．ここでは実践の部分のみ記載するとよいでしょう．

夫は段差や坂道もTさんに車いすをこがせようとする．OTからは段差や坂道は車いすを押してあげるように指導されていた．看護学生が夫に車いすを押す介助が必要と話すが，それでも夫は介助せずにTさんにこがせている（⑤-1）．

ベッドからポータブルトイレの移乗介助時，「あれ，どうだっけ？これでいいのか？」と，夫が戸惑う様子が見られる（⑤-2）．病院ではできていた手順を忘れてしまい，戸惑っている．環境が変わっても，使用しているベッドやトイレはほぼ同じ型のものを使っているので，落ち着いてやればできると看護学生が夫に声をかける．

〈他職種と看護学生とのかかわり〉

看護学生が病院での様子をケアマネジャーに話す．ケアマネジャーからは移乗介助に腰ベルトを使用してみてはどうかと提案がある．使用するかどうかは，病院でリハビリ担当者に話を聞いてみて，決めてほしいと言われる．

1）アセスメント3

①家屋の構造や屋内の状況から，洗濯物をたたむなどTさんができそうな家事をするための環境を整えることは難しい．⑫Tさん自身がリハビリの成果を実感できるように働きかけるとともに，周囲の人からもできない部分ではなく，できる部分を見てもらうように働きかけることで，Tさんが暮らしやすい環境をつくることも重要である．

④福祉用具の調整をすべて夫が対応し，Tさんは言われるがまま動いているようである．今回の外泊では夫が中心になっているが，外泊のための交通手段を考えるときのTさんの夫に対するかかわりを考慮すると，今後生活が落ち着いてきたらTさんもさまざまな場面で自分の考えを言い，夫婦で考えていくことができるのではないかと思う．

⑤夫はリハビリで介助の方法や介助が必要な場面を指導されてきたが，環境が変わるとTさんができるのではないかと試してみたり，今までの介助方法がわからなくなったりすることがある．⑬Tさんができることに着目し，できない部分を介助するという発想でともに生活していけるように支援していく必要がある．

⑫
先ほど**【(2) 親戚との会話について】**のところで指摘したアセスメントが下線部に書かれていますね．

⑬
この部分に次頁のようなアセスメントを追加することで，情報と支援の方向性のつながりがよりわかりやすくなります．

Tさんができるのではないかと思うことはTさんの回復に対する夫の期待もあるのかもしれないが，その思いに応えられないことによってTさんが「できない」という否定的感情を強くしてしまう可能性も考えられる．

2）追加：看護上の問題・課題⑭

④自宅生活を始めるための環境整備を夫が1人で担っている．

⑤夫がTさんのできる動作と介助が必要なことの区別をしていない．

3）追加：看護目標⑭

④自宅での生活について，Tさんが夫とともに考えることができる．

⑤-1　段差解消機の使用や移乗動作を安全に行うために，Tさんのできる動作（立ち上がる，深く座り直す，車いすのブレーキをかける）を活用する．

⑤-2　Tさんと夫が自宅環境に合わせたトイレ移乗方法を，リハビリ職員と再確認することができる．

3．実習7～10日目：外泊後から退院日までの時期

文中の⑥は看護上の問題・課題の追加につながる情報の一部を示す．

〈Tさんとの会話・Tさんへのかかわり〉

（1）外泊から病院に帰ってきた日

Tさんは外泊から帰って来て，看護学生を見つけた途端，笑顔で「昨日はありがとうね」と言って手を出してくる．昨日はよく眠れたと言い，表情もよい．Tさんに「今日も一緒に（訓練に）行ってくれるかい？」と言われる．

（2）退院前日

「今日はなんだか元気がないみたいですね．どうしたのですか？」と問いかけると，Tさんは「家に帰ってどうしていいかわからない」「足が困難だからね．歩けないんだよ」（⑥）という．看護学生がどうしていいかわからないことの内容は，家事のことが心配なのかと聞くと，「そういうのじゃないんだけどね」と答える．「外泊して不安が大きくなりましたか？」と聞

⑭

●**【看護上の課題・問題④】**と**【看護目標④】**を追加する過程の記載が不足しているように感じます．自宅に訪問し，夫婦の生活環境を観察したことが**【看護目標④】**の追加に大きくかかわっていたのではないでしょうか．

●**【実習3～5日目の看護目標②Tさんが退院後の生活や利用するサービスを具体的にイメージすることができる】**は想像することにとどまっており，**病院に入院している患者としてのTさん**に対する目標です．実習6日目には自宅環境や自宅での夫婦の様子を観察して，Tさんを**生活者であるTさん，家族とともにここで生活していくTさん**と捉え直し，家族という単位に対する援助が必要性だということに気づきましたね．それによって，**【看護目標④自宅での生活について，Tさんが夫とともに考えることができる】**が見えてきたのではないでしょうか．どのような情報から何を気づき，それをどう

くが，「変わらないね」「（夫に）頑張ってもらうしかないよ」と言い，具体的な話は出てこない．「いろいろと心配でしょうけれど，旦那様も頑張ってくれているし，Tさんも今までリハビリを頑張ってきて，入院したころよりもずいぶんよくなっているから大丈夫ですよ」とTさんを励ます．

〈Tさんと夫と3人での会話〉

外泊時の様子をTさんと夫に聞く．夫は「夜はよく眠っていたみたいですよ．やっぱり家のほうがいいんですかね」と言う．「困ったことや大変だったことはなかったですか？」と聞くと，「トイレが容易じゃないっていえば容易じゃないんだけど，まあ大丈夫でしょう」（⑥）と答え，トイレ移乗介助を訓練時指導された方法ではなく，自分なりに考えた方法で行っていたと話す．❼夫は外泊によって自信をつけて帰ってきた様子．夫は家の準備などのため，面会時間が以前よりも短くなっている．

Tさんに自宅で過ごしてどうだったか聞く．Tさんは「こんなんだから何もできないよ」と，外泊前と同じ発言である．Tさんに，家庭内のことはTさんのほうがよくわかっているのだから，夫に家事について助言をすることで，夫も助かるのではないかと話す．

〈他職種と看護学生とのかかわり〉

PTに腰ベルトの使用について聞く．Tさんは自分で立ち上がることができ，逆にベルトに頼りすぎて危険であるため，必要ないのではないかと返事をもらう．

OTに撮影済みのカメラを渡す．

〈Tさん・夫と他職種と看護学生とのかかわり〉

（1）トイレ移乗介助について

夫が外泊時の様子をOTに話す．看護学生が夫の話を補足し，OTにトイレ動作について夫なりに工夫した点の安全性を確認してもらう．

（2）退院前日の不安について

訓練時，PTに退院前日でTさんが不安になっていることを話す．PTはTさんに，「知らないところに帰えるのではないから大丈夫ですよ」と励ます．Tさんは PTに励まされて，笑顔になる．

アセスメントしたのかもう一度振り返ってみましょう．

1）アセスメント 4

⑥Tさんは，退院することへの漠然とした不安と，「何もできない」という思いがあるが，そのことを会話の中で表出することができている．Tさんができる家事を見つけることは今の段階では難しいが，家庭内での役割獲得のためにTさんができることを一緒に探していく必要がある．不安がある中でも混乱することなく，いつもと同じ生活を送れるように見守り，支持する．

外泊後，夫は今後の生活について自信をもった様子もうかがえるが，Tさんは漠然とした不安を抱いたままである．夫は退院が近づくとともに面会時間が短くなっており，2人の間に温度差が見られる．

2）追加：看護上の課題[15]

⑥Tさんと夫の間で退院に向かう気持ちに違いがある．

3）修正：看護目標[15]

⑥不安な気持ちを表出しつつ，混乱することなく在宅生活を開始することができる．

4. 実習 11 日目：退院 2 日後の家庭訪問[16]

〈Tさんとの会話・Tさんへのかかわり〉

バイタルサインを測定する．入院中と大きな変化はない．Tさんの表情は明るい．

車いすが大きくて，自宅内で自走することができない．ブレーキレバーを操作しやすくするためにつけていた筒も，廊下を移動する際引っかかるので外している．

内服薬が病院でもらったビニール袋に入って，ベッドの上に無造作に置かれている．服薬管理のため，自宅にあった空き箱に仕切りをし，朝・夕それぞれ2週間分の薬を入れる．また，小さなかごに仕切りをし，1日分の薬を出しておく場所を作る．

〈Tさんと夫と3人での会話〉

夫に2日間生活してみてどうですかと聞く．夫は夜間の排泄介助が大変だと言う．お互いにフラフラしているから危険だとのこと．大体，寝て間もなくに1回，深夜に1回，朝方に1回排泄している．夕食時に水分摂取をして，寝る前にトイレに

---

⑮

- **【看護上の問題・課題⑥】**と**【看護目標⑥】**を追加する過程の記載が不足しているようです．Tさんへのアセスメントは，「家に帰ってどうしていいかわからない」という退院前日の会話を情報として，〈病前の生活とのギャップに不安を抱えている〉としたことが理解できます．一方，夫は「トイレが容易じゃないっていえば容易じゃないんだけど，まあ大丈夫でしょう」と話していますが，この情報だけで〈夫が今後の生活に自信をもっている〉とアセスメントするのは難しいですね．もしかしたら，自信がないからこそ強がりを言ってしまっているのかもしれません．ここで重要なのは，**生活機能障害をもつ妻と介護する夫**という変化に対応した新たな夫婦関係を築くためには，どのように支援すればよいのかを考えることではないでしょうか．
- 家族を1つの単位として援助する必要性に気づいたからこそ，実習7～10日目には，アセスメントの視点に**現在の夫婦の関係性**が入ってきたのですね．Tさんや夫との会話内容だけでなく，夫婦のやり取りや夫の様子を現在の夫婦の関係性はどう

行く習慣をつけてはどうかと話す．Tさんに，トイレに行きたいときはどうやって夫を起こしているのかと聞くと，電話の子機で内線をかけて親機が鳴る音で夫を起こしていると話してくれる．

〈Tさんと夫の会話〉

夫がTさんに「（スイカを）切ってみな」と言うと，Tさんは「切れないよ」と返事をしたため，夫がスイカを切る．横でTさんが「もう半分にしたほうがいい」などと，切り方を指示している．

〈他職種と看護学生とのかかわり〉

できるだけ自分で車いすをこげる範囲を増やすため，左側のハンドリムを外してもらいたいことや，ブレーキレバーも操作しやすい長さに変えてほしいなど，家庭訪問報告書を作り，ケアマネジャーに渡す．

1）アセスメント5

Tさんも夫も大きな変化なく，在宅移行期としては順調な始まりであると考えられる．スイカを切る場面を見ると，実習3～5日目にアセスメントした〈夫に対してアドバイスをする役割〉ができていると思われる．今後，夫が介護による疲労を過度に蓄積しないためにも，サービスの調整をしつつ，継続した療養生活が送れるように支援を続けていく必要がある．

なのかという視点で観察し，情報として記載してみましょう．

⑯
病院での実習と外泊同行による学びをふまえた家庭訪問ができましたね．短い時間で，Tさんの身体状況，環境，服薬管理，夫婦の介護の様子までよく観察し，援助ができていると思います．

Ⅴ．考　察

1．家族支援について

実習前から実習1～2日目の時期では，患者・家族・看護者関係の捉え方は次のようなものであった．家族は患者と同様に援助の対象者となるとともに，患者にとっては主たる介護者となる（**図1**）．つまり，家族は援助者と被援助者の2つの役割を担うことになり，家族の役割機能はとても大きい．

しかし，実習3～5日目外泊準備の時期に見られた，外泊時帰宅方法についてのTさんと夫のやりとりから，患者は家族から援助されるだけでなく家族を援助する立場にあるのではないかと考えるようになった．このように捉えることによって，**図2**のように患者と家族を1つの単位として見ることができるようになった．そのため，外泊時の様子を今は夫中心のように見えるが，今後はTさんも夫に対して援助をする役目を担うことができるだろうと判断することができた．

また，⑰実習7～10日目の外泊後の時期では，Tさんと夫との間の退院および今後の在宅生活への気持ちの違いを捉え，退院後も観察および援助が必要と考えるようになった．このことは，**図3**のように患者と家族を1つの単位として捉えるだけでなく，個々への援助とともに，家族全体への援助が必要であると理解することができたことを表している．

図1　患者・家族・看護者の関係①⑱

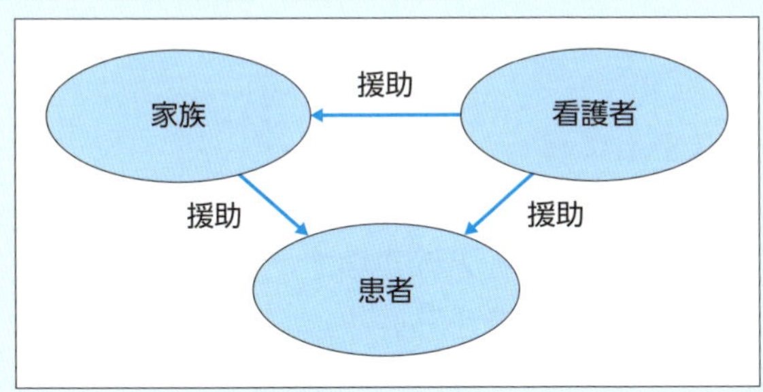

図2　患者・家族・看護者の関係②⑱

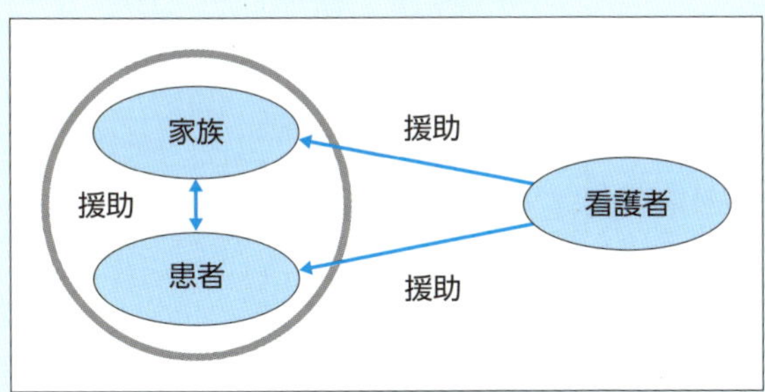

図3　患者・家族・看護者の関係③⑰⑱

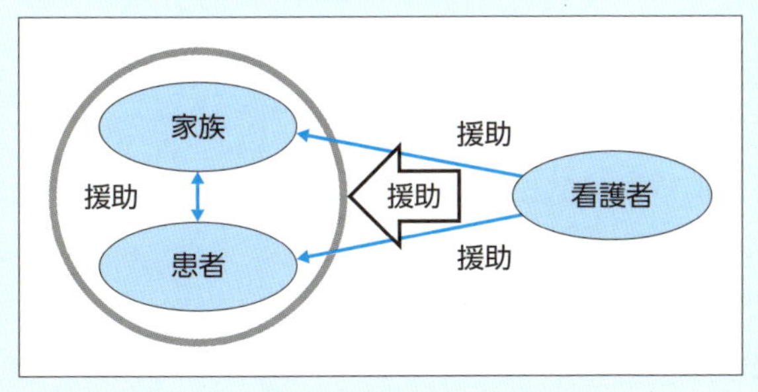

⑰

実習6日目の**【看護目標④】**ところで示したように，おそらく実習6日目の外泊同行時から家族全体への援助が必要であると理解し始めていたのではないでしょうか．

⑱

図のタイトルは，図の下に書きます．

家族支援（家族看護）とは，「個人の看護を行いながら，家族成員の関係や単位としての家族も常に意識し，個人や家族がもつセルフケア機能を高めたり最大限に発揮させ，危機や健康問題への対処行動が十分にとれるように支援すること」[1]とある．実習前は**図1**のように，家族支援は単に看護者が家族へ支援することだと考えていた．しかし，夫婦のかかわりを観察していくにつれ，患者は家族を援助する立場にもあり，家族という1つの単位として成り立っているということが理解できた．さらに，退院直前になると，退院に向けてともに準備してきたはずの家族であっても，それぞれの気持ちは違うということに気づき，家族が1つの単位として機能していくための支援も必要だと考えることができた．今回の実習で，**図3**のように捉えた患者・家族・看護者の関係が，家族支援の始まりであったと考えられる．

2. 退院支援について

千田は「どのような在宅ケアのシステムに移行しようとも，退院が予測できたとき，すなわち入院した時から，すでに退院後の在宅での生活を念頭に置いて看護を展開することが重要である」[2]と述べている．つまり，退院支援は入院時から始まっているということである．できるだけ早い時期に，在宅での生活という視点をもってかかわることができれば，患者や家族のニーズをつかみ，スムーズな在宅療養への移行が可能である．今回，退院16日前からTさんを受け持たせていただいた．その中で，受け持ち当初から積極的に在宅での生活を具体的に聞き，一緒に考えていくようなかかわりを続けてきた．また，Tさんには障害が残り，今後の生活の変容が求められていたため，今後の役割獲得を視野に入れたかかわりを行ってきた．それにより，退院後の家庭訪問では新たな問題は見られず，在宅移行期の初期としてはスムーズに行うことができたと評価することができた．

また，外泊に同行することで家屋の様子を自分の目で確かめ，ケアマネジャーに会い，病院と在宅の双方の援助者が連携することによって，Tさんの在宅生活をより具体的にサポートすることが可能となった．小松[3]は病院の看護師が地域の訪問看護師やケアマネジャーなど，それぞれの事業所に状況を報告することによって「連絡や情報交換により，訪問看護師やケアマネジャーにとって，病院とのかかわりがスムーズになり，患者の状況が把握しやすく，患者への退院時の支援が行いやすくなっている」と述べている．今回の事例でも外泊時にケアマネジャーに会うことで，その場での情報交換だけでなく，その後の家庭訪問での様子も報告し，それに対してケアマネジャーは関連機関へ連絡をしてケアを依頼することができていた．

3. チームアプローチについて[19]

リハビリテーション期には，多くの職種がチームとなってADL 拡大という共通目標をもって患者への援助を行っている．今回の事例では，医師，看護師，理学療法士，作業療法士などがかかわっていた．特に理学療法士，作業療法士の訓練に同行することが多く，看護学生がもっている情報を理学療法士と作業療法士に提供することができた．情報を共有することにより，より個別的な援助を行うことが可能になったと考える．それぞれがもっている情報をチームの中で共有できれば，さらに個別的な援助がなされ，ADL 拡大だけでなく在宅生活への移行もよりスムーズに行うことができる．看護学生の実習では訓練や外泊に同行し，それぞれの職種が行う援助を自分の目で確かめることができるが，実際の臨床現場では難しい．スムーズな情報の共有化のために，カンファレンスを行う，カルテを共有するなどの対策が必要と感じた．

Good ⑲

【はじめに】で書かれている課題ごとに考察を整理することにより，課題に対して看護学生さんが学んだ内容が明確になっていますね．退院支援については，文献が看護学生さんの考察の裏づけとして使われているため，考察が深まっています．今回のケーススタディは，家族支援，退院支援，チームアプローチをテーマにまとめられてきました．家族支援については，看護学生さんが患者さんや家族とかかわりながら理解を深めてきたことが丁寧に考察されています．退院支援についても，退院支援の最終段階として患者さんと家族に寄り添い，たとえ障害を抱えても患者さんを生活者と捉え，患者さんの持てる力に着目した支援をしてきたということが読み取れます．ケアマネジャーとのかかわりについては，看護学生さんの立場から考察すると情報提供という形での退院支援がなされていたことがわかります．なぜ看護学生さんはケアマネジャーに情報提供をしたのかということも，文献を用いて意味づけがされています．

⑲
チームアプローチについても，情報提供と情報共有に焦点をあてて考察されていますね．ただ，家族支援，退院支援と比べると，実習での体験を十分に掘り下げて考察できていない印象を受けます．なぜ情報の共有がチームアプローチに必要なのか，あるいは，情報を共有すればチームアプローチになるのかについても考察を深めてみましょう．例えば，**【3．チームアプローチについて】**の2段落目に下記のように追記してみました．

チームの条件とは「メンバー間で共有された目標があり，その達成のために互いに助け合う関係性があること，メンバーそれぞれが独自の自律した存在として自ら役割機能を発揮することがチームへの貢献となっていること」[4]であり，情報共有はあくまでもチームとして機能するための1つの手段である．今回の実習では，看護学生もチームの一員としての自覚をもって援助を行うことで，専門職とともに患者や家族を支えたいと考えていた．看護学生としてできた援助は，患者さんのリハビリや外泊に同行しその様子を観察すること，患者さんや家族の話を聞くこと，得た情報を専門職に伝えることや専門職から得た情報を伝達することであった．実習では難しかったが，チームアプローチができる専門職になるための今後の課題として，これらの援助がチームへの貢献となっていたかについても評価するために，チームでの振り返りも行えるようになりたい．

さらに，それぞれの時期で立てた看護目標が適切だったのか，看護目標がどの程度達成されたのかについても評価をすることで，援助のあり方についても考察を深めていきましょう．

Ⅵ．結　論⑳

家族支援という課題をもって実習を行うことにより，自分の考えや行動がどのような意味をもっていたのかを客観的に見ることができた．今回の実習で，家族支援とは家族が1つの単位として機能していくために，患者と家族個々への援助とともに，家族全体への援助が必要であるという結論を得ることができた．⑳看護師が家族支援をするためには，家族の関係性に目を向けて病前，病後の家族関係をアセスメントすることが重要である．今後はこの概念を用いて看護を行うとともに，支援方法などについても学びを深め，さまざまな形での家族支援を行えるように努力していきたい．

ケーススタディを書くことによって，1つひとつの経験の意味を明らかにしてきましたね．結論では，考察をふまえて家族

支援についてだけでなく，家族支援，退院支援，チームアプローチを統合して何を学んだのかを書くとよいでしょう．例として⑳の部分に下記を追記してみました．

リハビリテーションを受け，自宅への退院を目指している患者と家族への援助は看護師だけが行うものではなく，多職種によって行われている．患者の医療ニーズと生活支援ニーズを多職種でアセスメントし，患者の目標に向かって情報共有しながら各自の役割機能を発揮することがチームアプローチである．チームの中で看護師は，患者が入院したときから在宅での生活という視点をもってかかわることによって，障害をもちながらも患者が役割を獲得し，その人らしく生活していけるように支援をする．そのためには，患者だけでなく家族も援助の対象として，家族支援をする必要がある．

引用文献㉑

1）杉下知子：家族看護学入門．メヂカルフレンド社，p.36，2000.

2）千田みゆき：病院から在宅へつなぐ看護．臨牀看護，24（1）：9-17，1998.

3）小松やよい：「地域医療連携室」での看護婦の重要性．看護展望，27（2）：221-226，2002.

㉑

文献 4）を加えました．

4）堀内ふき，大渕律子，諏訪さゆり編：老年看護学①-高齢者の健康と障害（ナーシング・グラフィカ 26）．メディカ出版，p.148，2012.

●講　評

積極的に患者さんや家族，他職種とかかわりをもち，その経験から何を学んだのかということが伝わる内容でした．考察では患者・家族・看護者の関係を図で表現していて，視覚的にも理解しやすい内容だったと思います．

実習期間中は，足りない知識の勉強や記録物，患者さんとのコミュニケーションや看護実践に苦悩し，その経験から何を学んだのかを整理することは難しいですね．ケーススタディを文章化する目的は，自分の看護実践の意味を明らかにして今後のケアに役立てるだけではなく，自分の看護観を経験とその意味に基づいて明らかにすることでもあります．「どんな看護がしたいのか」は，今「どんな看護をしているのか」の意味づけによって見えてくるのではないでしょうか．このケーススタディを読んで，看護学生さんが疾病や障害だけでなく，生活者としての患者を大切にした看護をしていきたいということがわかりました．

実例4 老年看護のケーススタディ②

❶健康上の問題をもつ人の❷看護を通しての学び

❶
読み手はタイトルから内容を想像して興味を抱き，読んでみよう・読んでみたいと思います．したがって，タイトルはケーススタディの内容を反映していることを確認し，慎重につけたほうがよいということになります．最初につけたタイトルは（仮）のものと考え，ケーススタディを書き上げてから全体を読み返し，確定することをお勧めします．

❶

病院に入院中であれば，患者さんは全員が何らかの健康上の問題を抱えているといえます．「健康上の問題をもつ人」と表現すると，対象者の範囲が広くなりすぎてしまいます．対象者の疾患や病状などの特徴，気になる健康上の問題などに焦点をあて，『どのような対象者か』を明確にするとよいと思います．ケーススタディの本文を見ると，「誤嚥性肺炎で緊急入院して治療を受け，回復期にある高齢女性」「安静臥床による弊害で自立度が低下した誤嚥性肺炎の高齢女性」と捉えているように感じられました．患者像をいくつかあげて検討し，読み手も対象者をイメージできるように工夫しましょう．

❷

先ほどと同じく，「看護を通しての学び」という表現も検討が必要です．「看護を通して」という部分は援助した経験のことを指しているのかもしれませんが，看護の定義や目的を指しているようにも受け取れてしまい，抽象的になってしまいます．対象者へのかかわり（すなわち，実践や援助）から得られた新たな気づき，今後の実践をよりよくするための振り返りなどをまとめるのがケーススタディです．『実践のどこに焦点をあててまとめたのか』，あるいは『何のためのケーススタディなのか』を伝えることが大事です．そのためには，本文【はじめに】の最後の段落に示されているケーススタディの目的と対応させるとよいと思います．

対象者・ケーススタディの目的からタイトルの例を考えてみましたので，参考にしてください．

- **誤嚥性肺炎に伴い安静臥床の弊害を生じた高齢者の自立を支援するかかわりからの学び**
- **誤嚥性肺炎および自立度が低下した高齢者のかかわりを通して学んだ情報収集と看護計画の立案**
- **誤嚥性肺炎の高齢女性への日常生活援助を通して学んだ患者の捉え方と個別性のある看護**

Ⅰ．はじめに

今回の実習では初めて患者を受け持ち，臨床で❸援助を実践した．これまでにペーパーペイシェントの事例で患者の個別性や看護計画の立て方を学んできたため，学習した通りに進めていけば実習できると考えていた．しかし，実際の患者を受け持ってみると，想像していたようにいかないことが多く，何をしたらよいのかわからなくなってしまった．

実習開始して困ったことが2つあった．1つ目は看護過程の展開のうち，情報収集すること，看護計画の立案，❹ケアの提供だった．これまでは与えられた情報を整理するところから始めていたので，自分でカルテから情報収集しようとするとどこから手をつけてよいか決められず，看護問題を抽出するまでに時間がかかってしまった．また，自分で得た情報が必要なものであるのか，この情報で計画を立ててよいのかという迷いがあり，個別性を重視したくても考える余裕はまったくなかった．自信をもって完成できた看護計画とはいえなかったが，情報収集・アセスメント・問題の明確化・看護計画の立案と看護過程を展開し，実施のための準備を整えることができた．立案した看護計画から日々の計画を考えても自分の想像した通りに援助できることは少なく，❺ケア計画の修正では何度も頭が真っ白になった．臨床の現場ではタイムリーに行動しなければならないため，ケアの変更を見越しておかなければならないことを知り，知識不足と準備不足を実感した．2つ目は患者とのコミュニケーションだった．受け持ち患者は高齢でウトウト眠っていることが多く，話しかけるタイミングが難しかった．話しかけても反応がないときや質問に答えてくれても声が小さくて聞き取りにくいとき，何度も聞き返すのは申し訳なくて患者との接し方がわからなくなってしまった．信頼関係を築けないことに焦りを感じてしまい，消極的な気持ちになっていた．セルフケア能力が低下していたので，安楽な入院生活を送るための❻看護援助を提供しなければならなかった．日常生活動作（以下，ADL）では特に清潔ケアに力を入れ，口腔ケアや全身清拭，足浴などを計画して接する中で気づいたことがあった．清潔の援助をしながら話しかけると，しっかりと目を開けて答えてくれることがあり，話しかけるタイミングをつかめたような気がした．毎日，清潔ケアを続けていると「気持ちいい」と話される

❸❹❺

本文に用いる用語の選択にも気をつけなくてはならないポイントがあります．同じような意味で用いたとしても，異なる用語を使ってしまうと全体の統一感がなくなりますし，読み手によっては受け取り方も変わってしまう場合があります．

看護職がいろいろな場面で用いることが多い用語に「看護」「援助」「ケア」などの言葉があります．広い意味ではどれも対象者への実践を意図して使っているように思いますが，辞書を見ると意味合いが異なっています．「看護」は日本看護協会（JNA）や国際看護師協会（ICN）の定義にあるような広い意味に受け取ることができます．「援助」は困っている人に手を貸すこと，「ケア」は注意や配慮・世話をすることというのが辞書の意味です．普段の会話では「援助」と「ケア」を区別せずに同じ意味で使うことが多いように思いますが，ケーススタディなどの文書では伝えようとする意味を考慮して統一させましょう．どちらも使い

ことや，方法を工夫して実施してみると覚醒している時間が増えて会話が弾み，やりがいを感じられるようになった．

情報収集もコミュニケーションも看護には大切なものであり，患者のケアにつながっていく．カルテから情報を得なくてはならないと考えていたが，患者と接してケアする中で，自分の観察したことも重要な情報となることに気がついた．そして，観察から得たことを援助に取り入れてみたら，患者のニードを満たし自立を高めることができることに気がついた．❼これらの体験をふまえて，患者を理解するための情報収集，患者の個別性に合わせた看護とは何か，実習での学びを振り返る．

たい場合には用語の定義を示すことにより，読み手に違いを伝えることが可能になります．

❻
ケーススタディを書くときには不適切な表現がないように注意する必要があります．看護記録を書くときのポイントと同じですが，意図せずに不適切な表現をしてしまうことがあります．「患者さんに○○させる」や「看護師が○○してあげる」など，看護職が優位な立場であるかのような表現は避けなくてはいけませんし，このような表現が誤解を与えることにもなります．

❸
「援助」という用語が**【はじめに】**の中にも複数回使われています．どういう意図で使っているかを考えてみる必要があります．「援助」が含まれる文章，あるいは前後の内容から解釈すると，**立案した看護計画を実施すること**を指しているように思われました．用語の使い方として問題はありません．援助計画や援助方法という言葉を使うこともありますが，これらは看護職の立場から援助を考えている場合に使われることが多いと考えます．ケーススタディは自分の振り返りとして作成するものなので，実践の振り返りとしては「援助」を使ったほうがよいかもしれません．

❹
次に「ケア」の使い方について考えてみましょう．何回か使われている部分から「ケア」を考えると，**ある行為を意味して使っている**ように思われます．しかし，「ケア」の前後の言葉，「ケア」の使い方によってケアする＝援助する，○○ケア＝○○の行為/○○の援助をするなどと解釈することができます．「援助」と同じ意味で用いられているのか，そうでないのかと考えてしまいます．清潔の援助・清潔ケアという表現もされているところから推察すると，「援助」も「ケア」も区別せずに使っているようですね．会話では同じ意味で使われることが多いですが，ケーススタディなどの文章で伝える際には曖昧さは避けることが大切です．読み手の主観で着目する部分によって伝わる内容が変わったり，違った解釈をされたりするということをふまえて，自分の意図が正確に読み手に通じるように言葉を選択するときは注意しましょう．

❺
「ケア計画の修正」についても意図したいことが適切に表現できているか一緒に考えてみましょう．ケア計画といわれて思いつくのは，看護計画の構成要素**【看護問題・看護目標・具体策・評価】**の１つである**具体策**です．具体策は観察計画（OP），ケア計画（CP）

あるいは実施計画/治療計画（TP），教育計画（EP）の3つに分けて記載され，具体策のケア計画のことを指しているのではないかと考えました．しかし，「立案した看護計画から日々の計画を考えても自分の想像した通りに援助できることは少なく，ケア計画の修正では何度も頭が真っ白になった」という下線から考えると，看護計画の具体策ではないことがわかります．おそらく，1日の自分の行動や患者さんに行う援助を明らかにするものを日々の計画と表示し，実習当日になると多少の予定変更を求められる体験を示したのだと思われます．何度も頭が真っ白になったのは，不安や緊張から日々の計画の修正の考えがまとまらなかったということなのでしょう．したがって，日々の計画とケア計画は同じ意味であると考えられるので，異なる言い方にしないほうがよいことがわかりますね．どちらも**1日の行動計画**と統一しましょう．

❻

客観的に「看護援助を提供しなければならなかった」と聞くとどのように感じるでしょうか．対象とする人に必要な援助をするのは看護職の役割です．提供しなければならなかったという表現からは，嫌々ながらも援助する/援助してあげるという印象を与えます．信頼関係を築けていないと落ち込んでしまい，患者さんには必要な援助があるから援助を提供したいのに自分の準備が整っていないという，気持ちと行動の葛藤を表現したかったのかもしれませんね．主観的になりすぎず，「看護援助を必要としていた」としたほうがよいでしょう．

❼

ケーススタディの目的を**【はじめに】**の中で示す必要があります．目的を記載する方法として，「今回は～を目的とする」あるいは「本ケーススタディの目的は～である」という2通りの書き方がありますが，どちらかの方法で目的を示しましょう．今回は情報収集，個別性のある看護，実習の学びすべてを振り返ることが目的だったのか，振り返った視点が情報収集，個別性のある看護の2つの振り返りだったのかはっきりしません．実習の振り返りをまとめたケーススタディなので，「今回は患者を理解するための情報収集や患者の個別性に合わせた看護について振り返ることを目的とする」としてもよいでしょう．

Ⅱ．❽事例紹介

1．基本的欲求に影響を及ぼす常在条件

【患者】

N氏，80歳代後半（老年期），女性

【家族構成】

夫とは10年前に死別，子どもは2人（長女，次女はそれぞれ結婚し，県内の別々の市町村に在住）

❽

基本的には何らかの看護理論を活用して看護過程を展開します．ヘンダーソンやゴードン，オレムなどの看護理論家ごとに，患者を理解する際の情報収集の分類の仕方が異なります．**【事例紹介】**が**基本的欲求に影響を及**

・キーパーソンは長女
＊長女と次女が交替で患者の世話をする

【生活歴（施設入所中）】
・ADL：ほぼ自立，要介護 1
・排泄：トイレ
・清潔：週 2 回，介助で入浴
・食事：若い頃から食事に対する意欲がなく，食べる量が少ないため，食事にエンシュア・リキッド®をプラスして飲んでいる
・活動：1 人で歩行器使用して移動，たまに車いすを使用
・喫煙歴：なし

【身体面】
・身長：不明，体重：35.7Kg
・聴覚：両耳はやや難聴気味だが，補聴器は使用していない
・義歯なし
・アレルギー：花粉症，ハウスダスト

【精神面】
・性格は穏やかで，演歌のテレビ番組を見るのが好き
・認知症なし

【社会面】
・⑨5 年前から施設入所中

ぼす常在条件，基本的欲求を変容させる病理的状態の 2 つの視点で整理されていることにより，ヘンダーソンの看護理論であることがわかります．このように用いる看護理論を明確にし，一貫して看護過程を展開することが大切です．

⑨

基礎情報で既往歴や現病歴の中に「○年前から」「×日前から」などと書かれた経過の記載を見ることがあります．基礎情報は入院時だけでなく入院中も活用するものです．特に，情報を得た時点から数日過ぎると，いつのことだったかわからなくなることがあります．例えば，入院時の情報で 2 日前だったとしたら，入院経過に伴い 5 日前，8 日前と日数を加算しなければならなくなり，すぐに日にちを特定できなかったり間違いが起こりやすくなったりして活用しにくくなります．「20XX 年から」「○月×日から」と記載すれば，いつの時点でも時間経過を把握できるので，西暦や日にちを用いて説明するとよいですよ．

2. 基本的欲求を変容させる病理的状態

【診断名】

誤嚥性肺炎 〈主訴〉悪寒，発熱

【既往歴】

70歳代，高血圧（アムロジピン2.5mg 1錠1×朝，エブランチル® 15mg 2カプセル2×朝・夕）

糖尿病（ジャヌビア® 50mg 1錠1×朝）

脊柱管狭窄症（リマプロストアルファデクス錠5μg 3錠3×）

気管支喘息（フルティフォーム® 50エアゾール吸入 朝・就寝前）

大腸ポリープ

80歳代，パーキンソン病（ドパコール®錠100 2錠2×朝・昼，ドパコール®錠50 1錠1×夕）

大腿骨頸部骨折（人工骨頭置換術）

【入院中の内服薬】

メネシット® 100mg（3錠3×朝・昼・夕），エブランチル®カプセル15mg（朝），ブロムヘキシン塩酸塩錠4mg（3錠3×朝・昼・夕）

【入院期間】

20XX年8月下旬～〈受け持ち期間〉（入院35病日目）20XX年10月○日～7日間

【現病歴】

昼過ぎに突然，悪寒を訴えた．体温は37.2℃で，飲水して1回嘔吐した．1時間後の体温再検で38.1℃，さらに1時間後には41.3℃に上昇して意識がもうろうとなり，呼吸苦を訴えた．⑩血圧157/70，脈拍137，SpO_2 87～88%のため施設スタッフが救急車を要請．救急隊員が到着したとき，血圧116/50，脈拍144，呼吸24，体温41.4℃，SpO_2 88%で酸素5リットル投与してSpO_2 98%に上昇し，救急搬送された．肺炎と診断されて緊急入院となる．

⑩ バイタルサインや検査数値などには単位をつけて正しく記載することが大切です．体温は●℃，脈拍と呼吸は●回/分，血圧は◆/■mmHg，酸素は●リットル(L)/分，検査は項目ごとにg/dLやmg/dLなどの単位をつけて記載します．既存の知識であり，医療職であれば知っている単位かもしれませんが省略せずに記載しましょう．

⑩
バイタルサインでは，特に脈拍・呼吸・血圧の測定値に単位の記載漏れが随所に見られます．アセスメントをするための観察結果ですから，脈拍や呼吸では測定数値だけでなく関連する観察項目も含めてバイタルサインの観察であることを忘れないようにしましょう．

【⑪入院後の経過】

・入院当日

床上安静，禁飲食，インスリン入り高カロリー輸液持続点滴＋抗生剤点滴＋去痰剤点滴，超音波ネブライザー，心電図モニター装着，酸素吸入 3 リットル/分（マスク），持続的導尿が行われた．日常生活援助は全介助で実施．体温 38〜39℃台，血圧 150〜160/80〜90 台，脈拍 70〜80 台，呼吸 25〜30 台，SpO_2 96〜98%．体位変換で咳嗽あり，白色痰を吸引．入眠していることが多く，コミュニケーションはとれない．

・8 病日〜

酸素吸入カニューラに変更し，酸素 2 リットル/分で SpO_2 97〜98%で経過，痰が喀出できず白色痰を吸引している．体温 37℃台，血圧 150〜160/70〜80 台，脈拍 60〜70 台，呼吸 20〜25 台．繰り返し声をかけると返答することもあるが，ほとんど入眠している．

・16 病日〜

ベッドサイドで関節運動のリハビリテーションが開始される．酸素吸入は中止となり，酸素なしで SpO_2 98%，体温 36℃台，血圧 140〜150/70〜80 台，脈拍 60〜70 台．入眠していることが多く，反応は乏しい．

・20 病日〜

車いすの許可あり，リハビリテーション室で⑫リハビリが開始となる．経鼻経管栄養を開始し，高カロリー持続点滴は 800mL に減量して日中のみの投与となる．言語療法士（以下，ST）が介入し昼食に嚥下開始食が始まる．自力で食べようとする動作はなく，介助しても 1〜2 口程度しか摂取しない．食事中も目を閉じていることが多く，ときどきむせ込みあり．食事中の SpO_2 95〜97%．

・25 病日～

昼食は車いすで ST の見守りで，朝・夕食はギャッチアップで看護師が食事介助する．スプーンを口に運ぶ手が止まることも多く，促しや介助で摂取する．全介助で車いす移乗し，リハビリテーション室では歩行訓練をしている．体温 36～37℃台，血圧 140～160/80 台，脈拍 60 台，SpO_2 97%．

⑪

入院中の経過には病状の変化や治療処置の内容などを示すことが求められます．バイタルサインや主治医の指示は記載されていますが，客観的に病状の変化を示す検査データ（血液検査や X 線など）の情報が不足しています．回復期になると検査の指示が少なくなり，データが得られないかもしれませんが意識的に検査データを確認するようにしましょう．また，主なデータの変化を表にして経過をわかりやすく伝える工夫も有効です．

	月　日	月　日	月　日	月　日	月　日
治　療					
処　置					
バイタルサイン					
採血データ					
…					

⑫

リハビリもリハビリテーションと記載するのが正しい表現です．口頭ではリハビリやリハということが多いので省略してしまいがちですが注意しましょう．

Ⅲ．看護の実際

N 氏はパーキンソン病の既往や加齢に伴う筋力低下から嚥下機能が低下している．傾眠状態で食事をすることでむせることがあり，咳反射も弱いことから誤嚥性肺炎を再発する可能性がある．リハビリテーションや食事時間以外はベッド上で過ごし，自力で体位を変えることもない．⑬るい痩，失禁，安静臥床による褥瘡を発生する可能性も高い．褥瘡予防のためにも安全に食事を摂取して栄養を確保することが必要である．加齢による筋力低下に加え，入院から 20 日ほど臥床していたことから筋力の衰えが大きい．高齢者は低下した筋力を回復するには時間がかかる．覚醒不十分のまま車いす移乗すれば，立位のバランスを崩して転倒しやすくなる．以上より，3つの看護問題を抽出した．

1. ⑭ **#1　覚醒しないで食事をすることでむせやすくなり，誤嚥性肺炎を再発する可能性**

⑭

#1は誤嚥性肺炎を再発する可能性を**問題**とし，**その原因**が覚醒しないで食事をすることでむせやすいと捉えています．「むせが続くならば誤嚥性肺炎を再発する」と，将来の可能性を考えた問題であると考えていることがわかります．このような考え方も間違いではありませんが，優先順位を考慮して#1を検討してみましょう．現時点では食事が始まったばかりであり，摂取量も少なく誤嚥性肺炎を起こしている感染徴候も認められていません．しかし，摂取量にかかわらず今もむせてしまうという事実があり，むせずに食事を継続できれば誤嚥性肺炎を起こす可能性は低いと考えることもできます．起こりうる可能性よりも起きている事実に着目して問題解決することで，生命の危険につながる将来の問題が起こらなくなると考えます．事実に着目して#1の表現を変更しても，看護問題と看護目標は対応しています．

#1　覚醒しないまま食事をするため，嚥下時にむせやすい

1）看護目標

食事中は覚醒し，むせずに自分で食事を食べられる

2）具体策

OP：食事と誤嚥性肺炎に関連した観察

①バイタルサイン（体温，脈拍，血圧，呼吸），SpO_2

②呼吸音，喘鳴の有無

③痰の量，性状

④食事内容，摂取量

⑬

褥瘡発生の要因は，個人的要因として病的骨突出・自立能力低下・関節拘縮・栄養状態の低下・浮腫や失禁など，環境ケア要因として体位変換・体圧分散寝具・スキンケア・栄養補給・介護力などがあり，両方からアセスメントすることが重要です．

体位変換が十分でないことだけに着目するのではなく，褥瘡発生の要因を患者さんにあてはめてアセスメントしている点がとてもよいですね．るい痩からは栄養状態が低下していて骨突出があると予測できますし，尿道留置カテーテルやオムツを使用していることから失禁状態と判断できます．1日のほとんどを臥床して過ごし，自分では動かないという情報も捉え，褥瘡が発生しやすいことの根拠を示すことができました．さらに，褥瘡予防のための援助の方向性にもふれ，思考に基づく援助を計画していることが裏づけられています．

⑤咀嚼状態，嚥下状態，食事中の咳嗽
⑥食事の意欲
CP：食事摂取の援助
①食事前に寝ていたら呼びかけて覚醒を促す
②食事摂取のための正しい姿勢を整える（食事15分前に車いす移乗する，ギャッチアップ60度）
③食事環境の調整（テーブル上の整理整頓，エプロン準備）
④食事介助（自分で食べられるところまで見守る，食べる手が止まったら介助する，1口ずつ嚥下したことを確認して次の食物を口に入れる）
⑤口腔ケア（車いすで食事をしたときは洗面台で歯磨きをする，ギャッチアップして食事をしたときはオーバーテーブルに歯磨きセットを準備する，磨き残しを確認し介助する）
EP：食事を自力摂取する指導
①食事中に目を閉じていたら，食事を見るように説明する
②配膳しても食べ始めないときは，スプーンを持ってみるように説明する
③スプーンの1口量が多過ぎないように説明する
④歯磨きのうがい水を飲まないように説明する

2. ⑮ **#2　臥床時間が長いこと，自力での体動困難，オムツ装着の蒸れに関連した褥瘡発生の危険性**

⑮
●患者さんの生活や活動から，個別的な褥瘡発生要因を捉えていますね．褥瘡発生についての学習が生かされており，患者さんの特徴がわかります．#2のように褥瘡発生の原因や要因を具体的にすることによって，看護目標や具体策も問題解決につながるものになりますね．

⑭⑮⑯
看護上の問題は個別性を考慮することが重要です．看護上の問題の原因や要因は患者さんによって異なるので，看護問題の原因や要因を明確にすることが個別性の把握につながります．「○○による××」「○○に関連した××」というように，○の部分に原因や要因を示し，×の部分に問題を示すことで個別性のある看護問題になります．また，最優先して解決しなくてはならない問題であるか，看護上の問題の優先順位も考慮しなくてはいけません．生命に危険を及ぼす問題や患者さん本人が困っている問題は最優先する必要があり，一定の状態が続けば問題となりうる可能性があるような問題は生命に危険を及ぼす問題より優先順位が低くなります．

1）看護目標
日中の臥床時間を減らし，同一体位の圧迫を避けることで褥瘡ができない

2）具体策

OP：褥瘡発生に関連した観察

①褥瘡好発部位（仙骨・脊柱・大転子・踵など）の発赤と褥瘡の有無

②同一部位の圧迫時間

③自力で活動できる範囲，活動量，活動の意欲

④失禁の有無（便，持続導尿カテーテルからの漏れ）

⑤食事摂取量

⑥検査データ（TP，Alb，Hb）

CP：褥瘡予防の援助

①リハビリテーション前後と，昼食前後には車いすに移乗する

②臥床しているときは2時間ごとに体位変換を行う（背部と下腿部には除圧クッション使用する，寝衣とシーツのしわを整える）

③毎日，全身清拭と陰部洗浄を行う

④1日1回，陰部洗浄後は使用しているオムツをすべて交換する（排泄物で汚染しているときは，その都度交換する）

⑤食事介助

EP：除圧と清潔の指導

①清潔の必要性を説明する

②定期的な体位変換の必要性を説明し，体位変換に協力できるように説明する

③オムツが濡れたときはナースコールするよう説明する

3. ⑯ #3　傾眠傾向と長期臥床による筋力低下に関連した転倒の可能性

⑯

#3の原因や要因とした「傾眠傾向」「長期臥床による筋力低下」の2つを〈と〉でつなげていますが，並列させる表現を考えてみましょう．例えば，日常生活動作を〈食事と排泄と清潔〉，運動に必要な体の部分を〈骨と筋肉〉などといいます．同じような状況や特徴において並べるときに〈と〉でつなげることが多いものです．「傾眠傾向」と「長期臥床による筋力低下」は別々の状況を示していると考えられるので，このような場合には〈と〉ではなく〈および〉を用いて2つの原因が並列していることを示したほうがよいでしょう．

#3　傾眠傾向および長期臥床による筋力低下に関連した転倒の可能性

1）看護目標

ベッドと車いす間の移乗では，N 氏自身が足元に気をつけながら歩行できる

2）具体策

OP：転倒に関連する観察
①バイタルサイン（P，Bp）
②夜間の睡眠状態と日中の覚醒状況
③ ADL の自立度，活動の意欲
④姿勢保持能力（坐位・立位バランス）
⑤ふらつきの有無，歩行状態

CP：転倒予防の援助
①環境整備をする（ベッドの高さ，ベッド柵，オーバーテーブルの位置を整える）
②ベッド–車いすの移乗介助をする（履物の確認，車いす設置）
③足底をついて端坐位が安定してから立位を補助し，歩行を邪魔しない位置に立って車いすに誘導する
④持続導尿カテーテルのチューブと蓄尿バッグが邪魔にならないよう介助する
⑤日中の車いす散歩や気分転換

EP：移動動作に関する指導
①自分 1 人で動くと転倒する可能性があるので，動きたくなったらナースコールすることを説明する.
②端坐位，立位，歩行の際にベッド柵などにつかまり足元を確認することを説明

【看護の実施・評価】

#1　覚醒しないで食事をすることでむせやすくなり，誤嚥性肺炎を再発する可能性

・受け持ち 1 日目

S：もういい. ⑰ゴホッ，ゴホッ

O：ST が「これ食べる？」と問いかけると拒否をする．食事中，顔はうつむき，口の動きが小さい．お茶を飲もうと

するとコップを持つ手が振戦する．食後の歯磨きも手が震えて上手くできず，看護師が口腔ケアを介助するが含嗽中に激しくむせ込むことがある．体温 37.1℃，血圧 128/64，脈拍 88 回，SpO_2 97%．呼吸音は全体的に小さいが[18]雑音は聞かれない．主治医から心電図モニター・吸引は中止の指示があり，末梢静脈点滴 1,000mL に減量，持続導尿は継続中．

A：食事の姿勢から食欲がなかったかもしれないが，自分の意思が伝えられるため好みを確認しながら食事介助する必要がある．水分摂取量が不足しているから点滴が続いていると考えられる．

P：口からも水分をとってもらえるように援助する．

⑰

看護記録の S 情報は患者さんの主観的情報です．注意しなくてはならないことは，主観的情報＝患者さんの単なる発言ではないということです．患者さんの言葉をすべて記載している S 情報を見ることがありますが，これは間違いです．患者さんの意思や気持ち，考えなどを主観的情報として S 情報に記録します．「ゴホッ，ゴホッ」というのは咳嗽の音であり，患者さんの主観ではありませんから記載する必要はありません．O 情報に観察した事実として咳嗽の有無や程度，咳嗽しているときの状況などを記載してください．

⑱

適切な専門用語を用いて看護記録を書かなくてはいけません．聴診で観察した呼吸音から肺の状態をアセスメントすることができるので，観察結果を記録した点は評価できます．肺の聴診では最初に正常な呼吸音か異常な呼吸音かを聞き分け，異常な呼吸音があればその異常を区別していきます．適切な専門用語として肺の聴診で聴かれる正常呼吸音以外の異常な呼吸音は**副雑音**といいます．雑音や肺雑音とせず，正しい表現の**副雑音**に修正しましょう．

・受け持ち 3 日目

[19]S：発言なし

O：体温 36.7℃，呼吸 17 回/分，肺雑音なし．点滴が中止となり，食事はペースト食に変更される．右手に振戦が見られながらも途中までは自力で摂取するがスプーンが[20]使いにくい様子．ペースト状の食事をすくうことが難しく，1 口量が少ない．10 口ほど自力で口に運んだ後，スプーンを置く．「疲れましたか？」と問いかけても答えず，看護師がスプーンにすくって口元まで運ぶと口を開けて食べ，㉑食事全体の 1/3 摂取する．食事中の SpO_2 98%．

A：震える右手でスプーンを持ち口に運んでいるため，思うように皿の中の食事がすくえずに 1 口量が少なくなっていると考えられる．自力での食事を終えた後も介助があれば食事を続けることができたことから，右手の疲労が溜まり食べるのをやめたと考えられる．

P：可能であれば金属製ではなくプラスチック製のスプーンにする．今後も食事の見守りを継続し，必要に応じて介助も行っていく．

⑲

援助をしているときには必ず言葉をかけながら行いますが，まったく反応を返さない患者さんや状況がありますね．記載することがないためにSが省略され，OAPだけで構成されたSOAPの看護記録があります．患者さんのSがわからない場合には，（無言）・発言なしなどと記載し，Sを省略しないことが大切ですね．

⑳

- 曖昧な表現の1つに「〇〇な様子」などがあります．様子という表現は，それを見た人の主観で感じた場合にも使われるので，客観的な事実といえるかどうかわかりません．事実であるならば，様子に該当する具体的な事柄をあげたほうがよいことになります．次にある「ペースト状の食事をすくうことが難しく，1口量が少ない．10口ほど自力で口に運んだ後，スプーンを置く」という部分がスプーンを使いにくい状況説明と考えられます．途中まで自力で摂取したことを客観的な事実とし，摂取している状況につなげればよいです．

㉑

- 看護記録では正確に情報を伝える必要があります．ペースト食に変更になったばかりの経口摂取の練習中の患者さんに対し，「食事全体の 1/3 摂取する」と記載して正確な摂取状況を把握できるでしょうか．
- 一般的に食事は主食と副食で構成され，食事摂取量から患者さんの栄養や食事の状態をアセスメントすることができます．主食は全量摂取して副菜が少ない場合は蛋白質や脂質などの栄養素不足が考えられますし，主食は少なく副菜は全量摂取している場合はエネルギー不足になっているかもしれません．食事全体に占める摂取量だけではアセスメントが困難です．主食と副食の全量をそれぞれ10割とし，主食3割・副食7割などと記載することで栄養バランスをアセスメントできるようになります．経口摂取訓練などで主食と副食の区別ができない場合は食物ごとに，あるいは常に摂取量が少ないような場合は合計で何口摂取したかなどで示すこともあります．

・**受け持ち4日目**

S：発言なし

O：自力で歯ブラシを持ち途中までブラッシングを行う．口は小さく開き，歯の表側・裏側・噛み合わせに歯ブラシをあてているが口の奥までは歯ブラシが届きにくい．歯肉は腫れや赤みなし．

A：自分の力を使って歯ブラシでブラッシングができるようになっているため，見守りを含めた介助を行っていく必要がある．口腔内にトラブルは見られないため，口腔ケアを引き続き行って清潔を保ち，肺炎予防に努める．

P：状況を見て介助を継続．歯ブラシ，スポンジブラシを用いた口腔ケアを続行．

・**受け持ち6日目**

S：食べていますよ．

O：今まで使用していた病院の金属製スプーンから，ご家族が持参した木製スプーンに変更すると右手の振戦はなくなった．ペースト状粥を口にしたときに激しく咳き込むが，複数回咳をした後は落ち着き，再び自分で食べ始める．1回ですくう量が多く，すくう動作はスムーズで，それにより1口量も以前より増加する．右手に持ったスプーンを口に運ぶ際，左手を食器に添えている．食事中，ラジオで音楽が流れていたがそこに注意関心が向くことはなかった．主食は半分，副食は2割程度摂取する．体温36.9℃，呼吸16回，SpO_2 98%．

A：1口量が増えたことにより誤嚥が起こったと考えられる．一度に多くの量を食べないよう，適宜声かけをしていく必要ある．木製スプーンは軽いために扱いやすく，自力で食事がしやすくなる．右手だけでなく左手も使っていたことからADL上昇と食事動作が適切に近づいてきていると推測する．

㉒P：1口量への声かけを行う．

㉒

● SOAPのOに金属製スプーンからご家族が持参した木製スプーンに変更すると右手の振戦が消失したことが観察され，Aでは木製スプーンは軽いために扱いやすく食事がしやすくなると記載されています．OとAの関連がわかる適切なアセスメントができていますが，AがPにつなげられていません．看護計画立案した当初，#1には患者さんが自立して食事ができるようにするために適切な道具については計画していませんでした．食事に木製スプーンを使うことが患者さんの個別性であり，新たな食事の援助になるといえます．「食事は木製スプーンを使うように計画を変更する」ことをＰに記載し，さらに#1に戻って計画に追加したことを示しましょう．

P：1口量への声かけを行う．#1のCP-⑥に食事は木製スプーンを使うことを追加する．と記載します．次に#1の看護計画に戻り，CPに⑥として食事のスプーンは家族が持参した木製のスプーンを使う（10/◆追加する）と修正しましょう．追加修正した日にちを記載しておくと，その日のSOAPを確認して変更理由を確認できます．

㉒ 看護計画に基づいて援助を行い，患者さんの病状や状況と看護計画の妥当性を評価しながら看護計画を修正し，問題解決に向けていくのが看護過程の展開です．SOAPの看護記録はＳとＯをもとにアセスメント（A）し，計画（P）につなげるのでしたね．毎日の看護記録の中に問題解決に必要な看護計画の修正ポイントが含まれている可能性があります．ＡがＰに反映されていることを確認し，Ｐが当初の看護計画にある内容かどうか，ない場合は追加修正することで患者さんの個別性を考慮した看護計画に近づきます．問題解決のために随時，看護計画の見直しをしてください．

・受け持ち7日目

S：おいしいです．おなかいっぱいです．

O：お盆に木製スプーンをセットして配膳すると，自分からスプーンを手に取って左手で食器を持ち，食事を始める．味を質問すると野菜のペーストを食べて「おいしい」という．主食と副食を見ながら順番にすくっているが，スプーンにすくった量は全部口に入れてしまう．しっかりと咀嚼してから嚥下する．トロミ付きのお茶も食事の合間に飲んでいるが，むせ込みはない．主食は5割，副食は3割摂取する．食後は洗面台に移動し，セッティングした歯ブラシに自分から手を伸ばしていつものように歯磨きするが，奥歯に磨き残しあり介助する．うがい水を最後に1口飲み込んでしまうがむせることはなかった．体温36.4℃，呼吸18回/分，SpO_2 98%．

A：食事を食べるように勧めなくても自分から行動することができており，食事に対する意欲があると判断する．むせ込みなく食事をしたりお茶を飲んだりしているが，スプーンにすくったら1口で食べ切ろうとすることから，1口量が多くなることで誤嚥につながる可能性がある．

P：食事の自立と意欲を低下しないように見守りを行い，1口量の加減に注意して適切なタイミングで声をかける．

㉓〈＃1の評価〉

・金属製スプーンでは1回に少量しかすくえないが，木製スプーンに変更したらむせずに食事ができるようになり目標達成する．

㉓㉙㉚

設定した評価日あるいは最終的に行う看護問題の評価は，看護問題が解決したか，看護目標が達成できているかを客観的に評価します．問題解決または目標到達したのはなぜかと分析し，今後の看護の参考となるようにすることが大切です．患者さんの変化を評価するだけでなく，看護計画の評価でもあります．患者さんの変化は看護計画のどういうところが適切だったからなのか，あるいは計画を改善すればさらに変化するのかなど，看護計画と関連させて看護問題の解決状況を評価しましょう．

㉓

木製スプーンを使用する効果はありましたが，覚醒しないで食事をする問題も考慮していたはずです．総合的な視点で評価することが求められます．

食事の姿勢や咀嚼する動きが小さいときは覚醒していないことが考えられ，覚醒していないことで嚥下に支障をきたして誤嚥につながる．また，口腔ケアのうがい水にはトロミがついていないためむせやすく，含む水の量や姿勢に注意する必要がある．N氏にとって金属製スプーンの重さで疲労し，途中で食事を止めてしまっていたが，介助すると摂取することから食欲はあると考えられる．スプーンを変更したことによって，木製スプーンは軽くて筋力のないN氏には扱いやすく適しており，食事の自立につなげることができる．食事の意欲が出てきて自立して食べられるようになってきているが，ときどきむせることもあることから誤嚥の危険は継続していると考えられ，見守りは必要である．適した自助具を使って食事する意欲を引き出し，食事の自立と摂取量を確保できるように介助を行うことが必要である．さらに，口腔ケアの不備により誤嚥性肺炎が生じないよう計画を続行する．

＃2　臥床時間が長いこと，自力での体動困難，オムツ装着の蒸れに関連した褥瘡発生の危険性

・受け持ち2日目

S：（無言）

O：リハビリテーション準備のため端坐位になり，靴を履いたら腕をアームレストにゆっくりと伸ばしてつかむ．立とうとする動きをするが立ち上がれないため腰を持ち上げて介助をし，体幹に手を添える程度の介助で車いすに

乗る．訓練後にベッド上で全身清拭と陰部洗浄を全介助で行う．皮膚は乾燥し，弾力性の低下，菲薄化があり，臀部は特にたるみが見られた．[24]好発部位に褥瘡なし．臥床中は自分で動くことはなく，エアーマット使用中で体位変換を行う．

A：車いすに自分で移ろうとする意思はあるが，筋力がないために立ち上がることができない．特にエアーマットを使っているので臥床しているときは動きにくいこともあり，自分で動くことはないため体位変換は必要である．皮膚の状態から高齢者特有の特徴が見られるため，バリア機能が低下していることが考えられる．臀部にたるみがあることと，便が付着する部分であるため清潔度を高くすることが必要である．

P：皮膚を清潔に保ち，乾燥防止のための保湿対策をする．

・[25]受け持ち3日目

S：ベッドに戻る前に…ベッドに戻る前に…．

O：昼食後の歯磨きの後，小声で何かを訴える．ベッドに戻りたくない様子から，何がしたいのかいろいろと提案し，トイレに行くか聞いてみるとうなずく．指導者と一緒に排泄の介助を行う．排便量確認のため，車いす用トイレ内にポータブルトイレを設置すると，座ると同時にガスが排出し少量の排便が見られた．その後は病室に戻りベッドに臥床する．バルンカテーテル挿入中．

A：便意があり，オムツではなくトイレで座って排泄したいという意思がある．オムツ内に排便をしてしまうと蒸れてしまい，臀部の皮膚に悪影響を及ぼす．

P：本人の意思を尊重し，便意があるときはトイレで排泄をする．

Point [24]

仙骨部や尾骨・踵部などの骨突出部位，身体に圧迫が加わる部位が褥瘡の好発部位になります．褥瘡発生を観察するときに，「好発部位に褥瘡なし」とするのは間違いではありません．しかし，患者さんによって特に注意すべき褥瘡の好発部位は異なります．清潔の援助をしながら具体的に観察した部位があったはずなので，部位を明確にして経過観察に役立てましょう．

Good [25][26][27]

S→O→A→Pと適切に記録ができています．看護問題に関連した事柄に焦点をあて，看護計画をふまえた看護記録になっています．ただし，Pで新たな計画を提案したときには看護問題の具体策に戻り，必要な追加修正を繰り返していけるともっとよいですね．

[25]

この日は初めて患者さんがトイレに行きたいと意思を表出し，患者さんをトイレに誘導しました．そして，排泄のニードを満たす必要性をアセスメントし，計画に取り入れられています．Pに「便意があるときはトイレで排泄をする」とありますが，計画したことが#2の看護問題に反映させることを忘れないようにしましょう．

P：本人の意思を尊重し，便意があるときはトイレで排泄できるよう，#2のCP-⑥に追加する．と記載します．次に#2の看護計画に戻り，CPに⑥として排便は車いす用トイレに誘導して排泄する．（10/▲に追加する）と修正しましょう．

・㉖受け持ち4日目

S：痒いところはないです．

O：全身清拭，陰部洗浄，寝衣交換を臥床したまま行う．清拭中に掻痒感や不快感を質問すると返答する．仙骨部や脊柱の発赤と褥瘡なし．尿漏れや便失禁なし．清拭後，臀部には撥水剤を使用する．寝衣交換では自力で腕や足の曲げ伸ばしを行って協力する．ズボンに足を通すときには下肢を挙上しておくことができないため介助するが，腰上げは可能でズボンを履く．

A：毎日清潔ケアを行っているため皮膚の清潔が保たれている．トイレで排便できるが移動がゆっくりで時間がかかるため間に合わないかもしれず，オムツを使用している．臀部の皮膚を保護する必要がある．四肢の屈曲伸展と腰上げができるため，できる動作を続けることで仙骨部の圧迫を軽減できると考える．

P：清拭の継続と臀部に撥水剤を使って皮膚に排泄物が付着するのを防ぐ．

㉖

- SOAPのOに「仙骨部や脊柱の発赤や褥瘡なし」と褥瘡発生しやすい部位を具体的に示しています．「尿漏れや便失禁なし．清拭後，臀部には撥水剤を使用する」と，皮膚の浸軟が褥瘡に影響することをアセスメントして臀部のケアを実施したことも記録され，思考に基づいて援助していることがわかります．また，患者さんの力を評価して仙骨部の圧迫を軽減して褥瘡予防につなげるのも大切なことですね．
- 腰上げに協力できることも新たな発見でした．Pに「臀部に撥水剤を使って皮膚に排泄物が付着するのを防ぐ」とありますが，#2の計画では失禁があったらオムツを交換することで排泄物の付着を防いでいるようです．腰上げの能力を取り入れることや撥水剤を使用するのは新たな提案ですから，実践していることを看護計画に示しましょう．

P：腰上げなどできることを清潔ケアで促し，臀部の皮膚に排泄物が付着するのを防ぐ撥水剤の使用を追加する．と記載してもよいです．#2のCPに番号を追加する方法もありますが，排泄物で汚染されたときのオムツ交換することに関連させてCP–④´（ダッシュ）と考えてもよいでしょう．そして，#2の看護計画に戻り，CPに④´とするか番号を追加して，陰部洗浄時およびオムツ交換時は臀部には撥水剤を塗布する．（10/▼に追加する）としましょう．また，CP–⑥として行為やオムツ着脱時は腰上げの協力を得る．（10/▼に追加する）としたほうがよいですね．

・㉗**受け持ち5日目**

S：発言なし

O：リハビリテーション帰室後から昼食までの時間に全介助で清潔ケアを行う．寝衣の着脱時には説明しなくても協力的に関節を動かす．ずっと開眼し，清拭中の私の動きをじっと見ながらときどき笑顔になる．オムツ内に排便はないが，肛門周囲を拭くと便が付着する．背部，仙骨部に発赤や褥瘡は認められないが，右耳介に発赤あり10分ほどで発赤がなくなる．

A：右側臥位で耳介が圧迫されたことにより発赤したと考えられ，褥瘡になる可能性がある．右側臥位にするときは枕の形を工夫して耳介に体圧が集中しないようにする必要がある．自覚がないまま排便してしまうかもしれないため，オムツ内の失禁を確認していく必要がある．

P：側臥位にするときは頭や枕の位置を確認することとし，右耳介を観察する．

㉗

これまでは背部や臀部の褥瘡を主に心配して観察と援助を行いましたが，右耳介に発赤があることを発見しました．現時点では一過性の発赤といえますが，アセスメントのように「褥瘡になる可能性」は十分考えられ，Pで「右耳介の観察する」としています．これも#2のOPにはないことなので看護計画に追加するとよいでしょう．

P：側臥位にするときは頭や枕の位置を確認し，右耳介の観察を追加する．と記載します．#2の看護計画に戻り，右耳介の褥瘡発生を考慮してOP–⑦右耳介の褥瘡の程度（大きさ，深さ），疼痛．（10/■に追加する）と追加しましょう．

・**受け持ち6日目**

S：シャワーしたい．ありがとう．（耳は）痛くないです．オシッコはまだ大丈夫です．

O：主治医の指示で8時にバルンカテーテル抜去となる．14時に脱衣所で車いすからシャワーチェアーに乗り換え，介助でシャワー浴を実施する．シャワー前は体温36.9℃，脈拍70回/分，血圧100/44mmHg．自分では上肢と㉘上半身の全面を洗えるが，シャワーヘッドを持ち上げられず十分にすすぐことができない．頭部，背部，足先，臀部の洗浄を介助する．臀部を洗う際は手すりにつかまり2分ほど立位を保持できる．右耳介の発赤が持続しているが，痛みはない．シャワー後にドライヤーで髪を乾かしているときは鏡を見ながら口元は微笑んでいる．16時になっても尿意やオムツ内に失禁なし．シャワー後は脈拍71回，血圧104/40mmHg，自覚する苦痛は聞かれない．

A：いつもより血圧が低くなっているが，シャワー前後のバイタルサインの変化はなく状態も安定しているため経過観察をしていく．滑りやすい水場でもシャワー中に手すりを握って立つことができ，硬いシャワーチェアーの座面に座っていても臀部にかかる圧迫の影響は少ないと考える．全身にお湯を使うために入浴気分が味わえ，シャワー後には表情が明るくなったことから清潔の保持だけでなくリラックス効果が得られたと考える．バルンカテーテルを抜去してから排泄がなく，失禁する可能性もあるため尿意の確認やオムツ内のチェックをして，臀部に排泄物が付着している時間を短くして褥瘡発生を予防する必要がある．

P：定期的にシャワー浴を計画し，全身の観察を行い，お湯の効果で血流をよくして褥瘡を予防する．

㉘

●シャワーの希望を聞き，清潔でも自立できることがあると考えて援助したのではないかと思います．何ができたのか，どこが洗えたのかを観察して記録に残すことは重要です．しかし，「上半身の全面」とはどこでしょうか．上半身には胸部・腹部・背部があり，全面といえばすべての部分になるので上半身とすればよいはずです．少しずつ日常生活動作でできることが増えている患者さんがすぐに上半身を洗えるとは考えられません．洗えるとしたら手の届く範囲の胸部と腹部が考えられます．全面は前面の間違いかもしれませんが，とても曖昧な表現ですから，具体的な部位で示したほうがよいですね．

・㉙**受け持ち7日目**

S：発言なし

O：昨日，バルンカテーテルを抜去した後に排尿がなく，下腹部膨満があるためバルンカテーテルが再挿入された．右耳介の発赤が今日は皮膚が剥けてNPUAPの褥瘡分類ではステージII（部分欠損）となっている．ほかの部位には発赤や褥瘡はない．オムツ内に排便あり．便の性状はブリストルスケールのタイプ4で，大きさは約2cm．陰部洗浄後に臀部には撥水剤を使用した．清拭開始時は閉眼して話しかけても返事がなく，寝衣を脱いだり体位を保持するにも全介助であったが，清拭途中からは袖を通したり協力する．

A：右耳介の褥瘡が悪化傾向にあるため，枕のあて方を工夫するだけでなくドレッシング材などで創部の保護を考える必要がある．清拭途中から覚醒したため清拭は日内リズムづくりとして有効であると考えられる．覚醒しないことで便意もあやふやになって失禁して臀部が汚染され，褥瘡の原因となるので確認が必要である．

P：清拭，オムツ交換を引き続き行う．右耳介の褥瘡の経過を観察する．

㉚**〈#2の評価〉**

・体位変換により仙骨部の圧迫はないが，右耳介に褥瘡ができてしまった．

・食事も自力で摂取できるようになり，清拭やシャワー浴で皮膚の清潔も保たれた．

・バルンカテーテルが再挿入となり，排便はトイレで排便できるようになったことから陰部が汚染されることがなくなった．

㉙

褥瘡，便の性状，意識レベルなどはそれらの状況を示すため，国際的にも通用するスケールや分類法などの指標があります．観察内容の客観性が増して状態を共通認識できるため，積極的に活用することはよいことですね．褥瘡では重症度はNPUAP分類を，褥瘡の評価にはDESIGN-Rを，便の性状はブリストルスケールを，意識レベルではGCSやJCSを使用します．施設ごとに使っている指標が異なるので，施設で認められている指標を使いましょう．

㉚

#2は褥瘡発生を考慮した看護だったので，右耳介の褥瘡や栄養・清潔・排泄に着目して評価しているかもしれません．このように箇条書きにすると，看護計画および援助実施の評価も含めて振り返ることができません．看護問題の解決状況を看護計画立案や援助などから評価しましょう．

リハビリテーションや食事は車いすで食べるなど臥床時間は減少している．ベッド上に臥床している際も定期的な体位変換の援助を行うことで仙骨部や背部の褥瘡は生じていないが，枕の硬さや使い方が影響して耳介に褥瘡が発生したことが考えられる．皮膚の乾燥と加齢によるバリア機能低下が考えられることからも，全身に褥瘡が発症する可能性は高い．自力で動けるようにADLを支援しながら，引き続き体位変換を行う．体位変換のたびに皮膚を観察し，枕やクッションをあてるときにも褥瘡好発部位を圧迫しないように工夫する必要がある．また，バルンカテーテル挿入による陰部の汚染やオムツ着用による蒸れが続いていることも褥瘡が生じる要因である．皮膚保護のため清潔ケアの後に全身にクリームを塗布し，臀部には撥水剤を使用することを追加することとして#2を継続する．

#3　傾眠傾向と長期臥床による筋力低下に関連した転倒の可能性

・受け持ち1日目

S：（無言）

O：あいさつや自己紹介しても眠っている．午前中は30～40分ごとに訪室して声をかけてみるが眠っていて反応しない．担当看護師が耳元でゆっくりと名前を呼びかけると少し開眼してうなずくが，すぐに目を閉じる．午後は午前同様にベッドサイドで声をかけると，目を開けて顔をじっと見てくれたりうなずいたり，声は聞かれなかったが反応が返ってきた．車いすに移乗するときは自分で体を動かすことがなく，看護師が全介助で靴を履かせて身体を支えながら立位にし，回転を補助して車いすに座る．

A：ほとんどの時間を眠って過ごしていることで反応が鈍くなっていると考える．日中はしっかりと覚醒することで夜間の安眠につなげられるため，午前中から車いすに乗るなどの工夫と自分の意思を伝えられるような声かけの工夫が必要だ．しかし，車いすに移乗するときの様子から移乗中の転倒の危険が高く，事故が起きないように介助しなければならない．

P：刺激になるような援助を考え，実践する．

・受け持ち2日目

S：（訓練の休憩中）疲れますね．

O：リハビリテーション準備で車いす移乗するとき，靴を履いたら自分からアームレストに腕を伸ばす．車いすでリハビリテーション室に移送し，近くで見学する．理学療法士とは話しながら平行棒内の歩行訓練を行っている．歩行の足取りはゆっくりで，1 歩足を出すまでに時間がかかることもあるが訓練を嫌がっている様子はない．訓練の休憩中，車いすに乗っているときに話しかけると小さな声で話す．病室に戻り全身清拭と陰部洗浄を実施する．清拭中はほとんど眠っているが，話しかけるとうなずきだけ見られる．

A：移乗するときに自分からアームレストをつかもうとしており，ベッドと車いすの移乗を自分で行おうとする意思が見られるが安定しているとはいえない．リハビリテーションは覚醒するための刺激になっていて意欲的に取り組んでいるが，その分，疲労も大きくなりベッドに戻ると眠ってしまうと考える．高齢なので休憩が必要だ．

P：リハビリテーションの疲れをとるために清潔ケアを行いながら話しかけてさらに刺激を与える．適度な休憩を取り入れながら生活リズムが整うような工夫をする．

・受け持ち 3 日目

S：（リハビリテーション中）寒い，疲れました．（足浴中）気持ちいいです．

O：今日は平行棒内の 2/3 程の長さを往復する．引き返すときに立ち止まって休憩し，残りを歩く．病衣 1 枚しか着ていないため，寒さを訴える．リハビリテーションから帰室したときの体温は 36.8℃で寒気の訴えは聞かれず．ベッドに 1 時間臥床した後，端坐位で足浴を実施する．声をかけるとすぐに開眼し，足浴に同意する．足をバケツに入れるときに自分でも足を上げようとするが，ほとんど持ち上げることができないため全介助する．足浴中はベッド柵につかまって安定して座り，足浴中の足をじっと見ている．

A：体温はいつもと変わらず病室では落ち着いていることから，体調不良による寒気ではない．病衣 1 枚では薄着であるため，明日からは歩行訓練に集中できるよう上着を持参したほうがよい．歩行訓練を行っているため足の動きは少しずつよくなっているが，自分の足を持ち上げるだけの筋力は回復していないため安全に配慮する必要がある．

P：援助の中では自分の力を使ってADLが行えるようにしながら筋力アップにつなげていく．

・**受け持ち4日目**

S：カーディガンを…，（グリーンのカーディガン）これを．（休憩中）疲れました．

O：リハビリテーション前，自分からカーディガンを着ていきたいと希望する．ピンクとグリーンのどちらがよいか聞くと，グリーンを指さす．歩行訓練では片手は棒をつかみ，もう片方の手は理学療法士の手をつかみながら平行棒内の端から端まで途中で止まらず一気に往復し，休憩後にもう1往復する．休憩中には疲れたと話すが，表情は穏やかで他の患者の訓練を見ている．病室に戻る前に車いすで病棟内を1周し，窓の外の景色を見てからベッドに戻る．ベッドに移乗する際は自分からベッド柵をつかみ，腰を軽く支えると立ち上がって2～3歩歩き，自分で回転して端坐位となる．30分後，臥床のまま全身清拭と陰部洗浄をする．ケア中に話しかけると返答し，体位を変えるときにもベッド柵に手を伸ばして側臥位を保つのに協力する．ロッカー内にある肌着を着るか確認するとうなずいた．

A：リハビリテーション室の室温を覚えていて自分で寒さ対策を意識できている．歩き方や歩行距離などの様子から日ごとに筋力が回復してきている．他の患者の訓練を見ることも刺激となってやる気につながると考える．病室でも覚醒時間が増え，傾眠していても話しかけるとすぐに反応するようになり，生活リズムが整ってきている．

P：やる気を低下させないように配慮し，ケアの中で一緒に筋力を使えるようにしていく．肌着を着て身だしなみを整える．

・**受け持ち5日目**

S：温かいです，気持ちいい．足はいつも冷たいです．靴下は毛糸の赤い，厚いほうのやつを．

O：リハビリテーションから病棟に戻り，休憩せずに車いすのまま浴室に行き，足浴を行う．フットレストを外す際には足の挙上に協力する．下肢は乾燥し，落屑と冷感も見られる．10 分ほど足を温めている間に若いころから冷え性であったことや交換する靴下の希望などを話す．足浴中はバケツ内で足を使って片足ずつ擦る動作をし，大量の垢が浮かぶと笑顔あり．足浴後は足背の血色がよくなり，下腿 1/2 くらいまで温まる．

A：足浴の場所を変えて行うことは気分転換にもつながり，覚醒していたことから湯が刺激になっていると判断する．車いすを使うことが多くなり，フットレストの操作する筋力がついてきたこと，慣れてきたことで自発的に行動できるようになったと考えられる．できることを自分で行うことで自信になり，筋力の維持増強につながる．また，清潔の目的だけでなく，リハビリテーション後の下肢の疲労を回復することにも役立ち，患者の満足感も得られる．

P：下肢の運動としてフットレストの上げ下げはできるだけ自分で行う．清潔ケアの中でコミュニケーションをはかり，意欲を引き出す．

・受け持ち 6 日目

S：おはようございます．連れて行ってもらう，気分いいです．まだまだ前のようには動けませんけどね．

O：朝食後はギャッチアップで窓の外を見ながら休憩している．リハビリテーション時間を伝えると車いすに移乗する準備を始める．端坐位になるとき，両足を下ろしやすくなるように介助すると自分で腰を回転する．靴に足を入れるところは自分でゆっくり行い，マジックテープは介助して靴を履く．その後は手すりや柵の位置を確認してつかまりながら移動し，フットレストに足を乗せるのも自分で行う．リハビリテーション室では歩行 1 往復–休憩–椅子からの立ち上がり 3 回を 1 セットとして 3 セット行う．バルンカテーテルが抜去されているために足の動きがよい．リハビリテーション後は便意を訴えてトイレで排便する．トイレ内の手すりを持つ位置を誘導すると見守りで動くことができるが，オムツを外すことは自分ではできないため全介助する．オムツを外す振動で立位のときの足元が少しふらつき，体を支えながら介助する．1日を通して話しかけると返答し，起きている時間が長くなっている．

A：リハビリテーションが生活習慣になって生活リズムが整い，朝食後に1人でいるときもウトウトしなくなっている．リハビリテーションによってADLが上昇してきたため，自ら車いすに移動しようとする動作が見られたと考えられる．また，覚醒状態していると言語的コミュニケーションが増えることでよい刺激になっている．

P：排泄習慣を整え，清潔ケアを充実させることなどADLの中で刺激とコミュニケーションをとりながら覚醒を促していく．

〈#3の評価〉

・リハビリテーションが開始されてから覚醒することが多くなった．

・声をかけて誘導すると手すりや柵から手を離さずに移乗することができるが，自分1人では移乗できないため看護問題は解決していない．

31

#3は傾眠傾向で日常生活に支障をきたすこと，筋力低下で転倒しやすいことを問題にして援助しました．単に覚醒できればよい，転倒しなければよいということではありません．また，完全に移乗動作が自立しなければ問題解決といえないわけでもありません．毎日の援助を振り返り，看護問題の解決を評価しましょう．

↓

リハビリテーションや足浴・清拭のケア中は覚醒していることが多く，行動やコミュニケーションが入院生活の刺激となる．筋力低下だけでなくパーキンソン病の既往もあるため歩行時の危険は伴うが，自ら手すりにつかまって歩くなど自力で対応できるようになっていることから，動く意欲と筋力が回復してきている．しかし，挿入されているバルンカテーテルが歩行を妨げる要因となっている．安全に配慮して見守りながら車いすの移乗を援助したことは適切であった．危険要因を自分で避けることは難しいため，引き続き周囲の環境を整えて安全を確保し，活動範囲を広げられるように計画を続行する．さらに，生活リズムが整うと覚醒しやすくなるため，活動時間が長くなり，ADLを自立できるように見守りを続ける．

Ⅳ. ㉜考　察

誤嚥性肺炎で緊急入院して治療を受けた高齢女性N氏を入院35日目に受け持った．安静臥床が続いたために筋力低下し，精神的刺激も少なくなってしまったために入院前に自立していたことができなくなっていた．基本的ニードが未充足な食事，清潔，活動に着目した看護計画を立てて援助を行う中で，患者の理解および個別性のある看護を提供することについて考えた．

1. 患者を理解する情報収集について

話しかけても反応が返ってこないために，コミュニケーションがとれない焦りから実習初日が始まった．焦りの原因は，事前に知らされていた情報からN氏をイメージし，苦痛や不快のS情報が得られると決めつけていたからだと考える．また，話を聞かなければN氏のニードに沿った看護計画にできないという考えもあったので，会話による情報収集が難しいことが不安だったと考える．指導者からのアドバイスで，比較的話ができるという時間帯や呼びかけ方を知り，アドバイス通りに何回か呼びかけてやっと返答をもらえたときには一安心し，適切なかかわり方があることを知った．なるべくN氏の反応を引き出したいという思いから，観察する機会を増やしてみると，反応しないのではなく反応が小さいことに気がついた．言葉が出なくても口元が小さく動いていたり，初めの一言を話すまでに思った以上に時間がかかったり，声が小さすぎて私が聞き漏らしてしまっていたことがわかった．友人と話すようないつもと同じスピードで話したり，緊張や遠慮から私自身もはっきりと話していなかったりしたことで伝わっていなかったのだと考えた．高齢者は高い音や小さい音が聞き取りにくいといわれており，患者の聞き取りやすさに配慮ができていなかったと考える．やや難聴気味というカルテから得ていた情報，年齢などの発達段階に照らして予測できる情報を活用することが患者の理解につながると考える．

無意識に言語的コミュニケーションに偏って理解しようとしてしまったが，ちょっとした仕草や視線などの非言語的コミュニケーションにその人らしさが表れる場面から，非言語的コミュニケーションの重要性を再確認した．N氏のようにS情報

㉜
ケーススタディの目的に照らして考察しますが，見出しをつけることによって何に対する考察なのかが整理されるのでとてもわかりやすいです．患者さんとのかかわりを通して，自分の考えや行動を振り返りながら今後の学びにつながる看護が考察されています．

が少ない場合はカルテから気持ちや考えを知ることは困難だが，毎日行うリハビリテーションや食事などの動作，清拭のときの表情を比べることによって気持ちや考えを察することができる．歩く距離が増えたり休まず歩いたりするときの表情から，歩行訓練を頑張ろうとする気持ちが感じられた．入院前に歩けたことから前の状態に近づきたかったと考えられた．食事ではお皿を一通り見比べて最初に副食に手を伸ばすことと，副食の減り方の違いから好き嫌いや食の好みがあることが考えられた．主食の味は変わらないが，副食はそれぞれの味が異なるため，味を確かめるために副食から手を伸ばして確かめていると考えた．自分で観察したことをもとに質問することによって自然な流れで会話が広げられることもあるし，カルテからは得られない情報を積み重ねることによって日々変化している患者の理解が深まると考える．

2. 援助が患者に与える影響について

看護計画を立案したとき，看護師が行っている援助方法を参考にして全介助の方法で援助を考えた．最初に清潔の援助を行った際，清拭に集中して話しかけられなかったこともあるが，N 氏の身体に力が入って緊張しているような印象があったことから，安楽な援助を提供することについて考えた．リハビリテーションを見学したとき，理学療法士は N 氏の歩行訓練中には安全を優先しながら自分でできることを見守り，N 氏も病棟にいるときとは別人のように覚醒して歩行していた．自分でできることを誰かに手助けしてもらいたいとは思わず，代わりにやってもらっても落ち着かないだけでなく自尊心が低下する．できる範囲で見守られたことで N 氏は尊重されていると実感し，意欲をもって歩行できたのではないかと考える．手すりを持てる様子から手が動かせることがわかり，全介助で清拭される羞恥心から緊張していたこと，全介助で援助することで N 氏のできる力を奪っていた可能性があると気がついた．

看護とは，その本人を助けてできるだけ早く自分の始末をできるようにする方法で活動を行うこととヘンダーソンは述べている．歩行訓練を参考に，病室でも端坐位になった際にベッド柵をつかんでもらったり，靴を履くときに足を上げてもらったり，できそうな動作を援助の中で取り入れた．少しずつ病衣の着脱や清潔・食事の場面で協力を求め，活動範囲を増やすことを考えて援助を計画し実践した．このようなかかわりはＮ氏を助けることになる看護だと考えた．できることを増やすための観察によって患者理解が深まり，個別性を重視して援助を工夫できたと考える．患者は常に同じ状態で入院していないため，回復とともに変化することをふまえて援助する必要がある．どのような動作がどのくらいできるのか，適切にアセスメントして修正しなければ，看護することで患者の能力を低下させてしまう可能性がある．

「シャワーしたい」「トイレに行きたい」という訴えがあったとき，安全を優先しながらニードを満たすように計画を修正できた．筋力や意欲の変化からアセスメントし，タイムリーに援助したことで信頼関係が得られただけでなく，援助を通して覚醒を促すことになったのではないかと考える．リハビリテーションをきっかけとして刺激が加わり，食事や排泄，清潔などをだいたい決まった時間に計画することで生活リズムが整えられる．生活リズムを整えながら，ADLの中で患者のやる気やセルフケア能力の回復につながるような援助を計画することが個別性のある看護ではないかと考える．

Ⅴ．おわりに

患者とのかかわりを通して得られる情報を活用することによって，個別性のある看護を提供することにつながることを実感し，実習を振り返った．コミュニケーションの中で言語的コミュニケーションを重視すると患者を理解できない．会話が困難でも，さまざまな場面で表情や動作などからその人らしさを見つけて患者のニードをアセスメントし，計画を実践しながらさらに援助方法を工夫することで患者に適した援助が提供でき，信頼関係も深まる．必要な援助であってもすべてを介助するとセルフケア能力が改善しないので，自立できることをアセスメントして計画を立てる必要がある．そのためには知識と観察力を身につけ，個別性を把握することが課題である．

33 **文　献**

1）湯槙ます，小玉香津子：看護の基本となるもの．日本看護協会出版会，2016.
2）焼山和憲：ヘンダーソンの看護観に基づく看護過程．日総研出版，p.14，1999.
3）道又元裕監修：ケアの根拠 看護の疑問に答える151のエビデンス．日本看護協会出版会，p.49，75，135，159，2008.

33

- 文献を掲載するには指定された形式で記載する必要があり，雑誌と書籍では記載方法が異なります．雑誌では〈著者名．論文名．雑誌名．出版年；巻数（号数）：開始ページ-終了ページ〉，書籍では〈著者名．書名．出版地：出版社；出版年〉などを記載します．オンラインで閲覧できる文献を使用することもあるかもしれませんが，この場合は記載内容が変わりますから，注意深く文献記載の形式を確認して書きましょう．また，最近では信頼できるインターネット上のウェブサイトにある文献も活用することが可能です．ウェブサイトの場合は〈タイトル．URL　公表年月日．閲覧（アクセス）年月日〉を記載します．
- 本文中に文献を活用するときのポイントもあります．文献の文章を引用する場合，引用部分が短い場合は「」でくくって原文の一言一句を間違えないように転記します．文献を参考にした場合は，文献の内容に言及したり文献に書かれている内容を自分の言葉でまとめ直したりして要点を記載します．本文中の該当箇所には通し番号を記し，文献リストの文献と対応させます．
- 今回は考察に文献を活用している箇所が見受けられましたが明確ではありません．先行研究を用いて自分の考えを裏づけたり，根拠をあげて主張したりするために文献を活用していきましょう．

●講　評

初めての実習で患者さんを受け持ち，自分が思うようなコミュニケーションがうまくとれないという戸惑いを発端に，患者理解と看護に発展させてケーススタディにまとめました．ケーススタディをまとめることも初めてでしたが，形式を整えて作成されています．

会話が弾まないから「コミュニケーションがとれない/苦手」「（患者さんが）理解できない」「（患者さんから）信頼されていない」などと感じ，自信をなくすことがあります．年代・性別・考え方など，自分とは異なる要素を患者さんはたくさんもっていますし，初対面で早々に打ち解けたり理解しあえたりしなくても当たり前です．**【はじめに】**では自信をなくしたことが伝わりましたが，立ちすくまずに指導者に助言を求めて行動や考え方を修正できた点がとてもよかったです．最初は助言通りにかかわり，指導者との違いを考えたことでNさんに対する見方が変わったのではないでしょうか．自分のやり方で観察しながらNさんの小さな変化や表現の特徴に気づいたとき，患者理解の奥深さを感じたのではないかと思います．これを手がかりに，言語的コミュニケーションができなかった原因を振り返り，話し方が高齢者に適さなかったと分析して改善につなげ，非言語的コミュニケーションの重要性を再確認しています．自身の辛さに向けられていた意識が，言動を内省することによって自己を変えることができましたね．N さんに対する対応が変化したことで N さんの反応もよい方向に変化したと思います．このような積み重ねが信頼関係につながることを忘れず，これからも患者理解に努めましょう．

看護過程の展開においては必要に応じて看護計画に追加修正しながら援助すること，実施の評価には課題があります．的確なアセスメントができるようになってきたので，日々の援助と看護計画を照らし合わせて連動しているか確認できるようになるとよいですね．短い実習期間でしたが，直接的なかかわりから得た情報がいかに重要であるか実感するよい経験ができましたね．今後の実習でも経験を重ねながら，患者さんの個別性について，個別性のある看護について，自己の看護観についてなどを追究していきましょう．

実例5 老年看護のケーススタディ③

心不全で入院した高齢者の看護[1]

[1]

タイトルは，読み手が初めに目にする部分です．そのため，そのケーススタディにどのような内容が書かれているのか，どのようなことがテーマになっているのかがわかるように書くといいですね．今のままでも心不全の高齢者の方への看護であることはわかりますが，看護の内容については疾患名と高齢者しか手がかりがないのであまりわかりません．このケーススタディの【**はじめに**】を見ると，後期高齢者であることや，自立に向けた援助に着目していることがわかります．そこで，例えば，**心不全で入院した後期高齢者の退院後の自立した生活に向けた看護**とすると，ここでのテーマが見えやすくなります．

自立した退院後の生活に向けて，特定のかかわりが有効であったのであれば，そのかかわりについてタイトルにも含めるとさらに明確です．

Ⅰ．はじめに

後期高齢者について，現行の後期高齢者医療制度では75歳以上とされている[2]．

今回，実習において，心不全で入院した後期高齢者の女性を受け持った．患者は，自宅では一部介助を得ながらもほぼ自立した生活を送っていたが，受け持った時点では，それまでの治療による安静から，食事などで車いすに移乗する以外はほぼベッド上で生活していた．病状の回復に伴い安静度も拡大したため，入院前のように自分のことは自分でできる状態に向けて援助することが必要であると考え，心不全の状態を確認しながら患者ができることを増やしていくよう計画し実践した．日々の実践により，患者が自立して行えることが増え，退院後の見通しを話したりできる喜びを患者と共有する経験もできた．この患者への看護の中で，このような後期高齢者の看護においては，常に患者の状態を統合的に把握しながら小さなかかわりを

[2]

高齢者の区分や定義については複数の説があり現行の区分についても議論のあるところです．後期高齢者という言葉は，タイトルにも使用したキーワードです．今回のレポートにおいてどの区分，年齢のことを意味しているのかを明確に示すことは，レポートの内容をより正確にし，読み手との共通理解を確実にすることにもつながりますね．

積み重ねていくことによって退院後の自立につながる成果が得られるのではないかと考えた．そこで，統合的に今回の実践を振り返ることで有効なかかわりについて検討したいと考えた❸．

後期高齢者をどのように捉えているでしょうか．後期高齢者の社会的な面に着目する場合もあれば，特定の機能低下に着目する場合もありますね．問題提起になる部分ですので，後期高齢者のどのようなところに目を向けてテーマとしているのかが見えるように書いてみましょう．このレポートでは特定の一面ではなく全体についてふれて振り返ろうとしているので，老年期の特徴から着眼点を示すことも１つの方法です．

老年期は，加齢による変化からさまざまな機能低下がある一方で，これまで生きてきた人生を統合し完成させる時期でもある．個別性が大きいことも特徴であり，高齢者への看護においては，その人が自分らしく誇りをもち満足して暮らすことを支えることが重要である．日常生活の援助においては，予備力・回復力の低下，防衛力の低下，適応力の低下があることをふまえ，その影響が少しでも小さくなるようにかかわることが必要である．特に，後期高齢者の予備機能は，基本的機能，日常生活機能，予備能のうち，ストレス下の機能を示す予備能が非常に小さいかその能力はほぼなく日常生活機能の域にあり，疾病や生活の変化によるストレスに対応することはとても困難である．

❸

このケーススタディの目的は何になるでしょうか．今のままでも，どのような実践に取り組み，どのようなことを考えたのか，何を検討したいのかのおよそのことはわかりますが，目的に照らして振り返ることになりますので目的はもう少し明確にしておくといいですね．行った実践や考えたことのすべてをまとめようとするととても難しくなります．例えば，家族とのかかわりに焦点をあてるような場合には目的も言語化しやすいと思いますが，今回のように統合してかかわりを振り返っていきたい場合には，それによって何を検討したいのか，自分でよく考え明確にしてから目的を書きましょう．今回は，後期高齢者であることと自立に関心事がありますので，例えば以下のように書いてみるのはいかがでしょう．目的を書くときには形式的に専門用語を並べるのではなく，その用語が自分の考えを反映しているか１つひとつの言葉を確認しながら書いていきましょう．

このケーススタディの目的は，心不全で入院した後期高齢者への看護を統合的に振り返ることで，予備力の低下した後期高齢者の自立した退院後の生活に向けた看護援

助においてどのようなかかわりが有効であったかを考察することである.

Ⅱ. 事例紹介[8]

1. 年代, 性別, 職業[4]

E 氏, 90 代, 無職, 以前は主婦であったが今は家事は家族に任せている.

2. 診断名

心不全, 高血圧, 心房細動

3. 家族構成[5]

次女(60 代)とその夫の 3 人暮らし.

次女はパートタイム勤務のため毎日来院することが可能である. 長女は近畿地方在住, 三女と四女はそれぞれ県内に住んでおり日替わりで見舞いに来ている. 長男は自宅から 2 時間ほどのところに家族とともに住んでおり土日や夜間であれば来院することが可能である.

4. 入院までの経過

80 代前半に陳旧性心筋梗塞, 心不全を指摘されこれまでに計 4 回の入院治療を受けていた. [6]2 月に退院してからは, 通院により内服治療を継続していた. [6]7 月 30 日ごろより呼吸苦が生じ, 臥位では寝られない状態が続いていたが様子を見ていた. [6]8 月 1 日, 21 時ごろより呼吸苦が増強し胸部痛も生じたため A 病院に次女が電話にて相談, 救急車を要請し A 病院に搬送され, 心不全の診断にて[6]8 月 1 日 23 時緊急入院となった.

[4]

90 代と年代で書くことで個人を特定可能な情報の記載を避けることができていますね. ただ, 今回は年齢に着目したテーマであり, 90 代前半と後半では相違もあるので「90 代前半」と記載したほうが事例紹介に適するでしょう. 職業について, 現在無職であっても高齢者の方を理解するうえで過去の職業の情報は手がかりとなりますね.

[5]

同居家族, 別居家族を区別し入院中や退院後の E 氏の支援を想定した情報を選択的に記載できていますね. 一律に家族の年齢や居住地を網羅して記載する必要はありません. 家族との協力や家族への支援をテーマとしている場合には家族の健康状態や来院可能な時間などアセスメントに情報も加筆しましょう.

[6]

退院をした 2 月は今年の 2 月でしょうか. 長い経過をたどる疾患では数年前の 2 月のこともありますので, 今年 2 月, など年も記載しましょう. また, 経過を把握するうえで月日はほしい情報に見えますが, 入院日などは個人を特定する情報になる可能性があります. 月日の記載のあるところは, 順に, 7 月末, 2 日後の 21 時ごろ, 同日 23 時, と記載しましょう. 月, 時間は, 気候や時間帯による病状の変化を把握するうえで必要な情報なので記号に置き換えることなく記載しましょう.

5. 入院後の経過[7]

入院時より，急性心不全治療薬と利尿剤による薬物療法が開始された．酸素投与，床上安静にて経過，入院 10 日目，X 線上胸水が改善し，酸素投与をしない状況下でも呼吸苦が生じないことから，点滴静脈内注射による薬物療法は中止，内服による薬物療法となった．入院 11 日目までベッド上安静，坐位可であったが，入院 12 日目から車いす移乗可，入院 15 日目からは車いすでのシャワー浴可となった．食事は配膳・下膳のみ介助で自力にて摂取可能であり毎食ほぼ全量摂取している．飲水量は 800mL/日の制限があるが心配だからとあまり飲水はしていない．入院時より膀胱内留置カテーテルを留置していたが入院 12 日目に抜去してからは車いすにてトイレに移動し排尿している．排便については便秘がありこれまでに計 3 回の摘便を実施した．入院 15 日目に仙骨部に直径 1cm ほどの皮膚の発赤が見られた[16]．「今回はもうだめかと思った」「早く退院して犬に会いたい」「死ぬ前に一度故郷に帰りたい」と話している．入院前は次女夫妻とともに 3 人で暮らしており，退院後も自宅で生活することを希望している．

6. 受け持ち期間

20XX 年 8 月：入院 9 日目から入院 18 日目

7

入院後の経過について，病状の変化，日常生活（活動，清潔，飲食，排泄），病気の受け止め，退院後の生活への思いを，簡潔に記載できていますね．単にこれらの要素を含むだけでなく，はじめに病状の変化を記載し，次に日常生活の活動，清潔，と明確に区別して記載されているので，1 つの段落の中にあっても読みやすいですね．ケーススタディ作成において指定された様式によって可能な場合には，小見出しをつけて項目ごとに記載するとさらにわかりやすくなります．

7

- このケーススタディでは後期高齢者の自立した退院後の生活に向けた看護を目的としているので，日常生活行動の自立にかかわる情報をより詳しく記載しておくと E 氏の状態を把握しやすくなります．例えば，車いすへの移乗をどの程度安定して行えているのか，シャワー浴時にどのような動きを自分で行えるのか，トイレやシャワー浴以外にはどの程度の活動をしているのかについて情報があると E 氏の活動のアセスメントがしやすくなり退院後の自立した生活のために必要な看護が見えやすくなります．

7

- ケーススタディにおける事例紹介の文字数に指定はありますか．現在の内容でも 400 字を超えています．もっと多くの内容を記載できる場合には，薬物療法はじめ治療の具体的な内容，検査データなど身体の状態を把握可能な客観的情報を加筆しましょう．E氏の看護を行ううえで身体の状態の的確な把握は不可欠です．

❽

- ケーススタディとしてまとめて発表することをE氏や実習病院はご存知でしょうか．実習でE氏とかかわる中で得た情報はE氏のものであり，承諾を得ずにケーススタディとして発表することはできません．E氏を把握する際には診療記録から得た情報も使用していますので病院から承諾を得ることも必要です．学校の授業である実習においてケーススタディをまとめるときには，学校や担当教員が対応していたり手続きが必要な場合には指導があることでしょう．すでに教員などにより承諾が得られた状態でケーススタディを作成する場合であっても，適切な倫理的配慮を行い，無断でケーススタディを公表することのないように留意することが大切です．
- 倫理的配慮に関する具体的な手続きは実習病院や学校により異なりますが，ケーススタディの目的，方法，使用する情報，プライバシー保護の方法，協力の自由・協力しない自由，協力しなくても不利益はないこと，承諾・同意の撤回，ケーススタディの公表方法などについて記載した文書を作成し，文書と口頭により説明，同意が得られた場合には書面に署名をいただく方法が一般的です．事例紹介の中では，氏名を記載せずに任意のアルファベットにしたり，年齢を年代で表記したり，入院年月日を伏せたりすることで，個人が特定されないようにしてきました．これは倫理的配慮の一部です．ケーススタディの指定様式にもよりますが，可能であれば，ケーススタディの目的，方法，プライバシーの保護などについて文書と口頭にて説明をし，署名にて同意を得て実施したことを倫理的配慮として記載しておきましょう．

Ⅲ．看護計画

受け持ち開始の翌日（入院10日目）に初期計画を立案して看護援助を開始した．アセスメントをすすめ，実習5日目（入院13日目）に以下の看護計画を立案した．

1．看護問題の看護目標・具体策

#1　呼吸困難感による日中活動量の低下

看護目標

ADLの拡大による日中活動量の増加時に呼吸困難感が生じない❾．

具体策

OP

①活動による呼吸困難の有無，程度

②安静時，活動後の呼吸の状態：数，深さ，リズム，呼吸音

③安静時，活動後の脈拍数，血圧，動脈血酸素飽和度

④チアノーゼ，四肢冷感の有無・程度
⑤活動の具体的な内容

TP
①移乗時，仰臥位から長坐位，長坐位から端坐位で短い休憩をとる
②移乗時の体位変換は自力で実施してもらう
③車いすのストッパーの操作，肘掛を持っての体位の調整など自分でできる活動を実施する
④洗面，食後の歯磨きは洗面所に移動して実施する
⑤努責を伴う排便後やシャワー浴など負担の大きい労作後は休息をとる
⑥活動の具体的な内容を記録する

EP
①呼吸困難感や息切れが生じた場合にはすみやかに伝えてもらうよう説明する
②呼吸困難感が生じたときにはすぐに安静を保つよう説明する
③行動が拡大できていることと呼吸困難や息切れの観察結果を患者にも伝えることでできている内容を共有する

❾

- 看護問題では活動量が低下することを問題にしていますが，看護目標においては日中の活動量が増えた際の呼吸困難が問題であるかのように書かれています．活動量の低下，呼吸困難感，どちらも起きてほしくないことですが何を問題としているのかその焦点は異なります．看護目標が看護問題に対応していないと，日々の実践で到達を目指す目標がアセスメントしたことからずれてしまい，実践した看護の評価も適切にできません．
- 活動量が低下してしまうことを問題視しているのであれば，呼吸困難感が生じることなく日中の活動量を増やすことができる，といったことが看護目標になります．増やす，と記載してしまうと到達が判断しにくいと指摘されることがあるかもしれませんが，ここでは呼吸困難が起きないようにして増やす，ということが目標なので現在の活動量を正確に把握していれば評価も可能です．より明確にするために，下位目標として具体的な行動ごとの目標を立てておくとよいでしょう．

#2　利尿剤の使用による利尿促進と飲水制限による水分摂取量の減少による脱水のリスク[10]

看護目標

脱水が生じない．

具体策

OP

①バイタルサイン

②水分出納バランス（食事摂取量，飲水量，尿量，発汗の状態など）

③皮膚・粘膜の乾燥，皮膚の緊張状態

④口渇の有無・程度

⑤検査データ（Na，K，Ht，尿比重など）

⑥利尿薬の使用状況

TP

①目盛りのある容器を使い飲む水分の量を測る

②飲水時は飲水チェック用紙に記録してもらう

③時間ごとの水分摂取量の目安を設定し患者とともに確認する

④シャワー浴後は水分摂取を促す

EP

①制限内で少量ずつ頻回に水分を摂取するよう促す

②極端な水分制限のリスクを説明する

③自分で摂取状況を把握しバランスよく水分摂取する必要性を説明する

⑩

- このケーススタディでは統合的に実践を振り返ることをもとに後期高齢者の自立への看護について考察しようとしているため，日常生活行動に直結する問題点以外についても記載されています．ケーススタディの目的によっては実践した看護の一部を取り上げて記載することもあります．自分が作成するケーススタディの目的に合わせて作成しましょう．
- 飲水制限の指示があることやそれを守ることが水分摂取量の減少といえるでしょうか．アセスメントを見るとE氏は過去に胸水が溜まったときに水分を多く摂取していた経験があることから喉が渇いても水分をとらないようにしているようです．そのために必要以上に水分を控えてしまうことを問題視しているのですね．問題点にすべてを表現するのは難しいことですが，病状悪化への不安による水分摂取量の減少とするなど，アセスメントしたことが見えやすい看護問題を書けるようにしていきましょう．

#3　筋力低下による移乗時の転倒のリスク

看護目標

転倒せずに過ごすことができる．

具体策

OP

①活動時の呼吸困難感の有無・程度

②関節可動域・下肢筋力

③立位時のふらつき，めまい

④活動時の右肩，右膝関節の疼痛

⑤転倒予防行動

TP

①車いす移乗の際に転倒の危険につながる障害物をなくし安全な環境に整える

②ベッドの高さを端坐位から立位への動作が楽に行える高さにする

③移乗時につかまる物の安定性を確認する

④転倒を防ぐことができる位置で介助する

EP

①移乗前に移乗の方法を説明する

②動かない物につかまるなど安全な移乗のために必要な行動を説明する

③安全な行動の重要性を説明し協力を得る

#4　水分摂取量の減少・活動量低下・腹圧低下による便秘

看護目標

トイレにて自力で定期的に排便できる.

具体策

OP

①排便の回数・性状・量

②腸蠕動音，排ガス

③便秘の随伴症状（下腹部不快感，腹部膨満感など）

④食事内容と摂取状況

⑤水分出納バランス

⑥薬物の使用状況

⑦活動量

TP

①制限を超えない範囲での水分摂取

②腸蠕動を促すための腹部マッサージ

③腰背部温罨法

④車いすへの移乗機会を増やす
⑤焦らず排便できるようナースコールを押す説明をして待機する

EP
①制限範囲内であれば問題ないことを伝えて適度な飲水を促す
②便意が生じた際にはすぐに伝えるよう説明する
③無理にいきまないように説明する
④トイレ内のナースコールの位置と操作を説明しふれてもらう
⑤離れて待機することと排泄中に気分が悪くなったり息苦しさが生じた際にはナースコールを押してもらうことを説明する

2. アセスメント⑪⑫

1）健康知覚-健康管理

心不全は心筋の収縮能が低下して心拍出量が減少し，各組織に必要な血液量を駆出できなくなり，肺または体静脈系にうっ血を生じた病態をいう．E 氏の場合，過去に 4 回の心不全を起こし入退院を繰り返しており，慢性的な経過をたどっている．心不全を起こすと心機能は低下し再発を繰り返すたびに低下する．E 氏は「今回はもうだめかと思ったがまた命拾いすることができました」「昔，胸に水が溜まってしまったのだけれどそのときはいっぱい水を飲んでしまって．だから制限されているときはなるべく飲まないようにしているんです」と話しており，自分の健康状態と健康管理を関連づけて考えており，早く帰りたいという回復への思いもある．現在は健康管理のために飲水制限を守ることはできているが，できるだけ少なくしようと極端に水分摂取を控えており適切な健康管理のためには支援が必要である．入院後，安静時の呼吸状態や胸痛は緩和されバイタルサインの値も正常範囲内に安定し症状は改善されたものの，体位変換や車いす移乗の労作時に呼吸困難感を生じている．労作時は酸素消費量が増加することにより血液循環量が増加し心負荷が増大するので，今後 ADL が拡大していくにつれて再び呼吸困難感や胸痛が生じる可能性がある．また水分や塩分が体内に貯留することによって心負荷を増大させるため水分出納にも注意が必

⑪
このケーススタディでは，看護問題の後ろにアセスメントが記載されました．看護過程の段階としてはアセスメントのあとに看護問題，看護目標，具体策ですので，その順序に合わせて記載したほうがよいという考えもあるかもしれません．しかし，アセスメントした結果である看護問題を先に示したことによって，E 氏への看護の全体像がつかみやすくなりました．事例紹介に記載されていた内容からこれらの看護問題が導き出されたのはなぜか，という意識でこの先のアセスメントを読み進めることができます．わかりやすく伝える工夫になっていますね．

要な状態である．E氏は90代前半と高齢であり予備力が少ないため活動拡大での負荷により病状の変化を起こしやすい．そのためADL拡大においては活動量の増加が過度な負担にならないよう呼吸困難感に留意する．健康への意識は高く制限を守ることができるため，回復への意欲や自信を失わないようE氏に適した健康管理を実施できるよう支援していくことが必要である．

2）栄養-代謝

心不全が生じると腎血流量の低下により水分・塩分の排泄障害が起こり細胞外液や循環血液量が増加，心負荷が増大し心不全の増悪をきたすため塩分制限と水分制限を行う必要がある．E氏の場合，800mL/日の水分制限があり口渇を生じている．飲水制限によりたくさん飲めないのでつらいなどの訴えがあるものの，飲水量については200〜500mL/日であり，水分摂取量は少ない．水分出納バランスとして，食事からは約1,100mL，代謝水として約300mLが体内に入り，不感蒸泄は平熱で室温が28℃のときに約15mL/kg/日であるためE氏（身長154cm，体重48kg）の不感蒸泄は720mLであり，便により約100mLが体外に出る．尿量についてはラシックス®などの利尿剤を使用しており，800〜1,100mL/日であるため，尿量が800mLの場合，最低でも220mLは飲水する必要がある．現在の飲水量は最低量を下回っている可能性がある．排泄過多となり脱水になるリスクが考えられる．E氏は90代前半と高齢であるため，加齢による変化として体液量が減少したり，腎機能の低下により水分の再吸収能力が低下しているためさらに脱水のリスクは高い．入院12日目から車いす移乗が可能になった．活動量が増加するにつれ発汗量が増え，活動することによって呼吸数が増加し不感蒸泄が増加するため水分排泄量が増加しさらに脱水が生じやすくなる．脱水が生じると血栓が生じやすくなり冠動脈を閉塞させれば心筋梗塞となり，すでに心機能が低下しているE氏にとっては生命をおびやかす事態となりうる．そのため水分摂取量の減少に留意して適切な飲水量を維持して脱水を防ぐ必要がある．

E氏のBMIは20.2と普通体重，TP＝6.4g/dL，Alb＝3.9g/dLとやや低いが食事はほぼ全量摂取しているため栄養摂取状況を継続的に観察していく．

3）排　泄

入院前は1回/日の排便であり軟便であったが，入院後に便秘となり，自力での排便ができず摘便を行って対応している，E氏の便秘の要因として，心不全による腸管のうっ血，ベッド上安静による活動量の低下，飲水制限による水分摂取量不足，安静によるオムツを使用した床上排泄，排泄環境の変化などが考えられる．E氏は入院12日目に膀胱内留置カテーテルを抜去し車いすにてトイレに行くことが可能となっており，入院前には便秘傾向になくトイレにて自力で自然排便ができていたことから，長期的には，今後，心臓リハビリテーションが進み，ADLが拡大するに伴い便秘が改善されると考えられる．しかし，便秘になることで排便時に強い努責をするようになるが，排便時の努責は胸腔内圧を高めて心負荷につながる．そのため強い努責を回避できるよう便秘を改善する必要がある．

心不全により心機能が低下し，循環血液量が減少することによって腎血流量も減少し，尿量が減少する．E氏の尿量は800～1,100mL/日である．心不全治療薬や利尿剤を使用しているため薬物療法の内容や投与量が変更されたときには尿量の変化を観察する可能性がある．体外への水分の排出が滞ると血管内の水分が浸透圧比により間質に移動し浮腫が生じるが，現在のE氏は四肢の観察において浮腫は見られない．排泄状況は治療により適切に保たれているが今後も観察をしていく必要はある．

4）活動-運動

心不全の場合，肺うっ血や肺水腫，胸水貯留によるガス交換障害を起こしやすい．肺の間質に水分が貯留することで肺胞でのガス交換が困難になり，その結果，血管内に供給される酸素量も低下するため，動脈血酸素飽和度も低下する．E氏は安静時の呼吸困難感や胸痛などの訴えはなく，呼吸数や呼吸音，バイタルサイン，動脈血酸素飽和度の値は正常範囲内，末梢チアノーゼや四肢冷感はなく，浮腫も見られず体重の増加もないため，入院時に比べて肺血管系の血流のうっ滞が改善し，心機能も改善していきている状態にあると考えられる．心不全では，ガス交換の障害，組織循環の減少による低酸素状態などによって体動に伴う呼吸困難や動悸，倦怠感が生じる．E 氏は安静時には呼吸困難感や動悸は生じていないが，体位変換などの体動時に呼吸困難感や動悸を伴う．入院前は一部の介助を得ながらも自宅内では自立して生活していた．しかし入院後は入院 11 日目までベッド上安静が続いており，現時点（入院 13 日目）では，自力で食事を摂食すること以外はほとんどの日常生活行動において全介助に近い介助を要している．加齢による変化，安静臥床による活動量の低下から筋力が低下しており，入院 12 日目から車いす移乗が可になっているが介助により移乗する以外はベッド上で過ごすことから活動の機会は依然として少なく活動量の低下による筋力低下が進むことも考えられる．さらに E 氏は 90 代前半と高齢であり，加齢による老視，老人性難聴，加齢による平衡感覚の低下があるため筋力が低下した状態でバランスをとり安全に移動することが難しい．また，E 氏は貧血の診断はされていないものの, Hb 値（10.5g/dL）, Ht 値（30%）が基準値より低い．貧血の場合，ヘモグロビンの不足により全身のガス運搬が障害されるため，組織の酸素不足，低酸素状態による倦怠感，易疲労感などが生じたり，酸素不足への代償作用として心拍出量，心拍数が増え，それによる動悸，頻呼吸，息切れを生じる．このことからも E 氏の活動耐性は低い．これらのことから，このままの状態が続くと安全に日常生活行動を拡大できず，さらに筋力が低下し，活動耐性も低下していく可能性がある．現在の活動耐性や病態の変化に配慮しながら安全に活動を増やし自立した生活につなげていく援助が必要である．

5）睡眠−休息

夜間に呼吸困難が生じることはなく夜間は入眠している．睡眠剤の使用はない．「入院してからは夜に苦しくなることがないのでよく眠れている」「病院だからといって寝られないということはない」と話しており自覚的にも良眠できている．

6）認知−知覚

90 代前半と高齢であり，老視により眼鏡を使用，老人性難聴により補聴器を使用しており，時折聞き返すことはあるものの，会話は通常の声の大きさで聞き取ることができている．会話における返答のずれや話のつじつまが合わないことはなく，言葉の理解や表現は適切で認知機能は正常範囲と考えられる．夜間に緊急入院となりベッド上安静が続き，環境の変化が大きかったが，不眠になることもなく，会話もスムーズで必要な安静も保てていた．読書を好み日中は推理小説などを読んで過ごされている．体位変換時に，急に右肩の痛みを訴えた．加齢による変化としての関節痛があり「もう年だからあちこちが痛い」と話しており[13]ADL 拡大に対する意欲の低下につながらないように援助をしていく必要がある．

7）自己知覚-自己概念

今回の入院について「もうだめかと思ったがまた命拾いすることができました」と話していた．「できることなら死ぬ前に一回でも故郷に帰りたい」とも話しており，呼吸困難感や胸痛など生命の危機を感じやすい症状があったことから死に対する不安が助長されたと考えられる．しかし看護師に不安を話すことができているとも考えらえる．「点滴が取れて手を自由に動かすことができてすごく嬉しい」「もう少ししたら退院できるんですかね？」「早く帰って犬に会いたい」など自分でできる喜びや退院への期待を話しておりこれまでの自分を損なうことなく過ごせていると考えらえる．

8）役割-関係

入院前は次女とその夫と 3 人暮らしであった．自宅では炊事，洗濯などの家事は次女が行っているが味噌汁をよそうなどできるところは行っていた．E 氏が 40 代のときに夫が他界したため娘 4 人と息子 1 人を E 氏 1 人で育ててきた．自宅の外に出る機会はほとんどないが，近くに居住している三女と四女が日ごろから自宅に来ることが多く，次女不在時に E 氏と過ごしているときもある．入院後も家族の面会が毎日あり，「子どもがたくさんいるからよくお見舞いに来てくれるんですよ」と笑顔で話している．飼っている犬には E 氏が餌を与えている．現在は移動に車いすを使用しているが活動を拡大している段階にある．これらの状況から E 氏は家庭での役割をもち家族と良好な関係を築いて生活していると考える．車いす移乗可になったときにＥ氏は「やっぱりずっとベッドにいるよりいろんなところに行けたほうがいい．いつもと違う景色が見られるから」と話したり「早く帰って犬に会いたい」と話しており活動が拡大したり退院することを楽しみにしている．家族も退院後は自宅で生活することを希望している．自宅内で自立した生活ができるまでに回復すれば，退院後もこれまでの役割に変化なく生活できると考えられる．しかし，退院時になっても日常生活に介助が必要な状態であった場合には，家族による世話が必要となり負担や関係の変化を生じる可能性もある．そのため役割を果たすことや現在の関係を維持していくうえでも自立して日常生活行動できるようになることは必要である．

9）セクシャリティ-生殖

Ｅ氏は老年期にあり夫はＥ氏が40代のときに他界しており，その後は1人で子どもたちを育ててきた．今回の入院や病状の変化がセクシャリティに強く影響することはないと考えられる．

10）コーピング-ストレス耐性

今回の入院は，呼吸苦の増強，胸痛によるものであり生命の危機を感じやすい症状であったこと，救急車での緊急入院になったこと，「もうだめかと思ったがまた命拾いすることができました」と話していることから，Ｅ氏にとってストレス要因になったと考えられる．自宅への退院を希望しており「早く帰って犬に会いたい」など退院を楽しみにしている様子から入院生活自体もストレスの要因といえる．「できることなら死ぬ前に一回でも故郷に帰りたい」とも話している．死を意識した発言ではあるが90代前半であることや悲観的ではない様子から自分のやりたいことや思いを看護師や学生に伝えられている状態でありストレスに対応できていると考えられる．現在，症状は緩和し順調に回復しているものの，過去に心不全による入退院を繰り返しているため，退院してもまたいつ入院するかわからないという不安が生じる可能性もある．そのため，退院後の生活において再発のリスクを高めないよう食事や活動，身体の状態の把握や対応方法などについて本人や家族に指導を行う必要がある．

11）価値-信念

信仰している宗教はない．早く帰ってもとの生活がしたいと話している．今回の入院や病状はE氏の価値や信念に大きな影響を及ぼしている状態ではないと考えられる．

⑫

- この実習ではアセスメントにゴードンの機能的健康パターンが用いられており，ケーススタディにも実習記録のアセスメントの一部が記載されました．このアセスメントから看護問題が導き出されたはずですが，健康パターンごとのアセスメントがどの看護問題につながったのかは明確には説明されていません．
- アセスメントは，実習によって，看護診断，看護理論の活用など，何らかの枠組みや理論を活用して行っていると思います．どのような理論や枠組みを活用した場合でも，そこから看護問題を明確化し，目標を立て，計画を立案して看護実践，評価することは同じです．このケーススタディは実践を統合的に振り返ろうとしているため範囲が広く，それぞれの看護問題がどのようなアセスメントによって導き出されたのか，テーマでもある後期高齢者の特徴や自立にかかわるアセスメントはどのようなものであったのか，といった内容の記載が項目ごとに分散されています．そのため丁寧に読み進めれば理解できますが初見時は少しわかりにくく感じるかもしれません．
- 例えば，同じアセスメントであっても，看護問題ごとに整理し直して記載すると，E氏への看護において何を看護問題と捉え，どのような看護目標をもって看護にあたったのか，そしてそれはどのようなアセスメントがあったからなのかがわかりやすく，看護者である筆者の考えと実践をつなげて理解しやすいですね．あるいは，今回のテーマにかかわる発達段階に関するアセスメントと日常生活行動の自立に関連するアセスメントを中心に記載する方法も考えられます．今回は，アセスメントよりも先に看護問題を記載することでその問題につながったアセスメントを意識しながら読めるようにされていましたが，発展的な学習として，伝えたい看護実践やテーマに合った記載方法をさらに工夫することも検討していきましょう．

⑬

- ADL拡大という表現と日常生活行動という表現がありますが，これは別のことでしょうか．ADLとは，Activities of Daily Livingの略で，日本語で表す場合には日常生活動作となります．1つのケーススタディの中で同じ内容を指す場合には同じ用語を使いましょう．筆者としては同じつもりで書いていても，異なる用語が使われていると読み手は別のことを意味するものと受け取るかもしれません．伝えたいことを確実に伝えられるように書いていきましょう．
- また，ADLというのは略語です．英文の略語を使用する場合には，ケーススタディの中ではじめにその用語が出てきたときに，正式名称和訳（英文：以下，英文略語）と記載し，それ以降で略語を使用します．ADLであれば，日常生活動作（Activities of Daily Living：以下，ADL）となりますね．ただし，ADLのように略語が一般化している場合にはそのまま使用されることもあります．

Ⅳ．看護の実践

実習 5 日目（入院 13 日目）に立案した看護計画に基づき実践した．実践のうち特に後期高齢者の自立した退院後の生活に向けた看護援助に関連する内容ついて報告する．

〈実習 6 日目（入院 14 日目）〉

呼吸困難感が生じることなく車いす移乗などの活動量が増加できること，転倒せずに過ごせること，温罨法，腹部マッサージを行うことにより腸蠕動運動を促進させ排便を促すことを目標に実践した．

E 氏は安静時には呼吸困難感は生じなかった．便意が生じたため，この日はじめての車いす移乗を実施した．計画に基づき，段階的に動き，呼吸を整えるようにしたが，トイレのための移動であるため長く休みながら移乗することはできず，呼吸数の増加が見られた．移乗時につかまる場所や移乗方法について誘導すると E 氏自身も確認をしながら安全に留意して動くことができたが，つかまった柵などから手が離れるときに立位がやや不安定なときがあった．車いすに移乗した時点では息切れが見られたが，動脈血酸素飽和度を測定したところ 98%，脈拍数は 89 回/分（パルスオキシメーターによる観察）であり，すぐに息切れも落ち着いたため移送を開始した．車いす用トイレに移送し，洋式便座に介助にて移乗した．このときも，つかまる位置の誘導に合わせ，確実に手すりを握り，注意深く足元を見ながら移乗できていた．ナースコールの位置と操作方法を説明し，ボタンに軽く触れてもらい，気分不快や息切れがないことを確認し，自分たちは外で待機すること，排泄が終わったときや息が苦しくなったりしたときにはすぐにナースコールで呼んでほしいこと，無理にいきまないようにすることを伝えて外で待機した．排便はなく，出そうもないとのことで，車いすにてベッドに戻った．「やっぱり久しぶりの車いすは疲れるわ」「車いすに乗ってすぐは呼吸が苦しかったけれどしばらくすると普通になった」と話された．入院から 10 日以上ベッドの上で生活していたこと，車いす移乗を始めて数日であることから，久しぶりなので息が切れるかもしれませんが随分動けるようになってきましたねと声をかけると，「そんなにすぐにはよくならないわね」と笑顔で話された．

午後に腰背部温罨法と腹部マッサージを実施した．開始前は「便意もないしお腹も張っている感じはしない」と話されていたが，これから先，摘便をせず普通にトイレでできるほうがよいので試してみましょうと促すと了承され，10分間の腰背部温罨法，仰臥位での腹部マッサージを実施した．実施後「少し便が出そうな気がするけれどお腹に力を入れても出し切らない」と話されたため，出なくてもよいのでトイレに行ってみましょうと声をかけ，午前同様，呼吸状態を観察しながら段階的に移乗しトイレに移動，留意点を伝えトイレの外で待機した．自力にて固形便が中等量あり，努責による息切れはなかった．排泄後，お手洗いでできてよかったですねと声をかけると，「これで一安心．このまま出るようになるといいけどね」と話された．移乗は，午前より姿勢が安定しており，体動や移乗時の呼吸困難感はなかった．E氏自身にもできるようになっていることや変化を知ってもらいたいと考え，午前よりも移乗が安定していることを伝えた．

車いす移乗時，段階的に動くことは呼吸困難感を生じずに移乗するためには有効であったが，段階を追うことでやや時間を要した．排泄前は，移動に時間がかかったり移乗方法に過度に意識が集中したりし便意が消失する可能性もある．そのため，車いす移乗をトイレ以外の機会で実施するようにしていく．排便については，温罨法と腹部マッサージにより自然排便があった．今後も自然排便が続くよう援助を継続することにした[14]．

● 1日ごとの実践を，その日の看護目標，実施，評価に分けて記載できていますね．E氏の様子について主観的情報と客観的情報の両方を記載しているため，実施に対する反応も把握しやすくなっています．

〈実習7日目（入院15日目）〉

この日よりシャワー浴が可となったため，呼吸困難感が生じることなく車いす移乗やシャワー浴ができること，転倒せずに過ごせることを目標に実践した[15]．

シャワー浴は，実施前にバイタルサイン，呼吸困難感，胸痛などがないかを確認し，排泄を済ませてから実施した．脱衣所まで車いすにて移動，脱衣所の椅子は使用せずに車いすに乗ったまま脱衣，浴室入り口まで移送し，浴室内のシャワー浴用の椅子までの約1.5mは手すりにつかまり歩いて移動してもらう方法とした．床がすべらないようE氏が歩く部分の床は事前に水を拭きとった．室温の変化による循環動態への影響が少なくなるよう室温を確認，適温であったためそのまま窓を閉め，湯温は事前に特に熱い・ぬるいの好みがないことを確認して38℃に設定した．衣服の着脱，湯をかける，身体を洗う行為については，はじめてのシャワー浴であることから心負荷をかけず呼吸困難感が生じないことを優先することにし，自力で可能な部分も含めて介助して実施した．浴室内への移動で手すりにつかまって歩いた際に呼吸困難感が生じ，「もうやらなくていいです．疲れた」との言葉があった．急ぎ浴室の椅子に座ってもらったところ，30秒程度の休息ですぐに呼吸困難感がなくなり，大丈夫と話し，顔色に変化なく，動脈血酸素飽和度も98%であったことから，シャワー浴を実施した．シャワー浴開始後は，自ら顔を洗ったり，下肢を洗っている際に進んで足を少し上げるなどしており，呼吸困難感はなかった．車いすに戻る際には，椅子を看護師と学生にて動かし戻る距離を1mほどに短くし，ゆっくりと移動してもらったが，車いすに座ったときには息切れが見られた．しかし坐位になってすぐに消失し呼吸困難感はなかった．酸素飽和度に変化なく，ベッドに戻ってからのバイタルサインにも変化はなかった．

シャワー浴後に休息を取ってもらい食後に訪室すると，「久しぶりだから疲れたけれどすっきりした」「今は大丈夫」と話されたため，活動の機会をつくる目的で散歩に行くことにし，車いすに移乗してもらった．計画したように，1つひとつの段階で呼吸を整え，次の動きをともに確認しながらE氏のペースで移乗をしたところ呼吸困難感なく移乗ができ移乗後には笑顔が見られた．立位時の姿勢も安定していた．病棟内を散歩し，学生と飼っている犬の話をして過ごし，同様の方法でベッドに戻った．

シャワー浴のための移動時に疲れによる中止の訴えがあったが，坐位になったところですぐに落ち着き，シャワー浴の実施中は，自ら話をしたり足を上げ，息切れもなく，シャワー浴自体は呼吸困難感を増大させる要因にはなっていないと考えられた．これまでベッドと車いす，トイレと車いすの移乗以外に歩行をしていなかったこともあり，シャワー浴用の椅子への歩行が負担になったと考えられるが，シャワー浴実施後の1mほどの移動では息切れが見られたものの呼吸困難感はなく，はじめてのシャワー浴による不安が影響した可能性もある．複数回経験した車いす移乗は，呼吸困難感に注意して安全に動く方法をE氏も実施しており不安なく行えているため，今後も安心してシャワー浴などの活動ができるよう事前に活動内容を具体的にE氏とともに確認し呼吸困難感が生じないように活動を拡大していく．

⑮

● シャワー浴はこの日に実施可となったため，実習5日目（入院13日目）に立案した看護計画にはシャワー浴に関する内容はありません．そのため，ここに記載された内容はこの日の実習開始時に計画されたものになります．シャワー浴は清潔への援助であり，E氏への看護においても清潔のニードを満たす目標もあります．しかしE氏にとっては負荷のかかる活動でもあり，この日の目標を見ると，看護目標のADLの拡大による日中活動量の増加時に呼吸困難感が生じないこと，転倒せずに過ごすことができることを意識してシャワー浴の計画や実践がされたことがわかります．ケーススタディにおける実践の記載方法としてもケーススタディの目的に合わせて選択的に実施内容とE氏の状態を記載できていますので一貫性がありますね．

⑯

● **【Ⅱ．事例紹介】**の「5. 入院後の経過」に，「入院15日目に仙骨部に直径1cmほどの皮膚の発赤が見られた」とありますが，これに関する記載がありません．ケーススタディの事例紹介では，全体像がわかることは重要ですが，目的に照らして必要な情報を選択することも大切です．例えば，ほとんど体動がなく仙骨部に発赤が生じて表皮剥離が生じたということであれば，このケーススタディとして取り上げる必要のある情報かもしれませんが，その場合にはアセスメントや看護の実践にも記載が必要です．事例紹介についてもケーススタディの目的に合っているか確認していきましょう．

〈実習8日目（入院16日目）〉

呼吸困難感が生じることなく車いす移乗などの活動量が増加できること，転倒せずに過ごせること，温罨法，腹部マッサージを行うことにより腸蠕動運動を促進させ排便を促すことを目標に実践した．

車いす移乗の機会を，朝の洗面，排泄，昼食および食後の歯磨き，散歩とし，尿意による排泄以外は決まった時間に実施することにした．自宅ではほぼ自立した生活であったため，E氏のやり方を伺いながら環境を整えるようにして援助した．車いすを長期に使用する予定はないが，自身の安全について理解してもらうため，ストッパーの使用についても説明し，操作についても身体を動かす機会をつくる目的で自分で実施してもらった．E 氏は学生とともに操作を声に出して確認しながら実施しており，車いす移乗や活動中の呼吸困難感はなかった．体重が前日に比べて 1.2kg 増加しており，肺の右下葉に捻髪音が聴取された．安静度に変更はなかった．

前日に排便がなかったため，温罨法と腹部マッサージを計画していたが，排尿のためにトイレに行った際に，「お通じも出そう」とのことで排泄，少量の排便があり，腹部膨満はなく腸蠕動音も聴取されたため，温罨法と腹部マッサージは中止した．トイレにいた時間が約 20 分間あり間欠的に努責をしていた．

活動による呼吸困難感は生じなかったが，体重の増加が見られた．前日にシャワー浴を実施しているが，活動量が増加すると酸素消費量が増え心負荷が増大する．右下葉に捻髪音が聴取されたり体重が 1.2kg 増加したりしているため，この状態が続くとうっ血が生じて体液量が増加し胸水が生じるなど心不全の悪化につながる可能性がある．排便時の努責時間が長いことも負担になる．自覚症状である呼吸困難感だけでなく身体の状態を確認しながら活動を拡大していくことで安全に，⑰さらに E 氏が安心して退院後の生活を目指せるようにしていく．

〈実習 9 日目（入院 17 日目）〉

呼吸困難感が生じることなく車いす移乗やシャワー浴ができること，転倒せずに過ごせること，活動，温罨法，腹部マッサージを行うことにより腸蠕動運動を促進させ排便を促すことを目標に実践した．

前日同様に，車いす移乗の機会を，朝の洗面，排泄，シャワー浴，昼食および食後の歯磨き，散歩とし，尿意による排泄以外は決まった時間に実施した．E 氏は進んで車いすのストッパーを操作し，自分で肘掛けに手をついて坐位時の体位を調整していた．つかまるものがない状態でも立位時の姿勢は安定していた．体動や移乗時の呼吸困難感はなく体重は入院 15 日目の体重に戻った．肺雑音は聴取されなかった．

シャワー浴は，基本的には入院 15 日目の方法と同様，活動量が増やせていることから脱衣所からの 1.5m の移動はそのまま実施，顔と上半身のうち背中以外は自分で洗ってもらう計画として実施した．⑰事前に，E 氏に，計画しているシャワー浴の方法を伝え，自宅に帰る準備にもなるので洗ってみることを勧めると「自分でできないと困っちゃうものね」と話された．歩行時，柵につかまることで安定した足取りで椅子に移動でき，計画どおりにシャワー浴を実施できた．シャワー浴後「少し疲れた」との言葉があったが，呼吸困難感などはなくバイタルサインに変化はなかった．

排便は便意がありトイレに行った．努責時間が長くなりがちなため，努責と努責の間にゆっくり呼吸をしてもらい，15 分以上は努責しないように説明した．10 分ほど経過して中等量の排便があったため，温罨法，腹部マッサージは実施しなかった．排便後には休息をとるように促し休んでもらった．

シャワー浴などの活動を呼吸困難感を生じることなく実施できており，活動の量は増えている．体重はもとに戻っており病状の悪化の兆しは見られない．[17]E 氏も退院後のことを考えながらできることを増やそうとしている．現在の計画を継続していく．

〈実習 10 日目（入院 18 日目）〉

呼吸困難感が生じることなく車いす移乗などの活動量が増加できること，転倒せずに過ごせることを目的に実践した[17]．

一昨日同様に，車いす移乗の機会を，朝の洗面，排泄，昼食および食後の歯磨き，散歩とし，尿意による排泄以外は決まった時間に実施した．車いすへの移乗は車いすを用意し適切な位置に設置するだけで E 氏のペースで体位変換から移乗まで実施できている．端坐位になったところで一呼吸おき，移乗をしているが，呼吸困難感や息切れはない．バイタルサインに変化はなく体重の増加もない．移乗時はつかまっているが，上肢で体重を支えることはなく安全のためにつかまっている状態である．

故郷である東北地方に帰りたい話や，帰るときの交通手段や体力についてなど話しており，自身の回復を実感し退院後の生活についても具体的なイメージをもち考えられている．「次に苦しくなったらもうだめかもしれないから気をつけないといけないわね」と話され，健康管理についても関心が高い．E 氏が安心して暮らせるよう退院後の生活の仕方について具体的な指導をしていくことが必要である．

⑰

実習10日目（入院18日目）の看護目標は，実習6日目（入院14日目）と同じです．看護は1日で大きな変化を起こす活動ばかりではありませんので，同じ目標が続くこと自体は問題ありません．しかし，実習8日目（入院16日目）に「さらにE氏が安心して退院後の生活を目指せるようにしていく」と評価し，実習9日目（入院17日目）の実践の記録には「事前に，E氏に，計画しているシャワー浴の方法を伝え，自宅に帰る準備にもなるので洗ってみることを勧めると」とあり，その日の評価には「E氏も退院後のことを考えながらできることを増やそうとしている」とあります．これらを読むと，E氏自身に退院後の生活を描いてもらい主体的に活動拡大にかかわってもらおうとする看護の姿勢がうかがえます．これはE氏の看護の方針や看護目標ですね．看護者個々の思いとしてではなく看護として位置づけ実践できるよう看護目標として表現していきましょう．

V．考　察

今回受け持ったE氏は90代前半と高齢であり，心不全のため緊急入院をされたが，これまでにも心不全により入退院を繰り返しており心機能が低下していた．加齢による機能の低下が大きく予備力も低下しており，活動などによる心負荷によって病態が変化しやすい状態にあると考えた．受け持った時点では床上安静のために全介助の状態であったが，自宅では一部に介助を得ながらも自立して生活をしてきたことから，老年期にあるE氏がこれまで営んできたE氏らしい生活を退院後も続けられるように支援したいと考え実践した．

看護目標としては，呼吸困難感が生じることなく日中の活動量を増やすことができる，脱水が生じない，転倒せずに過ごすことができる，トイレにて自力で定期的に排便できるの4つをあげて看護計画を立案して実践した．この時点では，まだ呼吸困難感があり車いす移乗を始めた段階であったため，退院後の生活に大きな看護問題があるのではなくこのままADLが拡大しなかった場合に問題になると考え，退院後の生活のことは，アセスメントの中で活動面，回復への意欲や自信，退院後の希望などを含めて検討しそれをふまえた具体策を立案したものの，看護問題にはしなかった．そのため，はじめは自立した退院後の生活に向けた看護ができているのか，評価が難しかったが，かかわっていく中で，身体面について発達段階と病態の両方からアセスメントし，それに基づいて身体の状態を的確に捉えてかかわることでE氏の活動が拡大していくことに気づいた．

入院15日目にシャワー浴をしたとき，事前の観察ではバイタルサインに変化はなく呼吸困難感もなかったが，脱衣所からわずか1.5mの歩行で，疲れたのでやめてほしいという発言があった．坐位になりすぐに落ち着き，シャワー浴は継続しその後は呼吸困難感もなく実施でき動脈血酸素飽和度や実施後のバイタルサインにも変化はなかったが，翌日には一時的に体重が増加していた．体重増加が活動量増加の影響であるかは不確実であるが，浴室への移動と歩行というわずかな活動量の変化や新しい活動への不安が身体に及ぼす影響が大きいと考えられた．一方で，体動や車いす移乗，排泄においては，常にアセスメントをふまえて状態を観察しながらかかわったことで，E氏のペースに合わせて段階を踏むことができ，成果としても，呼吸困難感を生じることなく，日々わずかずつではあるが活動量が増え行動が拡大していった．

高齢者の身体機能は予備力が低下していることにより，臓器と臓器，身体機能と精神機能，身体機能と日常生活機能が相互に影響し合ってQOLに影響を及ぼすなど高齢者に特有な状態や症状が引き起こされることがあるとされている[1)]．また，高齢者の身体の把握方法として，典型的な疾患知識だけでは対応できず，生理機能の低下があっても生活に適応して恒常性を維持していることが多く検査値の判断基準をそのまま用いることが適切ではないことが指摘され，全人的に，多様な面から探り，統合的に把握することが必要であるとされている[2)]．今回，心不全を繰り返していることや老年期であることからE氏の身体面について細かくアセスメントをして統合的に見ながらかかわった．高齢者はわずかな心負荷で状態が変化しやすいが，身体面について，発達段階と病態の両方からアセスメントし，それに基づいて身体の状態を的確に捉えてかかわることでE氏に合ったかかわりができ，それにより高齢でありストレスにより容易に恒常性の維持が困難になるE氏のペースにあった安全な活動の拡大につながったと考えられた．

また，E氏のペースに合わせ1つひとつ目標を達成していくことは，患者に寄り添うことにもつながった．計画立案時は，退院後も自立した生活ができるよう退院後の生活を思い描くことでそれを目標としてもらいたいと思い，飼っている犬との生活などを話題に会話をし，そこに向けての活動の拡大であることを伝えようとかかわったが，前向きな会話になるものの，日々の活動との関連について意識されることはなくモチベーションになっている様子は見られなかった．しかし，E 氏の状態に合わせてその都度，移動方法を事前に説明したり，⑱できた内容を確認し成果を伝えて共有していく中で，E 氏から退院後についての言葉が聞かれるように変化していった．高齢者の健康生活の維持と支援について，高齢者の健康生活には，日常生活場面で生きる喜びを味わう，人とつながる，役割を発揮する，自分を友に楽しむ，その人らしく生きることが大切であるとされている[3]．今回の援助で，E 氏のペースに合わせて小さな目標をともに達成するようにかかわったことは，日常生活場面においてできることが増えるという小さな喜びを生み，看護学生とのつながりをもつことになり，E 氏の生活を支えることができたのではないかと考える．これらのことから，後期高齢者の自立した退院後の生活に向けた看護援助においては，小さな目標の達成を日常生活場面の生きる喜びとできるよう，目標や解決方法を患者と共有し，できたことをともに喜び合うかかわりを重ねていくことが有効ではないかと考えられた．

⑱

この部分は，この段落の最後の部分で述べている有効と考えられるかかわりに関する実践内容ですね．E 氏にどのような変化があったのかが具体的にわかると，その事実からこのような考察がされることが妥当であるのかを吟味できます．「看護の実践」のうち入院 17 日目，入院 18 日目に記載された内容がこの部分のようですが，看護者のかかわり，E 氏の反応があまり明確ではありません．実践内容が不明確だと，このような解釈が妥当なのか，導き出された結論が適切なのかが判断できなくなってしまいます．ケーススタディの目的や結論の根拠となる看護実践は具体的に記載しておきましょう．

Ⅵ．おわりに⑲

このケーススタディは，心不全で入院した後期高齢者への看護を統合的に振り返ることで，予備力の低下した後期高齢者の自立した退院後の生活に向けた看護援助においてどのようなかかわりが有効であったかを考察することを目的とした．E 氏への看護の振り返りから，1 点目として，身体面について発達段階と病態の両方からアセスメントし，それに基づき身体の状態を的確に捉えてかかわることが，その人のペースに合った活動

⑲

ケーススタディの目的に対応させ，結論を簡潔に記載できていますね．

の拡大につながるという意味で有効であると考えられた．2点目としては，小さな目標の達成を日常生活場面の生きる喜びとできるよう，目標や解決方法を患者と共有し，できたことをともに喜び合うかかわりを重ねていくことが有効ではないかと考えられた．[20]今回の学びを今後の実践に活用していきたい．

引用文献[22]

1）真田弘美，正木治恵編：看護学テキスト NiCE　老年看護学概論 改訂第2版．南江堂，p.82，2016．

2）真田弘美，正木治恵編：看護学テキスト NiCE　老年看護学概論 改訂第2版．南江堂，p.84，2016[21]．

3）真田弘美，正木治恵編：看護学テキスト NiCE　老年看護学概論 改訂第2版．南江堂，p.188，2016[21]．

[20]

- この一文は，不適切ではありませんが，やや抽象的です．どのような学びを活用していきたいのか，また，どのような実践に活用できると考えているのかがわかるように記載しましょう．

[21]

- 同じ書籍の別のページを引用した場合は，2回目以降，書籍名は記載せずに前掲書とし，はじめに出てきた方の文献番号を入れることでどの文献であるかを示します．この例では，2）前掲書1）p.84，3）前掲書1）p.188，になりますね．
- これは一般的な方法ですが，文献リストの記載方法は，ケーススタディを発表する場において指定される場合もあります．記載方法を確認して指定された方法で記載しましょう．

[22]

- 3つの引用がありますが，いずれも同じ書籍です．書籍の数自体に意味があるわけではありませんが，教科書に限らずテーマに合わせて文献を探すようにしてみましょう．

●講　評

心不全で入院した後期高齢者への看護を統合的に振り返ることで，自立した退院後の生活に向けた看護援助において有効なかかわりを考察することを目的としたケーススタディでした．看護計画や看護の実践の記述から，高齢者の特徴やその看護，病態，日常生活など看護に関する十分な知識を得たうえで，それらを活用して1人の人を統合的に捉えてかかわっていることがわかる内容であり，統合的に振り返ることの意味も説明され，一貫性のある報告になっています．

看護の実践も簡潔ながら実施と患者の反応について具体性をもって記載されていましたが，統合的な振り返りをしたためか，考察においてはやや焦点が曖昧になっています．結論として導き出した内容が，どのような看護実践からの考察なのか，その部分を明確に記載したうえで考察するとさらに内容が深まったでしょう．

丁寧にかつ明確に記載されたアセスメントは患者さんの様子が十分にイメージできるもので，退院後の姿を想像しにくい段階からＥ氏にとっての退院後の生活に目を向けた看護ができていることが伝わる内容でした．このケーススタディにより得た新たな知見への手がかりを次の実践に生かせるとよいですね．

実例6 小児看護のケーススタディ

急性リンパ性白血病で入院した患児と母親への看護❶

❶

●タイトルは，このケーススタディでは何が書かれているのかな？ と読み手の関心をそそるものです．ケーススタディの顔になる重要なものですが，文字数が少ないので簡潔に内容を表すのは難しいですよね．

●ケーススタディを最後まで読むと，突然長期入院を強いられることになった親子のストレスとその看護の特徴が書かれているのだとわかりました．

●タイトルを下記のように「**初めて**」や「**ストレス**」という言葉を加えたらどうでしょうか．

急性リンパ性白血病で初めて入院した患児と母親のストレスを軽減する看護

Point タイトルは，ケーススタディで主張したいことが一目で読者に伝わるように工夫しましょう．

●さらに，400字程度でケーススタディの内容を簡潔にした要旨があるとよいですね．抄録ともいわれるものです．書き方は，このケーススタディの目的，事例の概要，行った看護の実際とそれに対する考察です．下記のように本文の内容を簡潔にまとめます．

抄　録

私は，小児看護の実習で急性リンパ性白血病で初めて入院した3歳6ヵ月の女児を受け持った．本稿では，入院直後でストレスを抱えている患児と母親に対して行った5日間の看護を振り返った．実習初日，患児は学生の声かけに反応しなかった．患児が関心を示す足浴や遊びを見出し，自発的に取り組めるようにかかわったり，痛みを伴う処置のときにディストラクションという手法を取り入れたことで患児に変化が生じた．そして，母親は，自分がいなくても患児が学生と楽しんでいる様子に安心感を得ていた．学生が行った，3歳児の発達段階をふまえた遊びを取り入れたかかわりや苦痛緩和のかかわりが有効であったと考えられた．また，患児の変化が母親に波及したと考えられた．

母親が学生に自分の気持ちを話せたのは，学生に傾聴の姿勢があったからと考えられる．しかし母親は医師と病気や治療について話すまでに至っていない．さらに母親のストレスを軽減する看護が必要と考えられた．

Ⅰ．はじめに

長期入院による治療が必要となる“病気”という診断を受けた子どもや家族は，現実を受け入れる間もないまま入院生活を始めることになる．突然の環境の変化は，幼児期の子どもにとっては特に大きなストレスになる．子どもに付き添う家族もまた，子どもの病気のことを心配しながら，入院という変化に慣れなくてはいけないため，大きなストレスを抱えることになる．

今回，白血病の治療のため長期入院が始まったばかりの3歳6ヵ月のAちゃんを受け持った．Aちゃんは病院の環境や医療スタッフになかなか慣れることができずにいるようでいつも機嫌が悪く，泣いたり暴れたりしていた．母はそんなAちゃんを見て，どうにかしてあげたいと思いながらもイライラしている様子だった．

❷このケーススタディでは，入院直後で大きなストレスを感じている幼児と家族に対して，そのストレスを軽減するためにどのようなかかわりをもつことが大切であるか考えていきたい．

❷
【はじめに】では，このケーススタディを書く動機が明確に書かれていて，いいですね．そして，このケーススタディを書いた目的は，下線部のところですね．一般にケーススタディの目的は実践した看護活動を振り返って，次に活用できる知見を見出すことです．ですから，少し表現が硬くなりますが，下記のようにするのはいかがでしょうか．

このケーススタディの目的は，入院直後で大きなストレスを感じている患児と母親に対して，そのストレスを軽減するために行った看護を振り返り，どのようなかかわりが有効であるかを考察することである．

Ⅱ．事例紹介

患　児：Aちゃん，3歳6ヵ月，女児
診断名：急性リンパ性白血病

病気の経過：

発熱や倦怠感などの症状が続いたため近医を受診していた．症状の改善がないため採血を行い，その結果から白血病を疑われた．精密検査を受けるためC病院を受診．精密検査を行った結果，急性リンパ性白血病と診断された．中心静脈カテーテル❸（central venous catheter，以下CVCとする）挿入後に寛解導入療法が開始された．治療反応は良好で，リスク群は標準リスクとされている．

❸
中心静脈カテーテルという用語は，後の文章でCVカテーテルと表現されているところもあります．ケーススタディの全体を通して同じ言葉を使うようにしましょう．そして略字を使うときには一番初めに使う箇所で英語名を書いて，以下の文章ではこの略字を使うことを明記すると読みやすいでしょう．つまり，このケーススタディの本文

家族構成：

父（40代前半），母（30代後半），

姉2人（小学生と中学生）

付き添い，面会状況：

母親が仕事を休み，24時間Aちゃんに付き添っている．父親は仕事，姉たちは学校があるため週末にときどき面会に来ている．自宅が遠方のため病院まで車で2時間かかり，簡単には面会に来られない状況．病院の近くに頼れる人はおらず，ほとんど母親が1人でAちゃんの世話をしている．

入院後の経過：❹

看護学生の受け持ち時点は，入院して治療開始から1ヵ月が経過したときであった．Aちゃんは確定診断を受けてからすぐに❸中心静脈カテーテルを挿入する手術を受け，寛解導入療法が始まった．免疫力が低下しているため，検査のために処置室に行くとき以外は感染対策として個室で過ごしていた．

入院前の生活：

両親は共働きで，Aちゃんは日中，保育園に通っていた．今まで入院を要するような病気になったことはなかった．

児の性格：

両親によると，Aちゃんは明るい性格であるとのこと．年が離れた姉がいることもあり言葉を覚えるのが早く，同年代の子よりもよく喋る．頑固な一面もあるとのこと．

医療者に対する患児の態度：

受け持ち看護師と学生があいさつをするために話しかけても，テレビを見ていたり，母親の携帯電話でゲームをしていたりして，話しかけに反応しない．母親に「看護師さんにおはようは？」とあいさつをするように促されても無視し続けるような状況．機嫌よく母親と笑顔で喋っているようなときでも，医療者が病室に入った瞬間に喋るのを止めうつむくような反応を見せていた．

では，以後，中心静脈カテーテルやCVカテーテルの表記はCVCと書き換えます．

❹

- 入院後の経過に病気による症状や，バイタルサインズの変化，検査データの数値などの情報が不足しています．看護師は病気によって消耗している患児の心身を整えるのが仕事です．ですから，身体の状態を知る客観的なデータがもっとあるとAちゃんの身体の中でどのようなことが起こっているかが理解しやすくなります．
- **【看護計画】**1のアセスメント2）健康状態のところで「現段階で治療そのものは良好に経過している」と書かれています．このアセスメントの根拠になる情報が書かれるともっとよいと思います．

❺

医療行為やケアに対する患児の反応がよくわかる文章ですね．しかし，状況を説明する文章で，主語がない文章が散見されます．読者は文章を読んでその状況を想像しますので，誰が，いつ，どこで，何をどのようにしたという4W1Hを意識して書きましょう．

医療行為やケアに対する患児の反応： ❺

❸ CVカテーテル刺入部の包交をとても嫌がり，毎回泣いたり暴れたりして抵抗を示していた．しかたなく母親や医療者が抑えて行っていた．個室で隔離されていて浴室がなかった．したがって入浴はできず，毎日病室で看護師が清拭を行っていた．清拭が嫌いで，清拭のときは毎回怒ったように泣いていた．

医療者に対する母親の態度：

母親は医療者に対して気を使うことが多く，Aちゃんが抵抗して処置やケアに時間がかかると「時間かかっちゃってすみません」「看護師さん忙しいのに」と謝ることが多かった．特に医師と話すことを「先生が（部屋に）入ってくると本当に緊張する」と表現し，医師に対して苦手意識をもっているようであった．

医療に対する母親の反応：

母親は，今まで身近な人に大きな病気や長期入院をした人はおらず，医療を受ける環境に慣れていない．医療に関する知識や経験が少なく，母親自身も医療を受けることに苦手意識をもっていた．Aちゃんに挿入されている❸中心静脈カテーテルや点滴にも「怖いから」と，触れないようにしていた．

患児と母親との関係：

入院後は24時間母親がAちゃんに付き添っていた．医療者に慣れていないAちゃんにとっては母親が唯一安心できる存在であった．母親がそばから離れるとAちゃんは泣いて母親を呼ぶため，母親が休息のために長時間児のそばを離れることは難しい状況であった．母親もAちゃんのことが心配で常にAちゃんの状態を気にしている様子が見られた．

しかし，個室で2人きりでいる時間が多くなると，お互いにストレスをぶつけ合う状況が生じていた．母親はAちゃんが医療者になかなか慣れないことや処置やケアのたびに泣いて抵抗することに対し「痛くないって言っているでしょう」「看護師さん優しくしてくれているよ」といら立ちながら発言をすることがあった．Aちゃんの機嫌が悪く母親を叩いたり物を投げたりしていると「そんなことするんだったらママ帰るからね」とAちゃんを脅すような発言をすることもあった．❻

❻

- **【事例紹介】**は，患児：Aちゃん，3歳6ヵ月，女児という基本情報に続いて，診断名，病気の経過，家族構成，医療者や医療への反応，患児と母親の関係などの情報が丁寧に書かれています．
- このケーススタディは，初めて長期入院をしている患児と母親のストレスを軽減する看護に焦点をあてているので，これらは重要な情報です．しかし，看護師は，患児の症状をふまえて日常生活を整えながらストレス軽減の支援を行うのですから，患児の入院中の日常生活の様子に関する情報が必要です．
- 次の**【看護計画】**で発達段階のアセスメントなどをしていますので，アセスメントの根拠になる日常生活の様子を情報として整理しましょう．
- そして，**【事例紹介】**の項目に番号をつけて読みやすくしましょう．また，項目の順番を整理して，読みやすくしましょう．次項のような整理の仕方も一案です．

1. 患児：A ちゃん，3 歳 6 ヵ月，女児，身長，体重，カウプ指数，バイタルサインズ
2. 診断名
3. 病気の経過
4. 入院後の経過
5. 日常生活状況
   1）入院前の生活
   2）患児の性格
   3）入院後の生活
      ①食事
      ②排泄
      ③睡眠
      ④活動・遊び
      ⑤清潔
      ⑥医療者に対する児の態度
      ⑦医療行為やケアに対する患児の反応
6. 家族構成
   1）付き添い，面会状況
   2）医療者に対する母親の態度
   3）医療に対する母親の反応
7. 患児と母親との関係

Ⅲ．看護計画⑦

1. アセスメント

1）3 歳児の発達段階

エリクソンの自我発達理論では 3 歳児の発達課題は「自立対恥と疑惑」である．中沢[1]はトイレットトレーニングを例にあげ「うまくトイレで排泄できれば子どもは自立の誇りや自信を，失敗すれば恥や自己への疑惑をもつことになる」と述べている．3 歳児は日常生活のさまざまな場面において“自分でやる”ということに挑戦し，自立の誇りや自信を獲得する段階にある．

入院中の A ちゃんは個室に隔離され制限された生活を送っており，自立が促される機会が少ない．入院生活は自立しようとする 3 歳児の意欲をそぎ，それが A ちゃんのストレスになっている可能性もある．制限された生活の中でも A ちゃんの発達の支援が不可欠である．

佐々木[2]は発達段階ごとの医療現場におけるストレス要因と介入のポイントについてまとめている．その中で幼児期の入院・検査や処置に伴うストレス要因は，親からの分離，知らない人・物・出来事に囲まれる，気持ちを言葉で伝えるのが難しい，自律性の損失，身体の損傷や痛みへの過剰な想像や誤解であると記されている．

A ちゃんが泣いたり医療者を無視したりすることは，母親から離れることの不安や慣れない医療者とかかわることのストレスを表現していると考えられる．さらに，処置やケアを嫌がっ

⑦
看護計画を立てるためのアセスメントとして，「3 歳児の発達段階」「健康状態」「家族構成，患児・母親と関係者の関係性」に着目していることは，このケーススタディのテーマに適した視点でとてもよいですね．また，文献を使った根拠をもったアセスメントはとても評価できます．このアセスメントが次の**【看護上の問題】**につながっていくことがよく理解できます．

ている場面で，具体的に何が嫌なのか，なぜ嫌がっているのかなどを言葉で表現している姿は見られていない．自分の気持ちを明確に言葉で表現することは難しい年齢であるためだと考える．伝えたいことが伝わらないのはとてもイライラすることである．3歳児の発達段階を考慮し，言葉に頼らず，顔の表情や体の動きなど非言語的な反応をよく観察することが必要である．

2）健康状態

急性の悪性腫瘍であり，小児に多い疾患である．現段階で治療そのものは良好に経過している．しかし，今後，髪の毛が抜けるなどの副作用が出現することが予想され，その対処や感染予防などリスク管理を行う必要がある．

3）家族構成，患児・母親と関係者の関係性

5人家族は，Aちゃんの入院に伴って，Aちゃんと母親，父親と姉2人と別れて暮らすことになった．Aちゃんは姉2人と年齢が離れており，父母からも姉たちからも可愛がられていると考えられる．思春期の姉たちにとってはAちゃんの入院に母親が付き添う母親不在の生活は影響があり，母親にとっても心配の種となる．Aちゃんの発病および長期入院は家族にとっての危機と考えられる．

Aちゃんと母親が隔離された個室でストレスをぶつけあう様子が観察されており，Aちゃんと母親，Aちゃんと医療者，母親と医療者間の関係がうまくいっていない．また関係性がうまくいっていないことがストレスを生む悪循環にもなっている．患児と母親が医療者に信頼を寄せられるよう働きかけることが必要である．

❼
- さらに，患児を取り巻く人々同士の関係性をアセスメントする一方法として，ジェノグラムやエコマップを活用することもよいと思います．
- この事例のジェノグラムとエコマップを下記に書いてみました．視覚化すると関係性がよくわかりますね．

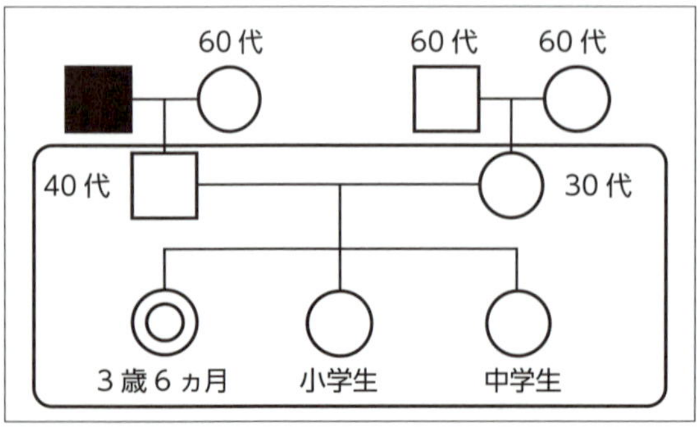

60代
60代
60代
40代
30代
3歳6ヵ月
小学生
中学生

図1　Aちゃん家族のジェノグラム

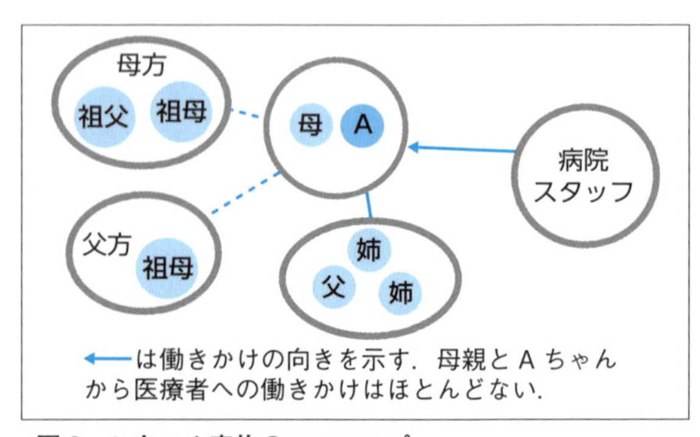

図2　Aちゃん家族のエコマップ

2. 看護上の問題❽

1）患児の場合

①医療者に対する不安がストレスとなっている．

② CVC 包交や清拭などに慣れておらず苦痛が強い．

2）母親の場合

①医療者に対する遠慮があり，患児と自分自身のストレスを抱え込んでいる可能性がある．

②母親のストレスが患児の不安を増強させてしまう可能性がある．

3. 看護目標

患児と母親が少しでも医療者や日々行われる処置やケアに慣れ，安心して入院生活を送ることができるように支援する．

4. 具体策

1）患児に対して

①ケア以外の時間にも患児とコミュニケーションをはかり，保育園に通っていた患児にとって身近である遊びを通して患児との信頼関係を築く．

・患児の機嫌がよいときを選ぶなど，タイミングに気をつけて訪室する．

・患児の年齢や好みに配慮した遊びをする．

・遊びの終了時には再度訪室する約束をし，その約束を守って時間通りに訪室する．

② CVC 包交や清拭は，❾ディストラクション[3)]（子どもの注意や関心を痛みや不安に感じていることとは別のことに集中できるように促して苦痛緩和をはかる）で気を紛らわしながら行う．

・患児が集中できること（例えば，DVD 鑑賞や携帯用のゲームなど）を処置やケア中にしてもらう．

・患児が苦痛を感じていることから，他のことに集中できるように促す声かけをする．

・患児が興味をもったり慣れたりしやすいやり方を工夫して行う．

2）母親に対して

①母親が気持ちを表出できる機会をつくる．

・母親と雑談などをしながらコミュニケーションをはかり，

❽

● **【看護上の問題】**は，たくさんあります．しかし，このケーススタディの場合は，患児と母親のストレスに焦点を絞っていますので，これでよいでしょう．

● **【看護上の問題】**は，患児と母親それぞれに，取り出していますが，看護目標は1つですね．患児と母親を一体と捉え，その関係性の安定を含めて安心した入院生活を**【看護目標】**としていることは評価できます．

❾

ディストラクションについてよく勉強していますね．授業や教科書で勉強したことを実習で意図的に実践することはとても大切なことです．（　）でディストラクションという言葉の解説を入れていますね．これも読み手に親切ですね．

母親の気持ちを傾聴する.
②短時間でも母親が安心して休息をとれるようにする.
・学生と患児が遊んでいる間などに，母親に気分転換をしてもらう.
・母親がいなかった間の患児の様子を母親に伝える.

❾
（　）で解説を書いてもよいのですが，下記のように脚注としてページの下に整理する書き方もあります.

脚注1：ディストラクション；子どもの注意や関心を痛みや不安に感じていることとは別のことに集中できるように促して苦痛緩和をはかること.
（出典：原田香奈，相吉恵，祖父江由紀子編：医療を受ける子どもへの上手なかかわり方―チャイルド・ライフ・スペシャリストが伝える子ども・家族中心医療のコツ. 日本看護協会出版会，p.20，2013）

Ⅳ. 看護の実践

〈実習1日目〉❿

受け持ち時のあいさつ：訪室し患児と母親にあいさつをした．母親は和やかな表情で「よろしくお願いします」と答えてくれたが，Aちゃんは一瞬ちらっと学生に視線をやった後，テレビに視線を戻し無言でテレビを見続けていた．学生が「Aちゃん何見てるの？」と聞いても無反応だった.

清拭：看護師と学生が清拭をするために訪室すると，Aちゃんはすでに不機嫌そうな表情をしていた．母親が無理やり服を脱がそうとすると，「やめて」と怒ったり，反り返って坐位を保つのを拒否していた.

看護師と学生が「お背中拭くよ」「さっぱりするからね」と声をかけながら温かいタオルで体を拭いていても「やめてよ」と怒り続けていた.

看護師が「足はママに拭いてもらおうね」とAちゃんが安心できる存在である母親にも清拭を手伝ってもらった．清拭後の着替えは母親にお任せし，看護師と学生は退室した.

〈実習2日目〉

清拭：Aちゃんは昨日と同じように「やめて」と怒ったよう

❿
実習中に，学生はAちゃんのバイタルサインズの測定や症状の観察もしていたと思います．今回のケーススタディは，患児と母親のストレスを軽減する支援に焦点化しているので，学生とAちゃんや母親とのやりとりにポイント絞って書いています．しかし，Aちゃんは白血病で初めての入院です．バイタルサインズと観察した症状についても記載があるとよいですね．看護の実践記録として気になるところです.

に言って抵抗を示していた．母親によるとAちゃんは入院する前はお風呂に入るのが好きだった，とのことだった．「病院だとお風呂じゃなくて体拭きだから嫌がるのかな」と母親が言っていた．

CVC包交：この日はCVC包交の日だったため，清拭後に看護師と学生が再度物品を準備して訪室した．Aちゃんはテレビを見ていたが，看護師と学生が訪室するとすぐに母がテレビを消した．「今日はここきれいにしてもらうって言ったでしょ」とCVCがついている部分を指差し母親がAちゃんに言うと，Aちゃんは「やだ」と言って泣き出してしまった．

看護師は「テープをはがすよ」「きれいにするからちょっと冷たいよ」など1つひとつ声をかけながら処置を進めていたが，Aちゃんはその間ずっと「痛い」と言いながら泣いていた．母親は「新しいテープ貼ってるだけだから，痛くないでしょ」とAちゃんが起き上がろうとするのを抑えながらいら立った口調で声をかけていた．

終了後，Aちゃんは泣き疲れたようで放心状態だった．

遊びのための訪室⑪：午後，学生は1人で，Aちゃんの年齢に合ったおもちゃ（魚釣りゲーム）をプレイルームから借りて持って行った．Aちゃんは母の携帯電話でゲームをしており，学生が声をかけても顔を上げようとしなかった．母親が「面白そうだよ．やってみよう」と誘い，魚釣りゲームのスイッチを入れると，Aちゃんは音に反応して顔を上げた．しかし，その後「やめて」と怒ったように言って，おもちゃを払いのける仕草をしていた．学生は「また遊びに来るね」「今度遊ぼうね」と声をかけて退室した．

〈実習3日目〉

清拭：看護師と学生が清拭を行うため訪室した．清拭のときに，上半身は普段通り温かいタオルで行ったが，足は足浴を行う予定で物品を持って行った．学生がバケツにお湯を張り足浴の準備を始めると，Aちゃんは驚いたような表情で見ており，興味をもったようだった．

学生が「足はタオルで拭いてもいいし，足のお風呂に入ってもいいよ」と声をかけると，Aちゃんは，最初は首を横に振り嫌そうな表情をした．しかし，母親に「足のお風呂やってみれば」と促されると，恐る恐る足を入れていた．徐々にお湯の感

⑪
清拭とCVC包交のときの患児の心理的な様子がわかるように書かれています．さらに，白血病の症状など身体の様子はどうでしょうか．CVCはAちゃんの行動を制限していると思います．Aちゃんの動きによってCVCが抜けるというリスクはないのでしょうか．看護学生は無意識かもしれませんが，安全を守りながら患児の遊びのサポートをしていたのではないでしょうか．例えば，Aちゃんがおもちゃを払いのける仕草をしたときに，CVCのルートがAちゃんの手に引っかからないように気づかったかもしれません．そんな看護実践の記述もあるとよいですね．

覚に慣れたのか，お湯の中で足を動かすようになった．A ちゃんが足浴をしている間，看護師と学生は退室したが，A ちゃんと母親が笑顔で喋りながら過ごしているのがドア越しに見えた．しばらくして片づけのために学生が訪室すると，母親が「足のお風呂，気持ちよかったって言ってました」と教えてくれた．

遊びのための訪室：午後，学生は 1 人で訪室した．今回は A ちゃんがやっている遊びに寄り添おうと思って訪室すると，A ちゃんは母の携帯電話でゲームをしていた．学生が「何やってるの？ 見せて」と声をかけたが，A ちゃんは無反応だった．

A ちゃんがやっていたゲームは，画面上で指を動かすことで粉を混ぜたりデコレーションをしたりしてケーキを作ることができるゲームだった．A ちゃんは黙ったままだったが A ちゃんがゲームをするのを見て，学生は「すごいね」「ケーキができるんだね」など声をかけた．A ちゃんはとてもゲームに集中して遊んでおり，ケーキが完成すると「できた」とほっと息を吐いて笑顔を見せた．

学生が「どうやってやるの？」と聞くと，A ちゃんは視線をゲームから離さないものの，「これ，こうやってトントンってやるの」とゲームを操作して学生に見せてくれた．A ちゃんはその後も繰り返しケーキ作りのゲームで遊び，学生はそばで「上手だね」などの声かけをして過ごした．帰り際に「また見せてね」と学生が声をかけると，A ちゃんは学生のほうを見て「うん」と答えてくれた．

〈実習 4 日目〉

遊びのための訪室：昨日，A ちゃんが夢中になっていたゲームはケーキ作りだった．学生は，A ちゃんはおままごとが好きかもしれない，おままごとなら A ちゃんと一緒に遊べるのではないかと考えた．そこで，プレイルームからおままごとのおもちゃを借りて A ちゃんの部屋に持って行った．

学生がおもちゃの食べ物や包丁，お鍋を A ちゃんの前に広げると，A ちゃんはテレビを見るのをやめて学生のほうを見てくれた．学生が食べ物を包丁で切って見せてから，A ちゃんに包丁を手渡すと，すぐに A ちゃんも真似してやっていた．続いて，食べ物をお鍋に入れてお玉で混ぜたり，お皿によそったりもしていた．その間 A ちゃんが言葉を発することはなく，1 人で黙々と手を動かして遊んでいた．

Aちゃんが遊んでいるのを見ながら母親が，「こうして1人で遊んでくれればいいんだけど，私が離れると泣いちゃって……」「お風呂とかも，この子がお昼寝してるときに急いで入んなきゃいけないし……」とAちゃんの付き添いをしていて大変に感じていることを学生に話してくれた．

「学生さんも色々勉強するの大変だね．私は説明されても難しくてわからない」「私は先生たちにお任せするしかないから」「先生が来ると何か悪いこと言われるんじゃないかって緊張しちゃうんだよね」と，患者家族の立場としての気持ちを話してくれた．学生は一生懸命に傾聴した．

Aちゃんに対し，「たくさん切ったね」「何ができるのかな」など，学生が声をかけると，Aちゃんは食べ物を盛ったお皿を母親に嬉しそうに渡した．母親が「学生さんにもあげたら？」と声をかけると，Aちゃんは学生にもお皿をくれた．学生が「おいしそう」と食べる真似をすると，Aちゃんは笑顔を見せた．

Aちゃんは，「次はこれ」「混ぜまーす」と言いながら遊び始めた．学生もAちゃんの発言に応じて「いただきます」「おいしい」などと言いながら一緒にしばらく遊んだ．

学生が退室する時間になってもAちゃんは遊び続けており，母親が「学生さんもう帰るってよ」と声をかけると，Aちゃんのほうから学生に「バイバーイ」と手を振ってくれた．

〈実習5日目〉

朝の観察訪問：学生が訪室するとすぐに母親が「おままごとが気に入っちゃって夜もずっと遊んでいました」と教えてくれた．Aちゃんは恥ずかしそうに母親の話を聞いており，すぐに前日と同じようにおままごとを始めた．

Aちゃんと母親で，紙を細く切って麺にみたてたり，ティッシュを丸めてお団子を作ったりしていた．「これはラーメンだよ」「ママと作ったの」とAちゃんのほうから教えてくれた．Aちゃんが料理をして，学生がそれを食べるというおままごとを繰り返して遊んだ．

その間，母親は洗濯をしに行ったり，売店に行ったりしたが，Aちゃんが不機嫌になったり泣いたりすることなく，ニコニコした表情で学生とおままごとを楽しんでいた．

戻ってきた母親は，笑顔で遊んでいるAちゃんを見て「よかった．遊んでもらえてよかったね」と言っていた．学生が「ずっ

⑫

●**【看護の実践】**は，実践場面の状況が詳細に伝わる，読みやすい文章です．学生が何を考え，何を意

と機嫌よく遊んでました」「泣いたりしませんでした」と伝えると母親は嬉しそうだった.

清拭とCVC包交，足浴：看護師と学生が訪室した．学生はまず上半身の清拭を行おうとした．Aちゃんに「お体拭き終わって，ここ（CVC）のところきれいにしたら足のお風呂やろうね」と声をかけた．Aちゃんは嫌そうな表情を見せながらもうなずいていた．「さっきカレー作ったよね」「楽しかったね」など学生が話しかけていると，Aちゃんは嫌がることなく体を拭かせてくれた．Aちゃんは看護師からも「すごいね」と声をかけられると，「あれ作ったんだよ」とおままごとのおもちゃを指差して看護師に見せていた.

そのままCVC包交を行うために，仰向けに寝かせられると，Aちゃんは嫌がって泣き始めた．学生は，Aちゃんと母親に「テレビ見ながらでもいいよ」と伝えると，母親が仰向けになっているAちゃんが見える位置にテレビを動かしてくれた．Aちゃんはテープをはがすときなどは「痛い」と泣いたが，それ以外の時間はテレビのほうに集中して落ち着いていることが多かった．学生も「あ，すごいよ，テレビ見て見て」などAちゃんが処置ではなくテレビに気が向くように声かけをした.

今までのようにCVC包交の間中泣いている状況ではなかった．母親も「いつもよりは泣かなかったね」と言ってほっとしていた．学生はAちゃんに「Aちゃんが動かなかったから，きれいにするの，すぐに終わったよ」と伝えると，Aちゃんは「うん」とうなずいていた.

引き続いて足浴を始めると，Aちゃんの表情はすぐに和らぎ，お湯の中で足を動かして楽しんでいた．⑫

図してどのような発言をし，どのような行動をとったのかがよくわかります．それに対する患児や母親の反応もよく書かれています．同じ清拭という看護実践でも実習日を追うごとに変化していく状況がよくわかります．さらに，患児の病状観察やリスク管理の実践も併せて書けるともっとよいですね.

⑫

さらに，読み手に実習のプロセスと変化を伝えやすくするために，表を作るとよいでしょう．例えば，下記の**表**のようなものです．横軸に実習日，縦軸に看護活動の項目を立てます．例示のように患児と母親の反応のキーワードを本文中から抜き出して，変化がわかるようにします.

表　実習5日間の看護実践と患児の変化

		1日目	2日目	3日目	4日目	5日目
患児の様子	バイタルサインズ，症状					
	学生訪室時	無反応				おままごとを一緒に始める
	清　拭	やめて	やめて	足浴気持ちよかった		嫌がらず
	CVC包交	やだ，泣く	やだ，泣く			いつもより泣かなかった
	遊　び	やめて	やめて	ケーキ作りのゲームに学生参加	学生が提案しておままごとを一緒に遊んだ	
母親の様子		児に付き添う	児に付き添う	児に付き添う	学生に気持ちを話す	児が学生と遊んでいるときに洗濯・売店へ

V. 考　察⑬

1. 患児が抱えるストレスに対する看護とその成果

1）遊びを通した信頼関係の構築

Aちゃんの医療者に対する不安を軽減するために，学生は処置やケア以外の場面でのコミュニケーションを積極的にとった．学生がこのような行動をとったのは，Aちゃんは普段保育園に通っており，遊ぶことが日常であったため，一緒に遊ぶことがAちゃんと親しくなるためのよい手段だろうと考えたからであった．

実習2日目，Aちゃんの年齢に合いそうなおもちゃを学生が持って行ったのにAちゃんは興味を示さなかった．このことは，Aちゃんが何をするのが好きなのか，学生がまだ把握できていなかったことが原因であった．実習3日目にAちゃんが遊んでいる内容をよく観察したうえで，実習4日目にAちゃんが興味を示しそうなおままごとの道具を持って行くと，Aちゃんは積極的に遊び始めた．学生のペースでAちゃんが好きではないおもちゃで遊びを進めるのではなく，Aちゃんのペースで Aちゃんが好きなように遊びを進められる機会をつくれたのは，Aちゃんと学生の関係づくりに重要であった．ⓐ

佐々木[4]は「母親を仲介役として会話や遊びを発展させること」が子どもとの関係を築く際の1つのポイントであると述べている．実際，初めは学生に対し無反応だったAちゃんだったが，学生と母親が話をしている姿を見たり，母親がAちゃんと学生が遊びやすいよう声をかけたりしてくれたことが，Aちゃんの学生に対する警戒心や不信感を和らげたと考える．入院中の子どもにとっての遊びは「①日常性を取り戻す，②本来の成長発達を維持する，③自由な感情表現ができる，④受け身ではなく主体的でいられる，⑤病気を忘れて本来の自分に戻れる」という意義があるといわれている．ⓑ

Aちゃんは入院してから，保育園に通うことができなくなり，今までの日常生活とかけ離れた生活を送っていた．処置やケアなど，Aちゃんの意思に反して行われることが多く，何かをされるという受け身の出来事ばかりだった．おままごとを楽しむAちゃんは，自然にお喋りも増え，表情も豊かだった．遊びを通したかかわりは，Aちゃんが学生や医療者に慣れるだけではなく，AちゃんがAちゃんらしくいられる時間をつくること

⑬
【考察】は行った看護を振り返り，文献を使って振り返りの裏づけをしています．大変よく書けた考察です．書き方も内容も両方ともよく書けています．

⑬
書き方のよい点：【考察】の見出しのつけ方がよいですね．**【考察】**の1.は患児，2.は母親と患児に行った看護を別々に項目立てしています．看護は，対象となる人にしっかり向き合って一対一の対応が基本です．患児と母親を一体とした看護目標を掲げていますが，看護の働きかけは一対一ですね．それぞれへの看護を振り返り，きちんとタイトル出しをして書かれているので，読みやすくなっています．
さらに，小見出しをつけています．この小見出しは，考察で述べている内容を端的に表現しているので，この小見出しを見ただけで，何が書いてあるのか予想できます．

につながったと考える．ⓒ

2）3歳児の体験を想像した患児の理解とディストラクションの効果

Aちゃんがなかなか慣れることができなかった清拭については，Aちゃんが安心できる存在である母親に手伝ってもらう工夫をしていた．しかし，入院するまで清拭をした経験がないうえに慣れていない医療者に一方的に体を拭かれる行為は3歳児にとって抵抗を示して当然であると考えた．Aちゃんは足浴をした経験もほとんどないようだったが，自分の意思で足浴をすることを選んだことは，制限された環境で受け身ばかりの出来事が多い中，Aちゃんが主体的にケアに参加する機会になったと考える．

CVC包交中の学生のかかわりとして，ディストラクションの実践を試みた．ディストラクション技法は「検査や処置中に痛みや不安を伴う身体的・精神的な負荷がかかる際に，子どもの注意・関心が検査や処置の苦痛とは別のことに集中できるように，おもちゃや絵本を使用したり，呼吸法やリラクゼーション法，イメージ法などの非薬理学的技法を用いて，苦痛緩和をはかる方法」である[5]．Aちゃんは初め，処置だけに集中していて，ただ「痛い」と泣いていた．母親も処置が安全に終わるように医療者に協力してくれていたので，処置の間Aちゃんが気を紛らわしたり安心したりできる瞬間がまったくない状況だった．医療者がテレビを見ながらやってみるという方法を提案し，母親と医療者でAちゃんがテレビに集中できるような声かけをしながら処置を進めると，処置だけに集中していたときとは違うAちゃんの姿が見られた．痛みを伴うときは「痛い」と泣いていたが，そのとき以外はテレビをじっと見て落ち着いて処置を受けていたので，ディストラクションの効果を感じた．単にテレビをつけていただけではAちゃんはテレビに集中することはなく，母親や医療者がテレビに集中できるような声かけを絶えず行ったことも重要であったと考える．

Aちゃんの医療行為やケアに対する態度は，Aちゃんが学生や医療者に慣れてくるのに比例して変わっているような印象を受けた．遊びを通したかかわりがあり，Aちゃんとの信頼関係が構築できたことで，嫌がることなくお喋りをしながら清拭ができたり，処置のときに医療者の声かけを聞きテレビに集中で

⑬
一般にケーススタディの【**考察**】では，見出しや小見出しを考えて，書きたい内容のポイントを明確にして，文章構成するとよいですね．

⑬
内容・構成のよい点：
1．患児が抱えるストレスに対する看護とその成果の1）は，遊びを通した信頼関係の構築となっています．その考察では，ⓐ【**看護の実践**】で書かれている実践に対する評価を行い，ⓑ文献で裏づけし，ⓒ看護目標に照らして，行った実践がどのような成果であったかを述べるという構成になっています．

きたりしたのだと考える．

2. 母親が抱えるストレスに対する看護とその成果

1）患児の変化による母親への波及効果

Aちゃんがなかなか入院生活や医療者に慣れないことで，Aちゃんの母親は心が休まる機会が少なかった．

Aちゃんが学生と一緒に遊ぶ姿を見て，Aちゃんが学生といることに不安を感じていないと実感したことで，"Aちゃんを1人で待たせている""Aちゃんを不安にさせている"と自分自身を急かすことなく用事を済ますことができた．また，母親はAちゃんがCVC包交などの処置時に激しく抵抗することにいら立ちを覚えているようであった．母親自身，医療を受けることに慣れておらず，処置中のAちゃんにどのように寄り添ったらよいかわからなかった可能性も大きいと考える．医療者側からディストラクションを実践するという提案をして母親と一緒にAちゃんに声かけを行ったことは，Aちゃんの苦痛が軽減することにつながっただけではなく，いら立ったり不安に感じたりすることなく処置に参加してもらうきっかけになったと考える．

Aちゃんが医療者や医療行為に慣れていく姿は，母親のストレス軽減や安心感にもつながった．心配することなくAちゃんから離れたり，自分の気持ちを自然に言葉で表出したりできるようになっていた．⑭

⑭

内容のよい点：家族看護のアプローチでは，問題を抱えている母親に直接アプローチする方法と患児への看護を通して母親に間接的にアプローチする方法があります．ここでは後者の看護が効を奏しましたね．

2）学生の傾聴の姿勢

学生がAちゃんの母親と会話をしているとき，Aちゃんについての内容がほとんどであった．最近のAちゃんの様子，入院前のAちゃんのこと，Aちゃんが好きなことや得意なことなどを教えてくれることが多く，母親自身のことを話すことは少なかった．しかし，Aちゃんが少しずつ学生に慣れていくにつれて，母親も少しずつ自分自身についての話題にふれるようになった．医療者に対する気持ちやAちゃんに対する気持ちなど，自然な流れで母親のほうから話し始めてくれた．学生は，Aちゃんの母親が突然の入院や現在おかれている状況に対してどのような気持ちを抱いているのかを知ることが，Aちゃんと母親のストレスを軽減することにつながると考えていた．Aちゃんを訪ねたときはAちゃんとのかかわりが中心で母親に直接話を聞く機会は少なかったが，機会があれば尋ねようと考えていた．母のほうから自分自身のことを話してくれたのは学生にとっては予想外のことであった．古宮[6]は，「聴き手が知りたいことを相手に話させようとするのは傾聴ではない」と述べている．また，「根ほり葉ほり尋ねても大切なことはわからない，話し手の話したいことに耳を傾けることが重要である」と書いている．学生が聞きたいことを聞くのではなく，母親が自分のペースで話したいことを話す機会が自然に生まれ，学生が自然に傾聴できたことは非常に意味のあることであった．Aちゃんが穏やかな雰囲気で過ごしている姿を見ることができ，母親の緊張が少しとけたことが，このような機会をつくるきっかけになったように考えられる．

Aちゃんの医療者に対する不安を軽減するために遊びを通したかかわりをもったが，Aちゃんが学生に慣れるだけではなく，医療行為やケアに対する不安の軽減，母親のストレスの軽減にもつながった．子どもにとって遊びはとても重要なことであるということ，子どもや家族が安心して入院生活を送るためには，まず信頼関係をつくることが大切であると学んだ．⑯

⑬

- **【考察】**では，このように事実と文献をもとに行った看護実践を評価すると説得力があります．

⑮

- ケーススタディの論文構成として，**【考察】**で終わるのではなく，**【結論】**と**【おわりに】**を追加するとよいでしょう．
- **【考察】**の最後の段落は，筆者である学生の個人的な学びです．これは**【おわりに】**で書きましょう．

⑯

- **【結論】**の書き方の例を下記に示しました．**【要旨】**あるいは**【抄録】**はケーススタディ全体を要約した内容が書かれますが，**【結論】**は，このケーススタディの目的とそれに対応する結論を述べます．

Ⅵ．結　論

急性リンパ性白血病で初めて入院し，大きなストレスを感じている3歳6ヵ月の患児と母親に対するストレスを軽減の看護として

1．発達段階をふまえて患児の言動を分析し，ストレスの背景を理解する．
2．患児の今までの生活や好きなことをふまえた遊びを一緒に行い信頼関係をつくる．
3．発達段階をふまえてディストラクションという手法を使う．
4．母親のストレス軽減につながるよう患児と良好な関係をつくる．
5．患児の変化を母親と共有しながら自然に母親の話を聴く．

が有効であると考えられた．

●【**おわりに**】では，課題と感じていることや今後の展望，お世話になった方々への謝辞があるとよいでしょう．もう1つ大切なことがあります．ケーススタディをまとめ公表することに関して，患者の人権を守っているかどうかという倫理的配慮です．患者の個人情報を守ったり，患者に公表の了解を得るなど，患者の人権を守るための配慮です．このケーススタディの発表の場はどこでしょうか．23頁を参考に【**おわりに**】でそのことを書き添えておくとよいでしょう．

●例えば，下記のようになります．

Ⅶ．おわりに

急性リンパ性白血病で入院した3歳6ヵ月の女児を受け持たせていただき，患児と母親のストレスを軽減する看護について多くを学ぶことができた．今回，長期入院中のAちゃんとかかわる中で，発達段階に応じたコミュニケーションや支援が重要であると学んだ．今後は学んだことを生かして，どのような年齢の患者さんにも適切な支援を提供できるようにしたいと思う．

一方，白血病や治療の副作用についての理解が足らず，看護実践として観察したり，遊びのときにリスク管理として行ったことまで述べることができなかった．白血病治療のための長期入院では，副作用が身体的にも精神的にもストレスになると予想されるので，次の機会には副作用がどのように患児と家族に影響を与えるのかもっと掘り下げて調べたいと思う．

なお，本ケーススタディは自分自身の学びの振り返りとしてまとめ，学内と実習病棟で発表するものである．Aちゃんの母親に原稿を見ていただき，公表にあたり了解を得ることができた．

たくさんの学びの機会を与えてくださったAちゃんとAちゃんのお母様，実習中に指導してくださった病棟スタッフの皆様に感謝申し上げます．

文　献⑰

1）中澤潤 監修．幼児・児童の発達心理学．ナカニシヤ出版，2011：10.

2）原田香奈，他．医療を受ける子どもへの上手なかかわり方―チャイルド・ライフ・スペシャリストが伝える子ども・家族中心医療のコツ．日本看護協会出版会，2013：20.

3）原田香奈，他．医療を受ける子どもへの上手なかかわり方―チャイルド・ライフ・スペシャリストが伝える子ども・家族中心医療のコツ．日本看護協会出版会，2013：20.

4）原田香奈，他．医療を受ける子どもへの上手なかかわり方―チャイルド・ライフ・スペシャリストが伝える子ども・家族中心医療のコツ．日本看護協会出版会，2013：78.
5）原田香奈，他．医療を受ける子どもへの上手なかかわり方—チャイルド・ライフ・スペシャリストが伝える子ども・家族中心医療のコツ．日本看護協会出版会，2013：35.
6）古宮昇．プロカウンセラーが教えるはじめての傾聴術．ナツメ社，2012：89.

⑰

- 文献の書き方には，ルールがあります．指定された書き方がある場合にはそれに従いましょう．また，書籍と雑誌では書き方が異なります．
- 本文中の著者名と，文献リストの著者名が異なりますね．書籍で監修者や編集者と実際のその原稿を書いた著者が異なる場合がありますので，著者と章のタイトルおよび，監修者や編集者と書籍名の両方を書きましょう．著者名はできるだけ全員を書くようにしましょう．一般に，著者：タイトル．出版社，巻，号，頁，年号．です．
- 例えば，下記のように表記します．

1）中澤潤，中道圭人，榎本淳子：幼児・児童の発達心理学．ナカニシヤ出版，p.10，2011.
2）佐々木美和：子どものストレス反応とコーピング方法．原田香奈，相吉恵，祖父江由紀子編．医療を受ける子どもへの上手なかかわり方—チャイルド・ライフ・スペシャリストが伝える子ども・家族中心医療のコツ．日本看護協会出版会，p.20，2013.

●講　評

このケーススタディは，小児看護実習で受け持った看護学生の実習の振り返りをまとめたものです．これを読んで，看護学生の５日間の変化がよくわかり，その成長が素晴らしいと感じました．実習での成長の要因は，患児の発達段階をしっかり判断していることと，入院前の患児の日常生活をふまえて看護をしようとしていることです．つまり個別な看護ができるようになり，実践力が向上しています．

ケーススタディは時間をおいた振り返りですが，実践の場では，実践しながら瞬間瞬間に振り返りをしています．１日１日の実践と患児の反応を観察して，次の実践につなげています．こうして実践場面をケーススタディとして記述することを通して，学生が，その時々の実践を振り返り実践知を高めていることがよくわかります．ケーススタディを書くことは，自分の実践を振り返り，実践者の実践力を高める大事なツールであることがよくわかりますね．

これを書いた学生さんは，よく文献を読み勉強していると思われます．実習中やケーススタディを指導してくれた指導者あるいは教員の影響が大きいかもしれませんが，ディストラクションという支援手法を用いて実践していること，アセスメントや考察に文献を使って自分の考えたことを裏づけていることなど，大変評価できます．

ケーススタディでは，形式的な書き方が優先されがちですが，自分の実践を客観的に書く，文献を探し読む，書いた事実と文献をもとに評価することを通して，実践力を磨くことができますね．このケーススタディはそれを証明してくれていると思います．

実例7 母性看護のケーススタディ

[1]初産婦への育児準備を促す看護支援

❶

タイトルを工夫してみましょう．タイトルは読者が関心をもつと同時に，「どのような内容について論じられているか」を念頭におきながら読むことを助けます．「初産婦への育児支援」「育児準備を促す支援」は，確かに本稿の内容と合致していますが，あまりに一般的です．せっかくテーマを焦点化して記述しているのですから，受け持たせていただいた対象者の個別性を表現してはどうでしょうか．

例として，「不妊治療後の核家族高年初産婦の退院後の生活に向けた産褥早期の支援」などはいかがでしょうか．

Ⅰ．はじめに

母性看護学実習で，初産の褥婦Fさんを受け持ち，産褥1～4日目にかかわった．Fさんは不妊治療で妊娠したため，初めての児を迎えられたことで大きな喜びを感じ，育児に前向きに取り組むものと考えていたが，実際には産褥入院中のFさんは初めて触れる新生児に戸惑い，かかわりの難しさを感じている様子がうかがえた．また，妊娠中に予定していたサポートが得られなくなったことも判明し，実習では退院後の生活に向けた準備が進むように支援した．実際には，十分に情報が得られなかったこともあり，行った看護が対象者のニーズを満たしていたか不十分さが残っていると考えている．[2]そこで，身体的・心理社会的側面の支援に向けて看護展開したので振り返ってみたい．

❷

ケーススタディでは，何を目的に記述しているかを明らかにしましょう．目的を明確に示しておくことで，書き手も読み手も，このケーススタディの目的を念頭におきながら書き進める，読み進めることができると思います．目的は，**【はじめに】**で記述することもありますし，項を独立して**【目的】**として記述することもあります．

本稿では，産後の生活のイメージ化が難しい不妊治療後の高年初産婦に展開した，産褥早期の育児技術の獲得や生活調整への支援について，その妥当性について考察したい．

Ⅱ．事例紹介

Fさん，30歳代後半，4経妊0回経産婦

【背　景】

Fさんは20歳代後半で結婚し，4年前から不妊治療を開始した．3年前から体外受精を行い2回妊娠するも，いずれも7週と11週で流産した．今回6回目の体外受精で妊娠が成立した．10代後半のころに1回人工妊娠中絶歴がある．嗜好品は機会飲酒程度で胚移植後は飲酒しておらず，不妊治療を開始する前に禁煙した（当時の喫煙指数210）．

Fさんは2年前まで正職員として勤務していたが，現在は専業主婦である．夫は7歳年上で，自営業を営んでおり，繁忙期が一定せず帰宅時刻は不規則である．経済的に特に問題はない．都市部の高層マンションに夫と暮らし，小型犬1匹を室内で飼っている．Fさんにきょうだいはおらず両親は健在で不動産業を営んでいる．実母が60歳代半ば，実父は70歳代前半で，車で30分程度の隣県に在住している．産後は自宅で生活し，実母がFさん宅に手伝いに通う予定であったが，Fさんが分娩となる前の日に転倒して足を捻挫したため，手伝いに通うことができなくなった．夫の実家は500 km以上離れた遠方で，義母はすでに他界し，70歳代後半の義父は持病があり，夫の姉夫婦の支援を受けながら生活している❸．

❸

●短い受け持ち期間の中で，生活状況や妊娠までの経過について，丁寧に情報収集されたんですね．人工妊娠中絶など，今回記述している内容に関連しない詳細な情報は，個人情報保護の視点を念頭において内容を取捨選択するとよいでしょう．反対に，後述にあるように，小型犬を飼育していることはこの方の生活状況に深くかかわっているようなので，記述したほうがよいでしょう．

【妊娠期の経過】

Fさんは不妊治療専門クリニックで心拍確認後，妊娠10週以降，自宅から車で15分程の総合病院の産婦人科で定期的に妊婦健康診査を受けていた．身長158 cm，非妊時体重64 kg，今回妊娠中の体重増加量は8.2 kgだった．妊娠初期につわりがあり，非妊時より0.8 kg体重減少したが，15週ごろに軽快した．妊娠初期検査では風疹の抗体価が低かったが，その他の感染症は問題なく，血糖値も正常値だった．尿糖が陽性で前回健診時からの体重増加が著しいときがあり，その都度栄養指導を受けた．妊娠中期に糖負荷試験が行われたが結果に異常はなかった．夫婦ともに外食が好きで，Fさん自身も脂っこくて濃いものを好んでいたため，食事内容の見直しや食間のウォーキングなどに取り組んだ．妊娠35週の血液検査でHb10.2 g/dLとなり，貧血の診断を受けて鉄剤が処方された．副作用の嘔気が強く，食事内容の見直しで対処し，37週時に10.8 g/dLに回復した．児の推定体重の推移は正常範囲内で経過し，その他超音波検査所見においても特記事項はなかった．分娩前の1ヵ月は腰痛と恥骨部痛が顕著で，体重コントロール目的の散歩や家事が思うようにできなかった．

夫や両親，義父はみな妊娠を喜んでおり，育児用品はインターネットの情報を参考にしながら準備した．通っている総合病院で開催される両親学級と，自治体の保健センターが開催する両親学級に参加したが，当初一緒に参加する予定の夫は仕事の都合がつかず参加できなかった．

総合病院では妊娠初期・中期・後期に1回ずつ助産師から個別の健康教育を受けた．妊娠後期の健康教育のときに，助産師からバースプランの紹介を受け，自宅に帰ってから夫とともに記載をした．バースプランには，都合がつけば夫に立ち合いをしてほしいこと，児が生まれたら家族3人での写真撮影を行い，児の産声を録音したいこと，母乳で児を育てたいことを記載した．

退院後の生活について，「里帰りするとからだは楽だろうけど，妊娠してから母が色々うるさくて．心配してくれてるんだろうし，初孫だから嬉しいのもわかるんだけど，ちょっとほっといてって思うことがある．最初で最後の子どもかもしれないから，夫にも子どもが成長するところを余すところなく見てほしいなって思って自宅で過ごすことにしました」と話していた．分娩に向けた入院準備について，物品は買い集めてはいたものの，封を開けずに積んでいる状態でひとまとめにしていなかったので，いつ入院になってもいいように準備を進めるよう促されることがあった．

【分娩期の経過および児の出生直後の状況】

Fさんは妊娠39週1日に，夫が仕事で不在の日中に自宅で破水したため，手配していたお産タクシーを呼んで入院した．

破水から15時間後に陣痛が開始したが，分娩第I期が20時間経過したころに陣痛が微弱になったため，陣痛促進剤を使用した．子宮口全開大後，努責を誘導することで児頭は緩徐に下降したが，高度変動一過性徐脈が出現したので母体酸素投与が行われた．会陰切開を行い，吸引分娩にて2,950 gの男児を娩出した．深夜3時過ぎの分娩であった．分娩所要時間は25時間32分，第I期24時間，第II期1時間22分，第III期10分であった．夫は陣痛が微弱となったころに仕事を終えて病院に到着し，分娩に立ち会うことができた．夫は助産師の支援を受けながら，Fさんに産痛緩和のマッサージをしたり，飲み物を勧めるなど分娩のサポートを行っていた．

胎盤娩出後の子宮収縮が不良で，出血量は胎盤娩出直後に430 mL，1時間値104 mL，2時間値40 mLで，分娩時出血量は574 mLであった．胎盤娩出後に会陰切開部の縫合が行われ，子宮収縮剤が胎盤娩出後も引き続き投与され，2時間値までに子宮収縮が良好になったことを確認して褥室に帰室となった．胎児所見も特に異常がなかった．

児は出生時体重2,950 gの男児で，アプガールスコアは1分値8点，5分値9点であった．出生直後から軽度の呻吟と鼻翼呼吸があり，酸素投与が行われた．出生後15分で呻吟は消失，20分で鼻翼呼吸が消失し，分娩室内でFさん・夫と面会し，分娩台上で初回授乳を行った．

【産褥経過】

産褥0日目

Fさんは5時30分に褥室に帰室した．Fさんが分娩した施設は，母子ともに経過に異常がなければ分娩後2時間から母児同室を行うが，Fさんは疲労が顕著で本人の希望もあり，帰室時からの母児同室を見送った.

8時のバイタルサインズは，体温36.9℃，脈拍76回/分，血圧120/83 mmHgで，子宮底は臍高，硬度良好であり，創部に異常を認めなかったため，助産師が付き添って初回歩行を行った．トイレにて自尿があったものの，排尿時にしみる感じや体動時の創部痛が強かったため，鎮痛剤が頓用で処方となった．その後朝食が配膳されたが，摂取量は主食50%，副食30%であった．Fさんは疲労と創部の痛みを訴え，午前中は休息を促すことになった.

13時，昼食は半量ほど摂取し，体温36.5℃，脈拍70回/分，血圧118/74 mmHg，子宮底は臍下1横指に触れ硬度は良好で，悪露は赤色で中等量であった．鎮痛剤が著効して創痛が緩和したため，13時より同室指導を受けて母児同室が開始となった.

Fさんの乳房はIIb型で，乳頭突出はあるものの，乳輪・乳頭が硬めで伸展は良好でなかった．児のオムツ交換を行う際や授乳の際は，❹「どうしよう」「怖い」「足を持って大丈夫？」「首がぐらぐらして折れそう」などの発言が見られた．助産師の支援を受けて交差横抱きで何とか吸着させることができたが，産褥0日目は児の首の支えが安定しないため児が乳頭に吸着するのが難しく，毎回の授乳時に助産師のサポートを必要とした.

新生児は新生児室で預かっている間，バイタルサインズは安定して推移し，初回の排尿・排便を確認した．母床にて同室開始してからもバイタルサインズは安定していたが，授乳後には軽度の四肢冷感が見られたため，Fさんに掛物で保温するよう説明された.

❹

● Fさんの育児技術のおぼつかなさに着目していたのですね．児の経過に異常がないことは記述されていますが，授乳時の児の覚醒状態や活気，開口の程度はどうだったのか，母子相互作用の視点から，母子双方の評価があるとよいでしょう.

産褥1日目

1時の授乳の際に，Fさんは「赤ちゃんが来て半日過ぎたけど全然慣れない．かわいくって抱っこしていたいんだけど，ふにゃふにゃしていて怖い」と助産師に語った．授乳の前後にオムツ交換をしたり，吸着させるのに時間がかかり，1 回の授乳に 50 分～1 時間を要した．

10 時，体温 36.8℃，脈拍 68 回/分，血圧 120/74 mmHg．子宮底は臍下 1 横指で硬く触れ，子宮底部を圧しても性器から流血は見られず，悪露は赤色で中等量であった．創部に感染徴候は見られず，創痛も軽減していたが，「大事をとって痛み止めは飲んでいます」とのことであった．児は体重 2,844 g で生理的体重減少率は 3.6%，排泄回数は排便 3 回，排尿 2 回であった．バイタルサインズは正常範囲内で経過していた❺．

F さんに学生受け持ちのあいさつにうかがった際に，「3 日もかかったので，お産は本当に大変だった．やっと生まれてきてくれてとっても嬉しい．横になりながらずっと眺めていて，首が痛くなっちゃった．だけど赤ちゃんってこんなにふにゃふにゃしてて，頼りないとは思わなかった．触るのが怖くておっかなびっくりおっぱいをやっているけど難しい」と話してくれた．

❺

産褥期や新生児期は，日数における生理的変化が大きい時期です．表などを用いてバイタルサインズの推移や，進行性変化・退行性変化，生理的体重減少・生理的黄疸などについて受け持ち期間の経過を示すとわかりやすいですね．表などを用いて読み手が把握しやすいように示すことも検討してみましょう．

【対象者の全体像のアセスメント】

F さんは 30 歳代後半の 4 回経妊 0 回経産婦で高年初産婦である．高年初産婦は妊娠高血圧症や妊娠糖尿病などを合併するリスクが高いとされるが，F さんは不妊治療によって妊娠し，児の発育・発達も正常範囲内で経過し，母子ともに大きな異常に逸脱することなく経過している．妊娠後期に貧血となったが，内服による治療は副作用のため行えず，食事内容の見直しにて改善が見られている．非妊時 BMI が 25.6 で I 度の肥満であり，妊娠中も体重増加が著しい時期があったが，運動を習慣づけることで対処しており，生活調整に対するセルフケア能力があると考えられる．

分娩期は遷延分娩ではなかったものの所要時間が 25 時間を超え，帰室してからも十分に睡眠が確保できたとは考えにくく，疲労が強いことは産褥期にも影響を及ぼすものと考えられる．

妊娠後期の貧血は改善傾向にあったものの，貧血は継続しており，分娩時出血が正常範囲を超過しているため，産褥期は貧血が進行すると予測される．さらに，産褥1日目まで退行性変化は順調に経過しているが，貧血や強い疲労によって子宮復古が阻害される可能性がある．

Fさんは母乳栄養を希望しており，分娩直後に初回直母を実施し，産褥1日目での進行性変化は正常経過にあると考えられるが，発言から児に触れることへの不安を感じていると考えられる．Fさんは不妊治療後の妊娠であり，今回妊娠までの経過で自然流産を経験していることから，児の生命力に対する不安が強い可能性がある．待望の児の出生を喜んでいる様子や，児への愛着を示しているが，妊娠期に産後の育児準備が遅れていることに対して介入があったエピソードからも，児が健康に出生することを確認するまでは，不安が強くて育児準備が進まなかった可能性がある．また，児に触れることへの不安が強いと，授乳をはじめとした育児技術の獲得が円滑に進まない可能性がある．

❻Fさん夫婦はすでに結婚してから10年を経過しており，夫婦だけの生活が確立した状況にある．夫は分娩に立ち合い，児の誕生を喜んでいるが，仕事優先の生活である．今後は，夫婦で協働して育児をしていく生活に適応していく必要があると考えられる．Fさんの実父母は健在で，Fさんは産後自宅で実母のサポートを受けながら生活することを希望しているが，実父母は60～70歳代と高齢で，Fさんを取り巻く家族の負担を調整しながら産後の生活に移行していく必要がある．

児の胎児期の成長・発達は正常経過で，AFD児であったが，分娩第II期に胎児機能不全を呈し急速遂娩にて出生した．出生直後に呼吸状態に異常が見られたが，酸素投与などの処置により胎外生活への適応はできたものと考えられる．その後の経過も順調であるが，分娩時に低酸素状態にさらされた可能性があることと，吸引分娩であったことから，頭血腫発生のリスクがあり，高ビリルビン血症が発症する可能性がある．

❻

家族のライフステージについてアセスメントしているんですね．Fさん自身の発達課題やライフステージについて検討してみると，アセスメントが深まるのではないでしょうか．30歳代後半の女性で，数年前まで職業に就いていた方なので，ご本人の考え方もしっかりしていて自立度が高いことが考えられますが，一方でできないことを他者に素直に表出しにくいことが考えられます．また，Fさんにきょうだいはおらず，甥や姪など身近に小さい子どもとかかわった経験が乏しいのかもしれません．そうすると，Fさんは子どもがいる生活をイメージ化するのは難しく，実際とのギャップがあったのではないかと考えられます．

❼Ⅲ．看護計画

Fさん母子の産褥1日目までの経過から，以下の看護課題を抽出し，【長期目標】を設定した．

#1．退行性変化は順調に進んでいるが，貧血，長時間の分娩による疲労によって子宮復古が阻害される可能性がある

【長期目標】：退行性変化が阻害されず順調に経過する

#2．進行性変化は産褥日数相当であるが，児の扱いに対する不安が強く，育児技術の獲得が遅延する可能性がある

【長期目標】：児の世話が不安なく行えるよう育児技術の獲得が進むことで，希望する母乳栄養ができるよう進行性変化が促進される

#3．新たに児を迎え，家族3人での生活に適応していく準備状態にある

【長期目標】：夫や家族との役割調整を具体的に考えることで，退院後の生活に円滑に移行できる

#4．児の子宮外生活への適応は良好であるが，高ビリルビン血症が生じる可能性がある

【長期目標】：高ビリルビン血症を生じることなく，順調に成長・発達することができる

❼

具体的なケアは**【看護展開】**の中で述べているのですね．そうするとここは**【看護課題と看護目標】**になりますね．

Ⅳ．看護展開

本稿では，退院後の生活へのスムーズな移行を促す看護に焦点をあて，上記の看護課題「#2．進行性変化は産褥日数相当であるが，児の扱いに対する不安が強く，育児技術の獲得が遅

延する可能性がある」，および「＃3．新たに児を迎え，家族3人での生活に適応していく準備状態にある」，並びに**【長期目標】**「児の世話が不安なく行えるよう育児技術の獲得が進むことで，希望する母乳栄養ができるよう進行性変化が促進される」，および「夫や家族との役割調整を具体的に考えることで，退院後の生活に円滑に移行できる」について，具体的な看護実践と結果・評価を記述する．

1）長期目標：児の世話が不安なく行えるよう育児技術の獲得が進むことで，希望する母乳栄養ができるよう進行性変化が促進される

産褥1日目のFさんは，乳房緊満はまだ見られず，圧乳して左右ともに1～2本の乳管開口が見られた．乳房はⅡB型で乳頭突出があり，朝10時の時点で発赤や乳頭痛など乳頭損傷の所見はなかった．助産師の介助を必要とはしたが，児は良好にラッチオンできていると判断できた．Fさんは身体全体に筋肉痛のような痛みがあり，毎回の授乳時に授乳室に児を伴って移動し，授乳枕を腹部に当て，それを押さえながらコットに児を抱きに行き，児を抱えた状態で産褥椅子に腰掛ける一連の動作が緩慢であり，何とかできている状況であった．授乳に対する負担感が過度になったり，乳頭損傷を生じると，授乳に対する意欲が低下するリスクがあると考えたため，Fさんの自室で毎回の授乳に学生が付き添って介助を行うようにした．また，学生からFさんに浅い吸啜だと痛みや乳頭損傷を生じることがあることを説明し，児が良好にラッチオンできているときにはそのことを伝えて，深く吸啜できていることを実感してもらうように努めた．

児の活気は良好で，産褥1日目は1～2時間おきに小刻みな授乳となった．Fさんは分娩時の疲労が強く，毎回の授乳も50分～1時間程度かかっているため，さらに疲労が蓄積されることが予測されたので，病棟の助産師から，消灯時から産褥2日目の朝食までは児を新生児室で預かり，授乳と授乳の間に休息が取れるよう配慮がなされた．

産褥2日目10時，Fさんは「昨夜は赤ちゃんを預かってもらえたので，かなり休めた気がします．少しからだが楽になりました．でも，とにかくよく泣くし，おっぱいしてもすぐ目を覚ましてしまうし，おっぱいが出てないせいなのかな．まだ抱っこも怖いから下手くそだし，助産師さんを呼ばないと上手にできないから赤ちゃんに申し訳なくて．授乳室に行くと，みんな上手にやってるし，おっぱいがよく出てるみたいでちょっと辛くなる」と話し，流涙も見られた．このときのＦさんに乳房緊満は見られなかったが，乳管開口は右3～4本，左5～6本と進行性変化は進んでいると判断した．児の世話に懸命に取り組み，乳頭損傷を起こさないよう，自ら支援を求めながら授乳を行っていること，乳汁分泌が期待するほど得られないことへの焦りも，児への愛着や母親としての役割遂行を希求していることと意味づけられると考えた．さらに，このときのＦさんはマタニティ・ブルーズの好発時期と重なり，精神的な落ち込みは生理的なものであると考えた．今後，落ち込みが持続し，育児の負担感が増大すると，自尊感情が低下する可能性があると考えた．そこで，学生としてＦさんの頑張りを労い，乳汁分泌は個人差があり，著明な分泌が見られるようになるまで2～3日かかるのが正常であることを説明し，他者と比較しないよう促した．また，分娩後20回以上の授乳に取り組んでおり，まだ不安が強くぎこちない手つきではあるものの，児を大切に扱っており，学生が授乳に立ち会いながら，Ｆさんなりの育児技術の上達が見られていることを伝えることで，Ｆさん自身が自信をもてるように支援した．

産褥3日目，Ｆさんも児の扱いにやや慣れてきており，児の抱っこが安定してきたため，助産師からハンズオフによる授乳介助が行われるようになった．しかし，横抱きだと肩に力を入れて児の顔を乳房に近づけるようにするため，吸着が浅くなってしまう傾向が見られた．乳管開口は左右ともに5～6本，圧乳すると流れる程度の分泌になっており，乳房緊満まではいかないが乳房全体に熱感が認められ，進行性変化が進んでいると判断できた．Ｆさん自身も「なんかおっぱいが流れるくらい出るようになって嬉しい．しっかり飲んでくれているといいんだけど」と話した．しかし浅い吸着の影響か，左乳頸部と乳頭頂に発赤が見られ，吸啜の最初に痛みを伴うようになった．学生から，Ｆさんには吸着時に交差横抱きを試みてもらい，深く吸着できたら横抱きになるように伝え，適切なラッチオンとなるよう慎重に進めてもらうように促した．乳頭損傷は生じてしまったが，吸着が深いと痛みは消失し何とか[8]直母は可能であったので経過観察とした．乳汁分泌量は次第に増加していく

[8] 慣例的に使用している略語であっても，きちんと正式な用語を示すようにしましょう．直母→直接授乳．

と考えられ，Fさんには児の哺乳量は排泄回数が維持されれば心配ないことを伝えたが，産褥3日目では，毎回の授乳後10〜20 mLの人工乳の追加を行っていたので，その増減や排泄回数のモニタリングについて，もう少し見守りが必要と考えられた．

さらに，自宅に帰ったのち，再度乳頭損傷やトラブルを生じる可能性があること，乳汁分泌が盛んになるのがこの日以降になると予測され，変化していく乳房の状態に合わせてFさん自身でセルフケアしていくには，何らかの支援が必要と考えられた．産褥3日目になっても，しきりに「ごめんね，おっぱいあんまり出てないね．お母さん下手っぴだよね」と児に語りかけている様子が見受けられた．Fさんは自分の授乳の手技や乳汁分泌に不安を感じていると考えられた．学生から，Fさんには乳汁分泌は今後に増加する予測を伝え，退院後も母乳育児支援が受けられることを説明したところ，ぜひ受けたいとの返答を得た．また，産褥1日目よりも児の扱いに慣れてきていること，抱っこやオムツの交換の手技も上手になっていることを伝え，Fさんなりのペースで育児技術の獲得が進んでいることを伝えた．

産褥4日目，退院診察にて母子ともに問題なく，昼前に退院となった．Fさんには，学生からFさんの自宅の近隣で開業している母乳育児支援専門の助産院や，分娩施設が行っている母乳外来について情報提供した．また，Fさん自身に乳汁分泌量や児の哺乳量への不安があったため，分娩施設の2週間健診を予約して10日後に再診することになった．

2）長期目標：夫や家族との役割調整を具体的に考えることで，退院後の生活に円滑に移行できる

Fさんは妊婦健康診査を受診している期間に，分娩入院のための準備が滞ることがあった．児へのかかわりから愛着形成は良好と考えられたが，退院後にどのような生活環境になるかをFさんと確認し，必要な調整を行う必要があると思われた．

産褥1日目はFさんの疲労が強く，不慣れな授乳で余裕がなかったので，産褥2日目の授乳のときに，退院後の自宅での生活がどのような生活になりそうか，Fさんに尋ねてみた．Fさんは，「実家が○○県で，車で30分くらいで行けるところなんです．産後は実家の母が通ってくれる予定だったんだけど，お産の前の日に家の階段を踏み外したらしく，右足を捻挫してしまったそうなんです．治るのに 3 週間はかかるらしくて…．昨日の午後にこの子に会いには来てくれたんですけど，ちょっと手伝ってもらうのは無理になってしまいました」と話した．F さんの夫は自営業で，ちょうど分娩前後に繁忙期を迎えており，退院後の F さんのサポートをするのは難しい状況とのことであった．F さんは育児に必要そうな物品は，主にネットや病院・両親学級で渡されたパンフレットをもとに買い集めていたが，居宅内の片付け・整理などは，退院後に実母が来てくれるので，実母のアドバイスを受けながら物品と一緒に準備をしようと考えていた．

学生は，F さんは産後のサポートが不足した状態にあると考え，F さんとともに退院後の生活支援に利用可能な社会資源の検討を行った．まず，毎日の生活状況を可視化するため，24 時間のタイムテーブルを用いて，必要な家事負担についてリストアップした．F さんは毎朝 8 時ごろに起床し，9 時，13 時，20 時に食事をしており，産後は児の授乳間隔に合わせて寝起きする生活になるため，買い物も含めた毎回の食事を準備するのは時間的負担が大きいと考え，宅配食サービスを紹介した．ネットスーパーについても紹介したが，居住しているマンションの 1 階が 24 時間スーパーとのことで，夫も仕事の帰りに買い物する程度のことはできるので，宅配食とネットショッピングで対処できそうとのことであった．F さんは妊娠後期に体重増加を指摘されてからは自炊に切り替え，野菜中心の食事を心がけており，産後もできればそれを続けていきたい意思があったので，宅配食であれば自炊と組み合わせて利用可能であると考えた．

掃除や洗濯は普段は F さんが 1 人で担っており，食事の準備やペットの小型犬の世話も含め，家事に毎日 5～6 時間を費やしていた．仕事の時間が一定せず，日ごろ家事を行ったことのない夫にこれらを移譲するのは難しく，F さんはこれらの家事を実母に代行してもらうことを期待していた．さらに，1 日 8～10 回にもなる授乳をしながら F さんの睡眠時間を確保し，入浴や排泄などの時間を確保する必要がある．そこで，家事代行サービスや産褥ヘルパーサービスなど，行政サービスや費用をかければ家事を支援するサービスが利用できることを情報提供した．分娩前，実母によるサポートしか考えていなかった F

さんは，この情報について興味をもったようであった．

産褥3日目，予定通りであれば翌日に退院を控え，Fさんは助産師より個別指導にて沐浴指導を受けた．児の扱いになかなか慣れなかったFさんであったが，少し不安感が軽減したころでもあり，助産師の支援を受けながら自分で沐浴を行ってみた．「赤ちゃんを落っことしそうで，本当にどうなるかと思いました．○○くん，お湯に浮かんで気持ちよさそうにしててかわいかったです．夫にも見せたいな」とFさんは笑顔で語ってくれたが，沐浴指導は30分ほどかかり，施設の沐浴槽は壁に設置されていたため立位で行うこととなり，腰痛を訴えていた．退院後は実母とともに沐浴を行う予定であったが，実母のサポートがなくなったため，自宅での沐浴方法も再検討することにした．自宅に準備したのはプラスチックのベビーバスで，浴室に置いて沐浴するつもりだったが，この沐浴指導で立って行ってみて，しゃがんだり膝立ちになって行うのは辛そうなので，自宅でも立位で行えないか考えることになった．Fさん宅はアイランドキッチンで，台所のスペースを大きく使えるため，シンクにベビーバスが入れば台所で行う計画を立てた．Fさんは夫にメールをし，シンクにベビーバスが入るか確かめてもらうことにした．産褥2日目の夕方，分娩時以来1日ぶりに夫が面会に来たそうで，前日に話した宅配食サービスや産褥の家事代行サービスについて，夫は快く利用を受け入れてくれたとのことだった．夫婦2人で実母を頼り過ぎていたこと，24時間の生活を夫にも想像してもらい，育児の負担が産前の想像よりも大変そうなこと，家事負担も大きなものとなるので，Fさんだけに負担が集中する状況を調整する必要があることを夫婦で確認したとのことだった．沐浴について，夫が自分からやってみたい，そのために仕事のやりくりをして，夜の20時には帰宅できるようにしたいと言ってくれたと，Fさんは嬉しそうに話した．夫についてFさんは，「子どものことが本当にかわいいみたい．お産のとき，『頑張ってくれてありがとう』って言ってくれたのが本当に嬉しくて．優しい人だけど口下手で，普段はあんまりそういうことを言わないので感動した」と語った．

夫以外のFさんを取り巻く支援について検討するため，学生から友人などについて尋ねた．Fさんは学生時代の友人たちよりも早い時期に結婚したが，みな自分より早く母親になっていったことから，ここ数年は疎遠になっていたとのことだった．妊娠後期になって報告がてら連絡をすると，みな祝福してくれて，育児用品などのお祝いを送ってくれたり，電話やSNSでやり取りをするようになったと話した．会社員時代の同僚には不妊治療をしていることを相談していた人がおり，辛い不妊治療に耐えてきたことを労ってもらい，それがとても嬉しかったと語った．Fさんはきょうだいがおらず，親戚など身近に小さい子どももいなかった．また，子どものいる友人とのかかわりを避けていたこともあり，結果的に乳幼児と接した経験が乏しかった．その一方で，専業主婦になってから同じマンションに居住する住人とペットを通じての交流ができ，育児について話をする機会が増えたとのことだった．

❾V．考　察

❾

受け持ち期間の経過や考察全般において，丁寧に記述してくれていると思います．ただ，記述が羅列されて冗長な印象もあります．小見出しやタイトルを活用することで，論点を焦点化しながら整理することが可能になると思います．例を下記に示します．

1）育児と並行して産後疲労を軽減するための生活調整への支援
2）児とのかかわりへの不安を軽減し，母乳育児を促進する継続支援
3）産後の生活を具体的にイメージ化することを促す生活調整への支援
4）母親役割獲得を促す出産体験を振り返る支援

今回受け持ったFさんは，不妊治療によって妊娠した30歳代後半の高年初産婦である．妊娠期は病的状態に逸脱することなく経過したが，25時間以上も分娩に要し，疲労が強く残るまま産褥期を迎えることになった．産褥入院中は病的状態に逸脱することなく，また，児の経過も正常経過であった．

Fさんは母乳栄養を希望していたが，高年出産ではさまざまな面から母乳分泌を減少させるリスクがあるとされおり[1]，その報告を参考に本ケースの振り返りをしてみたい．Fさんは分娩所要時間が長かったことで産後疲労が強く，「加齢に伴う疲労の回復に時間を要する状態」であったと考えられる．高年初産婦とそれ以外の年齢・初経産別の褥婦を比較した研究[2)]でも，高年初産婦は高年経産婦と比較して産後の自覚疲労度が高く，睡眠時間も少なく，授乳時間が長くかかっており，無理をしている傾向が報告されている．⑩ また，小さな子どもとかかわった経験に乏しく，Fさんが児や育児に慣れるには時間がかかると考えられた．加えて退院時にようやく乳房緊満が見られはじめ，乳汁分泌が増加する途上にあったため，混合栄養でかつ1日の授乳回数も10～12回と頻回であった．そのため退院後に「頻回の授乳と児の世話，慣れない育児による疲労が蓄積」する可能性が高かったと考えられる．Fさんは産後の手段的サポートが乏しいことから，慣れない育児と家事負担により，「体力消耗・睡眠不足」がより増悪する可能性があった．Fさんに家事負担を減らすために利用可能な社会資源について情報提供したことで，夫とともにFさんが退院後の生活調整について検討できたため，この悪循環を予防できるのではないかと評価した．

「体力消耗・睡眠不足」は「母乳分泌減少」につながるため，「不安が積み重なる，育児に自信がなくなる」「気持ちが不安定になりやすくなり，落ち込みやすくなる」といった，精神的な状態への悪影響につながることが考えられる．産褥2日目に，Fさんは流涙しながら児に対する自責の念について語っており，育児への自信を得られない様子が認められた．産褥2日目はマタニティ・ブルーズの好発時期であり，Fさんの気分の落ち込みは生理的なものであったと考えられるが，疲労や睡眠不足が増悪していくと，産後うつの発症へと発展する可能性があり，夫の協力や社会資源を利用することで手段的サポートを得て，休息を確保することはFさんにとって優先度が高いと考える．

Fさんは母乳栄養を希望していたが，退院時点では乳汁生成II～III期に移行する時期と考えられた．退院後に乳汁分泌が順調に増加していくか，乳房トラブルを起こさないかなど，乳房の変化が著しい時期で，初めての母乳育児に取り組むFさんにとってはセルフケアが難しい状態であったと考える．退院後にFさんが利用できる母乳育児支援として助産院について情報提供し，退院後10日目に分娩施設の母乳外来の受診につながっ

⑩
前述の**【看護展開】**では，行ったケアとその結果，それに対する評価を記述していますが，アセスメントした対象者の全体像から抽出した看護課題や，そこから設定した看護目標の評価はどうでしょうか．それらを含めて，**【はじめに】**で示した目的を達成できたかどうかを検討してみてください．

たことで，継続的な看護支援を受けられることになった．Fさんは分泌が増えないことを不安に感じており，継続的に看護支援を受けることで，母乳栄養に不可欠なエモーショナル・サポート[3)]を得られると評価した．

Fさんは妊娠中に体重増加が著しいことを指摘されてから，外食を控えて野菜中心の食事にしたり，食後の運動習慣をもつようにするなど，生活習慣のコントロールを行ってきた．また，妊娠後期の貧血では，内服による治療が難しかったため，食事療法にて貧血を改善してきた．以上のことから，Fさんは生活調整に向けた意欲があり，セルフケア能力も備えていると考えられた．Fさんは育児のサポートとして実母を考えていたが，分娩直前に実母が負傷し，実母の手段的サポートを受けることが難しくなった．産後1ヵ月の主なサポートとして，実（父）母は手段的および情報的サポートの主なサポート源になっているとの報告[4)]があり，Fさんの場合は電話などを用いて実母が情報的サポートの役割を果たせると考えられる．一方，夫は評価的および情緒的サポートの主なサポート源となっており，分娩直後や産褥入院中にFさんから語られた内容から，夫がFさんにとって情緒的サポートとなっていると考えた．さらに，タイムテーブルを用いて産後の生活を具体的に想像することを通して，Fさんの生活上の負担が可視化された．また，Fさんがそれを夫と共有しようと働きかけたことで，夫が産後のFさんの生活のイメージを共有することを可能にし，育児への協働に向けた夫の動機づけができたものと考える．しかし，受け持ち期間中に学生は夫にかかわることができず，実際に妊娠期間から夫がどの程度育児準備を進めてこられたのかが不明であった．このケースでは，夫が来院できる機会を利用して，夫への育児技術指導も検討することが必要ではなかったかと考える．

Fさんはかつての友人に連絡を取ったり，近隣住民とのコミュニティが形成されているなど，Fさん自身がすでにもっているソーシャルサポートも数多くあると考えられる．Fさん自身もそのことに気づいており，それがFさんの強みであることをフィードバックし，育児への自信を支えるかかわりも可能であったと考える．

Fさんは妊娠期に分娩入院の準備が遅れ，助産師に準備を促されたエピソードをもつ．不妊治療で多くのストレスや困難を経験した人は，その反動から妊娠後のマタニティライフに過大な期待をしたり，具体的なイメージをもてないことも多い[5]とされている．Fさんは不妊治療中に2回の流産を経験しており，妊娠の継続に強い不安を伴っていたと考えられ，今回妊娠では分娩がゴールになって育児のことを具体的に思い描くことが難しかった可能性がある．坂上は，不妊・治療経験の振り返りが十分にできていない場合に，分娩の振り返りとともに妊娠までの振り返りを行う必要を述べている[6]．今回のかかわりでは，できるだけFさんに休息を確保してほしいと考え，最小限の訪室となるように配慮した半面，Fさんが思いを表出する時間をもつことが難しかった．出産体験の自己評価は母親意識の発達を促す要素の1つであるとされ，

出産体験の自己評価に影響を及ぼす産科的要因として分娩経過や所要時間，産科処置があげられており[7]，Fさんは入院から分娩に至るまでの時間が長く，分娩促進や器械分娩を経験していた．このことから，Fさんにとって妊娠までの振り返りや，出産体験を振り返ることは，これまでのFさん自身の体験を意味づけ，育児に前向きに取り組むことを促進できた可能性がある．今後の褥婦とのかかわりでは，出産体験の振り返りを促す看護を行っていきたい⑪．

⑪
【結論】で，このケーススタディの目的に対して明らかにできたことをまとめてみましょう．

Ⅵ．結　論

産後の生活のイメージ化が難しく，育児技術の獲得の途上にある不妊治療後の高年初産婦に対する，産褥早期の生活調整への支援を考察し，以下の知見を得た．

1. 産後疲労からの回復に時間を要し，疲労蓄積のしやすい高年初産婦が，退院後の生活の中で育児と休息のバランスを重視しながら生活調整するために，具体的な生活のイメージ化を促すかかわりが重要である
2. 褥婦がもつソーシャルサポートの状況や強みをアセスメントし，その中で必要な外部の社会資源を具体的に情報提供することが生活調整に向けて有用である．
3. 夫の父親役割の獲得の支援は，褥婦が夫に対してはたらきかけられるよう支援することと，妊娠期や分娩・産褥入院中のかかわりの機会を活用することで可能になる．
4. 不妊治療後の高年初産婦が母親役割の獲得を促せるよう，妊娠前からの出産体験の振り返りが有用である可能性がある．

Ⅵ. おわりに

今回，短い期間ではあったが，Ｆさん母子を受け持ち，さまざまなことを学ぶことができた．特に産後の褥婦は分刻みで授乳，育児指導，診察，入浴や排泄・食事をこなし，休息を得る間がないほど多忙であることに驚いた．産褥入院中の少ない日数で，児の育児に慣れ，褥婦自身の心身を回復し，産後の生活調整も行わなければならず，褥婦は非常に多重課題の中で生活していることを痛感した．その中で，できるだけ対象者がもつ強みを引き出し，対象者が自分で選択しながら産後の生活に向けた調整ができることは，対象者自身の育児への自信につながるのではないかと考えた．今後は，産褥期間の短い期間にこれだけの課題達成は非常に難しいので，妊娠期からのかかわりも含めた支援ができるようになりたいと考えている．

今回，受け持たせていただいたＦさん母子ならびにご家族の皆様，ご指導いただいた病棟の助産師の皆さんに，心より深謝いたします．

引用文献

1）森田知子：不妊治療後妊娠・高年妊娠の母乳育児支援．ペリネイタルケア，36（11）：46–49，2017.
2）森恵美，前原邦江，岩田裕子ら：分娩施設退院前の高年初産婦の身体的心理社会的健康状態：年齢・初経産別の４群比較から．母性衛生，56（4）：558–566，2016.
3）NPO 法人日本ラクテーション・コンサルタント協会編：第７章退院後のフォローアップ．母乳育児支援スタンダード第２版．医学書院，pp.239–266，2015.
4）岩田裕子，森恵美，坂上明子ら：産後１か月時に褥婦が認識するソーシャルサポートとうつ症状．母性衛生，57（1）：138–146，2016.
5）小林康江責任編集：助産師基礎教育テキスト第７巻　ハイリスク妊産褥婦・新生児へのケア（2020 年度版）．日本看護協会出版会，p.347，2020.
6）坂上明子：不妊治療後妊娠における妊娠期・分娩期・産褥期のケア・ペリネイタルケア，36（11）：40–45，2017.
7）常盤洋子，國清恭子：出産体験の自己評価に関する研究の文献レビュー．The Kitakanto Medical Journal，56（4）：295–302，2006.

●講　評

母性看護における実習では，主に産褥期の母子が受け持ち対象者となります．分娩後の産褥入院日数は４～５日程度と大変短く，この期間の褥婦と新生児の生理的変化はとても大きなものです．その短い期間で対象理解をするためにコミュニケーションをとろうとしても，褥婦は授乳の合間を縫って休息をとっており，その生活ペースを阻害しないように学生がかかわるのは，意外と大変だったと思います．産褥期・新生児期の身体的変化は生理的なものなので，実習前に産褥期・新生児期の自己学習をしっかり積み重ねられていると，実習中の対象理解が格段に進むのではないでしょうか．

母性看護学では，どんな健康状態にあったとしても，その対象者なりの健康の維持・増進と成長発達を捉えるウェルネスの視点が重要になります．そのためこのケーススタディでも「看護課題」を抽出し，主に心理社会的側面の看護課題について論述されています．「看護展開」の項で毎日観察した情報やアセスメント，実施したケアとその結果が詳述されており，毎日の実習記録の中で，学生が丁寧に看護実践を振り返っていたことが伝わりました．今回のケーススタディでは，身体的側面の情報が，Ｆさんの母乳育児支援に関する進行性変化に偏って示されていました．産後の身体回復や退行性変化の状況は，母乳育児や産後の生活状況に必ず関連しますので，もう少し情報やアセスメントが記述されているとよいかと思います．

母性看護学では，正常経過をたどる対象者ほど個別性が捉えにくくなりがちですが，対象者は決して同じ経過をたどるわけではなく，対象者それぞれの個別性を捉えることが大切です．このケーススタディでは，受け持った対象者の特徴をもとに文献検討し，行った看護について評価しているところがよかった点だと思います．

実例8 精神看護のケーススタディ

❶統合失調症で入院したAさんへの看護

Ⅰ．はじめに❷

精神看護学実習では陰性症状の出現している統合失調症の患者を❸受け持たせていただいた．統合失調症の急性期症状である幻覚・妄想などの陽性症状は，薬物療法により軽減が見られる．一方，陰性症状は，意欲の低下や感情の平板化，非社交性，快楽の消失などがあり，慢性期の患者に多く見られ，薬物療法による改善は難しいとされている[1)]．また，田中は長期入院による閉鎖病棟の中での刺激の少なさは，他者と交流するコミュニケーション能力やセルフケアの低下につながっていると述べている[2)-a]．私が今まで実習で経験したコミュニケーションは，初日から患者と学生はさまざまな話題を話し合い，また学生は看護に必要となる情報を得るための会話も行ってきた．しかし，精神看護学実習でコミュニケーション能力が低下している患者と接することで，今までの経験してきたかかわり方では関係性が構築できないことを感じた．

担当患者は，入院期間も長期で陰性症状が強く出現しており，自閉的であったため，なかなか関係性を築くことが難しかった．看護については，セルフケア不足をアセスメントしても介入方法について非常に迷うことが多かった．❷このケーススタディでは，そのような陰性症状にある慢性期統合失調症患者への看護について考える．

❶

- タイトルの記載は，このケーススタディで何が記載されているかを総括した表現がよいでしょう．例えば，統合失調症には，急性期・慢性期，または陽性症状・陰性症状，などさまざまな状態があります．対象者がどの状態にあるか表現することで，読み手は内容を推察できます．また，タイトルはわかりやすい表現となるように気をつけましょう．
- このケーススタディでは，統合失調症の慢性期で陰性症状が出現している患者を対象としています．タイトルに「慢性期」や「陰性症状」を加えてみましょう．
- どのような看護を実施したのかが漠然としています．このケーススタディで自分が実施した看護の何を伝えたいかをタイトルに入れましょう．以下のタイトルはどうでしょうか．

↓

陰性症状が出現している慢性期統合失調症患者のストレングスに着目した看護

❷

【はじめに】は，ケーススタディで記載した内容の概略を紹介する部分です．どのような対象者にどのような目的で介入を行い，結果であったかを記載する必要があります．
冒頭部分で担当患者の疾患の状態について文献を用いて説明した点は，根拠をふまえてわかりやすいですね．1段落目にこのレポートの動機となる学生の経験が書かれていますので2段落目では担当患者に提供した看護の中でどこに着目したかを記載するとよいでしょう．あと，タイトルにあるストレングスについては，記載がありませんので下記のように修正してみましょう．

担当患者は，入院期間も長期で陰性症状が強く出現しており，自閉的であったため，なかなか関係性を築くことが難しかった．しかし，従来の問題解決型の思考ではなく，患者のストレングスに着目した看護展開により，患者にさまざまな変化が生じセルフケアの向上につながる経験をした．このケーススタディでは，陰性症状にある慢性期統合失調症患者へ実践した看護について振り返り，考察を行いたい．

Ⅱ．事例紹介

氏　名：A.Y氏，男性，❹年齢32歳
診断名：統合失調症
入院形態：医療保護入院
入院期間：❹2018年2月17日〜2020年現在まで
❺**家族形態（ジェノグラム）**：両親は1年前に離婚，母親と同居している．兄は同じ病気で他院に入院中である（**図1**）

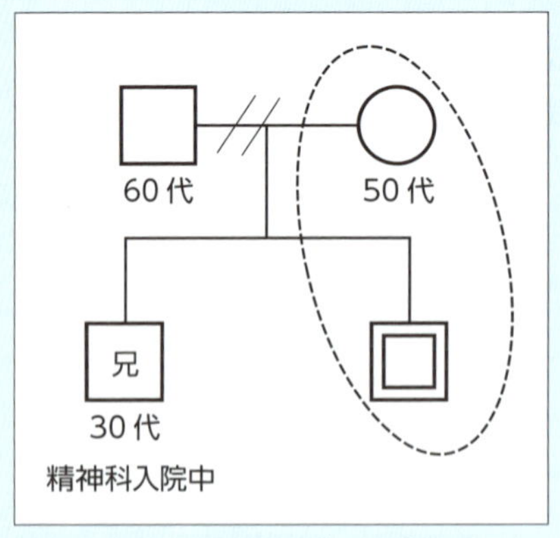

図1　Aさんの家族のジェノグラム

❸
レポートでは常体（だ・である）を使います．「受け持たせていただいた」は，「担当した」と表現しましょう．

❹
精神科では，患者がどのような家庭環境で育ってきたのかの社会生活歴がカルテに詳細に記載されています．そのため，ケーススタディでは，学生が収集した情報の記載は個人が特定されないように配慮しましょう．各学校で定める個人情報取り扱いガイドラインを遵守して記載します．氏名はイニシャルとは関係ないアルファベット，年齢は○代，入院時期も下記のように限定されないように書きます．入院期間は看護において重要なポイントになるので記載します．

氏　　名：A氏，年齢：30代
入院期間：20××年2月中旬　～　20××年12月下旬　(約2年)

❺
家族構成をジェノグラム，周囲の支援者の状況をエコマップで可視化すると，患者のキーパーソンとなる人の把握もしやすく，家族間の力動がわかるのでとてもよい方法ですね．また，家族自体に患者を援助する機能がない場合は，社会資源をどう利用するかのアセスメントがしやすくなります．

❻**Aさんを取り囲む支援**：入院前のAさんは自室にこもる生活が続いており，日中活動などで社会資源の利用はなかった．また，今回の入院は地区担当の保健師が付き添いで入院となった．そのため，現在のAさんを支える人は，母親と病棟スタッフ（医師，看護師など），保健師，病棟❻PSW，院内❻OT，である．

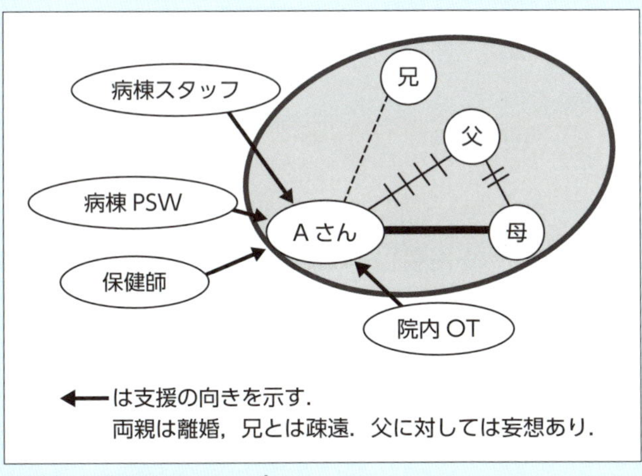

図2　Aさんのエコマップ

❼
病気の経過では，発症の経緯やその後の病気の経過を記載し，疾病経過や生活にどのように影響したかを知る情報となります．基本的に病院のサマリーやカルテには詳細に記載があります．その中から，レポートに必要な情報を抽出します．この病気の経過では，3段落に分けて患者の時期を説明していますね，時系列でわかりやすく記述できています．

❼**病気の経過**：Aさんは10代後半で統合失調症と診断された．大学に進学し精神科クリニックを定期受診していたが，「周りの人が自分の悪口を言っている」という幻聴や，「父親が自分の命を狙っている」などの被害妄想出現により半年間入院となった．大学は中退し自室で過ごす時間が増えていった．その後は，怠薬をしては症状が再燃し，入退院を8回繰り返した．親は退院するたびに外に出るように促し，簡単なバイトはしたりしたが，長続きはしなかった．

20代後半ごろより被害妄想が強くなり，トイレ以外は自室から出ようとせず，家族との会話もない状態が1年続いた．次第に独語が激しくなり自室で大声をあげるようになったAさんの様子を見た母親が心配して入院をすすめたところ，自宅を飛び出し一時行方不明となった．後日，他県で警察保護されたが地元病院から入院を断られ，B 病院に保健師付き添いで入院となった．❽以後，約 2 年の長期入院が続いている．

現在は，ときどき独語や空笑が見られるが，日常生活に支障をきたす幻聴や妄想は見られない．また，日中をほとんど自室で過ごし，ときどきホールに出て来るが，1 人で過ごし他者との交流は見ない．❽両親は入院中に離婚しており，兄はうつ病で別の病院に入院中である．父親の情報によると，「妻も病気になるかもしれない」と話し，母親は精神的に負担のかかっている状況にある．母親は隔週で A さんのお見舞いに来院している．

病院で行われている治療と看護：

〈A さんの治療方針〉

＃十分な休息を確保できる環境を提供する

＃薬物療法および精神療法で加療する

❼

- ポイントとして，①初発から今回の入院前までの入退院の回数と原因，②今回入院に至った過程，③今回の入院後の経過，という時期で記載すると情報が整理されます．また，病気の経過を①現病歴（発症の経緯とその後の疾病経過）と②入院歴（これまでの入院回数や期間）に分けて記載してもよいでしょう．

❻

- 職業の略語は，初出の際は正式名称を記載し，以後は略語を使用する，と記載しましょう．

病棟内精神保健福祉士（以後，PSW），院内作業療法士（以後，OT）

❽

- A さんは入院が 2 年間の長期入院です．入院が長期になった理由を，精神症状と入院生活の側面からもう少し詳細に書くことで，現在の状況への理解が深まります．また，精神科には開放病棟，閉鎖病棟，急性期病棟，慢性期病棟といった環境の種類があります．こういった入院環境の状況も記載すると A さんの理解がより進みますね．
- 病気の経過に家族構成の変化も記載しています．統合失調症は経過が長い病気のため，病気の経過とともに家族構成が変わり，キーパーソンが変化することもあるので，ここで記載をすることは大切です．

❾〈薬物療法〉

分3	眠前
ハロペリドール細粒　1%　5mg	ハロペリドール細粒　1%　5mg
ゾテピン細粒　10%　190mg	ゾテピン細粒　1%　1mg
ビペリデン塩酸塩錠　1%　3mg	ブロチゾラムOD錠　0.25mg　1錠
プロメタジン塩酸塩錠　10%　75mg	ラメルテオン錠　8mg　0.5錠

❿〈その他の治療と行動制限〉

週4回の病棟OTに参加

母親の面会は可能，父親に妄想を抱いているため面会時は主治医に確認

行動制限：週1回の付き添い買い物（院内）

❾

精神科の治療では，作用・副作用を観察すること，本人に確認することは重要な看護です．ここでは内服薬量の記載だけでなくAさんの看護で必要となる薬の作用，副作用も記載しましょう．また，不安や不穏時や不眠時の頓服も処方されていますので記載すると薬物療法の全体がわかります．

❿

ここでは，主治医から出ている行動制限の指示も記載するとよいでしょう．

主治医による指示「外出は看護師付き添いで院内は可」

⓫

看護計画立案にあたり，「情報収集（関係構築・服薬・会話）」「セルフケア」「患者の願い，ストレングス」に着目していることは，このケーススタディのテーマとマッチしておりとてもよいですね．また，これらの情報を総合アセスメントとしてまとめ，看護上の課題につながり連続性が伝わります．

⓫Ⅲ．看護計画

1．情報収集：実習1〜3日目

看護上の問題としてあげた情報を下記に記載する．

1）Aさんとの関係構築

（1）自室にて

実習初日，指導者と一緒にAさんの部屋を訪室すると，カーテンを閉めた薄暗い中でAさんはベッドに横になっていた．指導者が学生を紹介して受け持ちが可能か確認すると，「はい，いいですよ」と返事をして同意書に自筆サインをしてくれた．

⑫表情は無表情で発言も少ないことは陰性症状によるものと考えられるが，⑬感情がわからず不安を感じた．2，3日目も朝は自室でカーテンを閉めてベッドで横になっている．Aさんは，髪がぼさぼさで，無精髭があり⑫整容はできているとはいえない様子である．指導者からの情報では，入浴は看護師に促されて週に1回入り，整容に関しては看護師の促しで行う状態であるという．

（2）服薬の場面

昼食後の服薬時間の際に，患者らは自分でナースステーションまで薬を取りにきているが，Aさんは取りにみえず自室にいる．看護師が訪室して薬を渡している．「Aさん，薬の時間になったらナースステーションまで取りにきてくださいね」「…はい」との会話があった．渡された薬は拒否なく内服していた．

（3）Aさんとの会話

実習1,2日目：Aさんとの会話は，学生の促しでフロアに出てきてもらい「今日は何かやりたいことはありますか」「ないです」と言う，学生が一方的に質問をする会話で長続きしなかった．

⑭3日目：午前中，訪室してもベッドに寝ており，学生のあいさつにも返事はない．午後に訪室した際にフロアで活動をしないか誘うと「今日はいいです，自分は汚れているので」との発言があり出てこなかった．⑭被害妄想により行動ができなくなることがあることを知り，今後のかかわり方に反映する必要を感じた．

⑫

ここでは情報だけを記載し，この部分はアセスメントに追加しましょう．

⑬

自分の感情は，ここでは記載せずに考察で振り返りとして記載するとよいでしょう．

⑭

3日目に起きた学生のかかわりを拒否した出来事は，とても重要な場面です．この内容はぜひ**表1**のセルフケア・アセスメントに記載しましょう（**表1 斜体に追加**）．内容としては，以下のように記載します．

3日目のAさんに生じた変化は，学生が受け持ちとなり，今まで自閉的な入院生活であった日々が変化し，疲れにより被害妄想が一時的に強くなった可能性がある．しかし，この拒否はAさん自身が自分を守るためのサインでもある．今後は疲労のサインとしてAさんの言動に注意してかかわることが必要である．

2. アセスメント

1）セルフケア・アセスメント

表1 ⑮Aさんのセルフケア・アセスメント

セルフケア要素	レベル	能力のアセスメント
空気・水・食物（薬）	2	病院で出された食事は全量とれているが，人と話さず短時間で食べている．売店に週1回付き添い買い物に行き，自室で1人食べている．入院してから⑯体重が10kg増加しており，摂取カロリーと活動量の確認が必要である．現在，拒薬はないが自己管理はできず看護師に促されて内服している．主治医との会話は手紙を渡している．
排泄	4	排尿，排便回数に問題はなく，下剤も使用していない．
個人衛生	2	看護師に促されて入浴をしている．整容は，髪がぼさぼさで髭も伸びている．*追加：「自分は汚れている」という妄想．*
活動と休息	2	日中は自室にこもってほとんど臥床している．日中，フロアで過ごすことはなく，看護師に促されて病棟作業療法に参加している．病棟のレクリエーションに自分から参加することはない．学生の促しで卓球は行い，楽しそうな様子．*追加：対人関係による疲労により妄想が強くなり活動が低下する可能性がある．*
孤独とつきあい	3	他の患者との交流はほとんどなく，作業療法でも1人で塗り絵をして終わると自室へ帰っている．自分の思いを表出することが苦手な様子でためこんでしまう傾向がある．
安全を保つ	4	自傷行為などの危険な行動はない

セルフケアレベル　1：全介助，2：部分介助，3：支持・教育，4：自立

⑮
セルフケアを表にまとめたこと，そしてレベル評価したことで，Aさんの状態がとてもわかりやすいですね．実習終了後に再度この表で評価をすると，さらに改善したことがわかりますね．

⑰ 2）患者の希望や願い

退院して勉強がしたい
一人暮らしをしてみたい

⑰ 3）学生が捉えるAさんのストレングス

将来大学で学びたいという希望がある
卓球が好きで長時間集中できる

⑯
入院生活中の体重増加について記載がありますが，体重や身長，BMI，血液検査などのデータがありません．追記しましょう．

Point ⑰
精神科では，患者の希望や目標を共有すること，そして患者のストレングスに着目することがとても重要です．このケーススタディにおいてもAさんのストレングスを記載できています．着目できたことで，Aさんに変化が生じていましたね．

⑱ 4）総合アセスメント

①Aさんは，統合失調症慢性期の症状の，自閉・意欲の低下・感情の鈍麻などの陰性症状が強く，急性期に見られた幻聴や妄想は残存しているが日常生活上の問題行動は見られず，活動の低下が見られている．拒薬はないが，自ら服薬時間に内服する行動はとれていない．自分の思いを語ることが少ないAさんが，薬の内服に対する思いを表出してもらうことは，服薬行動への重要なアプローチになると考える．

Aさんは日中ほとんどの時間を自室ベッドで横になっている．これは向精神薬の副作用による日中の眠気と陰性症状によるもので，活動量は少ない．入院後，体重増加も10kg認められているため，日中の活動量を増やし生活リズムをつけることは生活習慣病の予防にもつながると考えられる．促すとフロアに出てきて卓球などは一緒に行ってくれる．卓球は好きな様子で，表情は硬いが楽しそうな雰囲気になる．Aさんが好きな活動に着目し，活動量を増やす必要がある．

②現在のAさんの整容に関する行動は，自発的に行っている行動は歯磨きだけで，その他の髭剃り，髪を整えるなどの身だしなみを整えるなどは看護師の促しでできている．これらは陰性症状の意欲の低下や長期間の入院によるものであると考えられる．

本人は自分が他者からどう見られるかという意識は低く，信頼関係を構築する中でこれらの習慣が段々と身につけていくことが重要である．

③Aさんは陰性症状も強く，他者との会話や交流もほとんどない生活が続いている．学生との会話もまだ学生の質問に答える一方通行な会話が多いが，退院して大学にまた通いたいと希望を話した．また，主治医との面接のときには会話で自分の思いを伝えることが難しいため手紙を渡しているが，母親や病棟スタッフにはそのような方法はとっていないという．Aさんが自分の思いを他者に伝えることは，退院に向けて重要な支援となる．実習3日目では，Aさんが学生とのかかわりを拒否する場面も見られた．そのため，Aさんが負担にならずに表出できる方法を検討する必要がある．

⑲**3．看護上の課題**

①日中自室での臥床時間が長く，自発的に内服ができない

②洗面，入浴，更衣などの整容習慣が不足している

③自分の思いを他者に言葉で伝えていない

⑳**4．看護目標と具体策**

㉑**①日中の臥床時間が軽減し，生活にリズムをつくることで内服を自発的に行える**

- 毎朝訪室し，1日のスケジュールをAさんと決める．Aさんが1人で過ごす時間やペースを尊重する．
- 朝のバイタル測定時に薬の内服行動ができたか確認する．忘れた場合は，対処方法を一緒に考える．
- 病棟内作業療法のある日は，朝のスケジュールを立てる際に参加を促す．
- Aさんがフロアで好きな活動を行うように支援をすると同時に，実施できたときはポジティブフィードバックをして自尊心とやる気を高めるかかわりを行う．

⑱

総合アセスメントを，①活動　②整容　③対人関係，の視点で記載していることは，ケーススタディの目的に沿っておりよいと思います．しかし，①には実習3日目で起きたAさんの学生への拒否から学んだ**Aさんのペースや気持ちを尊重したかかわりの記載**も必要です．また，ここに体重増加に関するアセスメント，客観的な指標となるBMI，血液検査なども追加記載されるとよいですね．

⑳

看護目標は，長期目標と短期目標①〜③の記載にするとよいでしょう．長期目標は治療方針に沿って，慢性期の場合は退院や転院を目指す大目標となります．短期目標は長期目標が達成されるために必要な目標となるため，達成期間が目標ごとに異なります．短期目標がどこまで達成できているかを意識して**【看護の実施・評価】**を記載していきましょう．

⑲
看護上の課題は多く抽出されます．その中から，ケーススタディの目的に沿って課題を絞り記載できています．

㉑
①はAさんの好きなことを日中に取り組むことで活動時間を増やし，生活リズムを整えていくことを目標としています．具体策にはAさんのストレングスに着目もしていますので，目標を以下のようにしてはどうでしょう．

Aさんの好きなことを行うことで臥床時間が減少し，自主的な内服行動がとれるようになる

②洗面や更衣などの整容習慣を身につけていくことができる
・Aさんと朝のスケジュールを決める際に，入浴日である日はそのことを伝え，入浴するかを決めてもらう．
・整容行為ができているときには，できたことをポジティブフィードバックする．
③学生と会話をして自分の思いを他者に話すことができる
・Aさんと一緒の時間を過ごし信頼関係を築く．
・Aさんが自分の思いを話しやすい環境をつくる．
・学生は質問だけでなく，自己開示も行いながら会話を続けていく，ゆっくりと話す時間とする．

㉒
看護の実践は，毎日行う3つの場面で記載されて状況の変化がわかりやすいです．また，評価でアセスメントも行っているため，日々の達成と課題が見える文章です．例えば，最後にAさんに生じた変化として表1「セルフケア･アセスメント」を用いて再評価するとさらに実践の効果が可視化できますね．

㉒Ⅳ．看護の実施・評価

看護目標①②③の実践と評価を示す．

〈実習4日目〉
朝の訪室：朝のバイタル測定のために訪室する．室内はカーテンを閉めていて暗いが，㉓学生を待っているかのようにAさんはベッドに座っていた．学生があいさつをすると，Aさんは無言でカーテンを開けてくれたが表情は乏しい．髭も髪も整えていない．朝食は何を食べたか質問すると「パンでした」と返事があった．服薬行動の確認では，昨日の夕食後薬，眠剤，

㉒
【看護の実践と評価】では，実施した事実を**実践**に記載し，**評価**にはアセスメントとプランの修正について記載します．目標を修正する場合は，目標に追加として修正版も並記しましょう．

朝食後薬は「寝ていました」との返事で取りに行くことはできていなかった．

スケジュール作成：学生の促しでフロアに移動する．A さんと相談し，疲れているときは無理に学生と活動をしなくてよいこと，A さんのペースを優先することを決めた．その際に，これから朝に 1 日のスケジュールを作成することを提案すると，A さんは「いいですよ」と同意した．そこで，今日の予定を質問すると「特にないです」と言う．[24]午前中は男性入浴であること，フロアでの会話やゲームを提案すると「風呂は入りません，卓球ならやります」との返事があり，午前中に会話と午後に卓球をするスケジュールを一緒に立てた．スケジュールに内服薬時間が記載されていないため，学生が「お昼の薬はどうしましょうか」とたずねると，「昼飯の後に行きます」と返事があった．

日中の活動と会話：A さんと学生は，午前中 1 時間会話を行った．学生が質問することが多かったが，「自分の見た目が好きじゃない」という発言に対して，「初めて会ったときに俳優の B さんに似ていると思いました」と伝えると，初めて少し笑顔を見せて「前にも一度言われました」と返事があった．午後は，学生が誘って卓球場所に行くと，人がたくさんいる状況を見て A さんは，「後でいいです」とすぐに自室に戻ってしまった．人が少ないときに再度誘うと，出てきて卓球を一緒に 1 時間行った．試合で学生に勝つと嬉しそうな表情をしたり，機敏に動くなど卓球は上手であった．疲れていないか確認すると，「大丈夫です，汗かきました」との発言があった．昼食後薬について聞くと「看護師さんまで取りに行きました」と A さんは答えた．学生は，「ちゃんと内服時間に薬を飲めたのですね，すごいですね，嬉しいです」と内服行動に対して肯定的に返した．

[23]

これは，学生の主観となりますので実施では事実を書くようにしましょう．

[24]

主語がない文章になっています．レポートでは，主語と述語は意識して記載しましょう．

評価：A さんのペースと気持ちを尊重するかかわりを続けることで関係が構築できるように意識した．午前中は，「はい，いいえ」という返事が多く無表情であったが，「見た目が嫌い」という本音が聞けたために，学生が感じている A さんのイメージを伝えたところ，初めて笑顔を見せた．午後に卓球をした際には，表情が和らぎ楽しそうであった．しかし，人が多い場では表情が強ばったため，まだ多人数の中にいることは緊張するのかもしれない．服薬は自ら内服行動はとれていないことが多いが，まずはできたところからポジティブフィードバックを行い，やる気を高めてもらうかかわりが必要である．

〈実習 5 日目〉

朝の訪室：学生が訪室すると，部屋はカーテンが閉まり A さんはベッドに座っている．学生が部屋に入ると，カーテンを開けてくれた．A さんは，髪は寝ぐせがついているが髭を剃っていた．学生は A さんの変化に気づき，「A さん，髭を剃ったのですね，俳優の B さんにやっぱり似ています」と伝えると，少し恥ずかしそうに「そうですか」と笑顔を見せた．昨日の服薬について聞くと夜と眠剤は取りに行けたが，朝薬は「寝ていました」と答え，看護師促しで内服していた．

スケジュール作成：学生の促しにて，フロアでバイタル測定とスケジュール作成を行った．今日の予定を A さんに聞くと「風呂に入ります」「昼の薬取りに行く」と自ら予定を話した．

日中の活動と会話：午前中に A さんは入浴を行った．入浴後は髪をセットしていた．学生は，「A さん，昨日は卓球で汗をかいたのでお風呂は気持ちよかったですか」と聞くと「さっぱりしました」と返事があった．「髪もセットしたのですね」と学生が声をかけると恥ずかしそうな様子を見せた．午前中は学生とフロアでトランプを 1 時間ほど行う．表情は豊かではないが，時折笑顔が見られ，その場を楽しんでいる様子だった．午後に訪室すると，ベッドで臥床している．[25]「いつも昼食後は 1 時間午睡をとります」と A さんは話した．昨日，午睡について確認したときは，「あまり寝ないです」と話していたので，発言が異なることに違和感を覚えた．

昼食後薬は自分で取りに行くことができていた．午後は A さんが自室から出てくることはなく，見守ることにした．

評価：整容に関する意識の変化が髭剃りや髪のセット，入浴回数から認められる．日中の活動もフロアで過ごす時間が増えてきている．ただ，自閉的な生活が長いため，人の多いフロアで過ごすことは疲労にもつながっていると考えられ，午後は臥床していた．本人の活動の様子や疲労の度合いを観察し，日中の活動時間を増やしていく必要がある．内服については，朝薬以外は内服できるようになってきている．

〈実習 6 日目〉

朝の訪室：部屋はカーテンが閉まり，A さんはベッドに座っている．学生が入室するとカーテンを開けてくれる．髭は今朝も剃り，髪はまだ整えていない様子．「A さん，髭を剃っているほうが似合いますね」と伝えると，「ありがとうございます」と表情が和らぐ．フロアに移動する前に洗面所で自ら髪を整えている．内服薬の確認では，朝薬以外は自ら行動できていた．本人と朝薬を忘れないようにする方法を考えたところ，「目覚まし時計をセットする」となった．「今日やってみます」と A さんは話した．

25

午睡については，評価の中で午前中の活動の疲れとアセスメントできています．では，発言が異なることについてもアセスメントしてみましょう．統合失調症という特性から，自分の意思を伝えることが苦手な人，A さんの内服量，眠気の出現する時間，などさまざまな側面からアセスメントができます．少しの変化も見逃さず次のケアに活かすことが，信頼関係の構築にも作用します．

スケジュール作成：A さんからフロアに移動する．バイタル測定とスケジュール作成を行った．本人に予定を問うと，「卓球と昼の薬を取りに行きます」と返答する．本日は，午後が病棟のクリスマス会のため，学生が参加を誘うと「はい」と答えた．

日中の活動と会話：午前中，A さんと卓球の場所に来ると，学生の 1 人が「一緒にやってよいですか」と声をかけてきた．A さんは「はい」と答えたので 3 人で卓球を行った．

卓球をしている時の A さんの表情は，穏やかで少し笑顔が見られた．途中で，A さんが「あの人（患者 B）を誘っていいですか」と B さんを誘って一緒に卓球を行った．昼食後，薬は自分でステーションまで取りに行くことができていた．午後はクリスマス会で病棟内の患者が多くフロアに集まっていた．Aさんから他患者に話しかけたり発言することはなかったが，ゲームを他者と協力して行ったり，ケーキを皆と食べて「久しぶりにケーキ食べました」と嬉しそうにする場面が見られた．学生は「Aさんとクリスマス会を一緒に過ごして楽しかったです」と伝えると，Aさんは頷いていた．

評価：朝薬が内服できない理由が「寝てしまう」とのことであり，どうすれば解消できるかを一緒に考えた．Aさんだけでは方法が考えられなかった様子であり，生活の細かい部分に支援がまだ必要であることがわかる．活動では，学生とかかわることに慣れることでクリスマス会という多数の人の中で過ごすことに免疫ができたようである．集団の中にいるAさんを見ることで，新たなAさんの側面に気づけた．

〈実習7日目〉

朝の訪室：学生が訪室するとAさんはすぐにカーテンを開けた．髭は剃っており，髪はフロア移動時に整えている．学生が朝ごはんの内容を問うと，「ごはんと味噌汁と納豆と…あと何だったかな，ほうれん草のおひたしみたいのでした」と長文の返答があった．内服は朝薬のみできていなかった．「目覚まし時計を止めていた」と話した．[26]薬に対してなぜ内服しているか質問すると「退院するために飲んでる」と返答があった．

スケジュール作成：学生の促しなしでAさんからフロアに出て，バイタルを測定した．予定を確認すると，「風呂と卓球したいです，あと昼の薬だね」と自ら入浴を希望した．実習最終日であるため，最後の話ができないか学生が聞くと「いいですよ，もう最後ですか…」と返事があった．

日中の活動と会話：午前中にAさんと卓球を1時間行った．Aさんが勝つと嬉しそうな笑顔を見せた．昼食後薬は自ら内服行動ができていた．午後に入浴をした後に，学生との最後の会話を行った．「学生さんの受験はどんな感じだったのですか」と質問し合う和やかな時間を過ごした．最後に[27]学生が実習で感じたAさんのよいところを記載した自作のメッセージカードを渡すと，「嬉しいです，いつ作ったのですか」と喜ぶ様子を見せた．学生が点数を聞くと「100点」と答えてくれた．

評価：朝薬は昨日対策を検討したが，目覚ましを止めて寝て

[27] 陰性症状の出現していたAさんに対して根気強くかかわり，健康的な側面を引き出せていましたね．1つのストレングスがさらに次の健康な側面を引き出していました．セルフケアの改善やコミュニケーション力の変化もよく観察して援助できていたことが記載されています．Aさんもフィードバックされて実感していたと思います．

いたことからさらなる対策が必要である．また，Aさんの服薬への思いについて「退院のために内服している」ということがわかった．退院後に内服を継続するためには，さらなる服薬意識を変えるかかわりが必要である．

また，学生が毎日かかわり自分の思いを伝えAさんの反応を待ち続けたことにより会話が増え，学生への興味も出てきた．そして他者を意識した整容行為も改善が見られた．

㉖

この場面は，Aさんの内服に対する核心的な部分を話してくれています．Aさんが退院後に内服継続できるかの評価となりますね．学生はどのように返答したのでしょうか．おそらく戸惑ったのではないでしょうか．とても重要な場面ですので，会話の展開を丁寧に記載するとさらにAさんの理解が深まります．

㉘Ⅴ．考　察

1．自己開示を意識して進めた関係構築について

陰性症状は，正常な精神機能が減弱し本来あるはずの精神活動が失われた状態にあり，自発性，感情，意欲，興味などが低下し，感情鈍麻，会話の貧困などから疎通の困難さにつながるという[3)]．Aさんの担当となり，最初のころは，表情も乏しく会話もない中で早く関係構築をしなければ，と焦る気持ちで学生から質問ばかりしていた．

実習3日目にAさんからかかわりを拒否され，「自分は汚れている」という被害妄想の発言も聞いたときに，このままではAさんは学生を信用できず関係性が発展しないと実感した．そこで，4日目以降はAさんが話すまで沈黙して待つことや，沈黙も一緒に過ごせる時間として焦らないよう心がけた．また，Aさんが返答した後は自分のことも伝えるようにした．4日目に「自分の見た目が好きじゃない」というAさんの発言に対して，学生がAさんをどう見ているか伝えたことは，Aさんの健康的な自尊心に働きかけ，髭剃りを毎日できるような行動変容が生じた重要な会話となった．

自己開示にはいくつかのレベルがあり，初対面などでは趣味，職業，最近の出来事など表面的な自己開示が多く，親しくなるにつれ，自分の性格や悩み，今後の不安など内面的な自己開示

も多くなるという[4]．つまり，初対面やあまり親しくない相手に対して，いきなり内面の深い自己開示をすると，相手は自分にも同様の自己開示を期待しているのではいかとプレッシャーになり，関係構築にはマイナスに作用するというのだ．Aさんとの関係では，学生が自己開示を始めたタイミングが，関係構築のうえではプラスに作用したと考えられる．そのようにAさんと学生の関係が徐々に構築されていく過程で，実習6日目には学生と患者の2者関係から他の学生との交流やクリスマス会参加，という集団の交流に参加できるまでになった．

実習7日目に学生が気づいたことは，Aさんの話す会話が長くなっているということである．初日に朝食を聞いたときは「パンです」しか答えていなかったAさんが，最終日はメニュー内容をすべて答えてくれるまで変化していた．遠藤らは，陰性症状により意思疎通の困難さがあったとしても安心して生活できるように，病気や障害を理解したうえでかかわりをもてる専門職が身近にいることが患者には必要であると述べている[3]．学生はAさんの障害を理解して，コミュニケーションも焦らず待ちながら進めていった．そのかかわりがAさんに安心をもたらし，学生を受け入れることにつながったと考える㉙．

2. 自発性を高めセルフケアを高める支援

田中は「入院していても患者の精神面がすべて障害されているわけではなく，なかには精神的に健康な面がたくさん残されている」㉚[1]と述べている．Aさんは，陰性症状と長期入院というホスピタリズムの影響から，セルフケアの中で整容行為，自発的な日中の活動と内服行動が低下していた．しかし，かかわりの中でAさんの健康な側面，卓球が上手であること，将来は一人暮らしや大学にもう一度通いたいという夢をもっていることを知った．そこで，Aさんの健康的な側面にも着目し，Aさんがやりたいと思う1日のスケジュール作成を提案した．Aさんは卓球を好んで予定しており，毎日学生と卓球を行うことで日中の臥床時間が減少した．そして，好きな卓球を通して担当以外の学生と対戦するなど他者との交流が広がり，表情に変化が生じていた．そして，運動後に汗をかいたから入浴したいという健康な欲求が引き出された．また，内服行動については，スケジュールを立てたことで朝薬以外の薬は自主的に内服行動ができるようになった．それまで私は患者に対して問題解決思考で実習をしてきたが，A さんの看護では，精神看護学実習のように患者の健康な面，ストレングスに着目し，その力をさらに引き出す看護でないと変化は生じなかったと考える．

一般的に統合失調症患者は，自分の自我を守りながら相手との距離を少しずつ縮め関係を育んでいく技術が不得手であるという[30][2-b)]．実習 3 日目に A さんは学生との対人関係がストレスとなり，自分の部屋に閉じこもる自閉がひどくなってしまった．そのときに学んだことは，A さんが負担にならない距離感を保ち，焦らずに信頼関係を築くことが重要であるということである．A さんが学生との関係に安心でき，自分のことを受け止められ肯定される経験を重ねることで，内面に抱える葛藤も表出してよい対象であると認識が変わるのだと考える．内服薬について，実習中 A さんはあまり思っていることを語ろうとしなかった．最終日に「退院するために飲んでいる」という，内服薬に対する思いを語ってくれた．最終日でありこの思いには介入できなかったが，退院を目指す A さんにとって重要な認識でもあることはわかった．今まで服薬指導は何度も受けている患者が必要性を認識することがいかに大変か A さんから学んだ[31]．

文　献[30]

1）武井麻子：精神看護学② 精神看護の展開．医学書院，2020.

2）田中美恵子：精神看護学 第 2 版．医歯薬出版．p.110, pp.107-130, 2016.

3）遠藤淑美，徳山明広，南方英夫：統合失調症の看護ケア．78. 東京：中央法規出版.

4）伊藤大輔，尾形明子，国里愛彦ら：対人援助と心のケアに活かす心理学．東京：有斐閣：2017. 94.

㉘

- **【考察】**は行った看護について文献を用いて振り返ります．**【はじめに】**で記載した目的に合った考察となるようにしましょう．
- 考察の中で1．2．と項目立てして記載しているため，何についての振り返りをしているかがわかり読みやすいですね．1．は自己開示による関係構築で内容を丁寧に表現しています．2．は「自発性を高めてセルフケアを高める支援」とありますが，内容はストレングスに着目した看護によりセルフケアや対人関係が向上した内容となっています．2．のタイトルを以下に修正してはどうでしょうか．

2．ストレングスに着目した看護とその効果

Good ㉙

考察の構成がよいと思います．１．では，Ａさんとのコミュニケーションに学生が葛藤を抱えながら自己開示の大切さに気づき，自己開示によりＡさんと関係構築が進み，対人関係の広がりや長時間の会話ができるようになった過程が文献で裏づけされています．

また，２．では，Ａさんのセルフケアの低下の要因について文献を用いて裏づけ看護の根拠を示しています．そして，看護の視点を問題解決型でなくストレングスに着目することで，セルフケアが向上していく過程について文献を用いて考察ができています．Ａさんのように，精神科看護では１つの効果が他のセルフケアなどに横断して影響することがあります．そういう点では記載が難しかったと思いますが，わかりやすく記載できています．

㉚

- 文献の記載にバラつきがあります．一般には，　著者：タイトル．出版社．巻．号．頁．年号　となります．記載順はアルファベットか五十音順で記載します．実際に文中で引用した場合は，頁数も記載します．同文献で2か所の引用がある場合は，2）田中の文献のようにa，bと引用箇所を区別して掲載します．
- また，ケーススタディの構成として，文献は**【Ⅳ．結論】**のあとに**【文献】**と記載しましょう．

1）武井麻子：精神看護学② 精神看護の展開．医学書院，2020．
2）田中美恵子：精神看護学 第２版．医歯薬出版，2-a:p.110，2-b:p.112，pp. 107-130，2016．

㉛

- ケーススタディの構成として，**【考察】**で終わらず**【結論】**を追加しましょう．例として下記に示しました．

Ⅵ. 結　論

長期入院により陰性症状が出現している慢性期にある統合失調症患者に対するコミュニケーションとセルフケアの向上への看護として

1. 患者のペースを尊重し，会話がなくとも一緒に過ごす空間や時間を待ち楽しむ姿勢でかかわる.
2. 患者との会話における自己開示は，関係構築に伴い開示内容を変化させる.
3. 患者とともに１日のスケジュールを作成し評価を行う.
4. 患者のストレングスに着目したケアを提供し，１つできたときには肯定的にフィードバックで自尊感情を高める発言を続ける.

以上が有効であると考えられた.

●講　評

２週間という短い期間の中で，関係構築が難しい患者を理解したいと真摯な態度で向き合う実習の様子が伝わってきました．レポートで，情報収集とアセスメントから視覚的な工夫を行い，実施評価と考察では文献を活用して根拠ある看護展開を報告できていたと思います.

統合失調症の陰性症状の特性を捉えるために学習の前半は，観察とアセスメントの難しさ，そして介入の糸口が見つからない苦戦であったことがレポートから感じされました．しかし，講義で学んだ患者のストレングスに着目した看護展開を行ったことで，患者は自尊感情や意欲，楽しさ，喜び，という自閉生活では得られなかった感情を再獲得していました．特に，陰性症状がもたらすコミュニケーション力の低下や，セルフケア能力の低下に着目して介入できたことは高い評価ができます．医療者が患者の潜在能力の存在をあきらめないことがいかに重要かを学ぶことができるケーススタディでした.

最後に課題として，自閉傾向にある患者で着目してもらいたい側面に「身体の状態」があります．今回の事例では，自閉生活が続き体重の増加が認められていました．このような状態にある患者は，身体面での訴えを自らすることはほとんどありません．だからこそ，看護師はさまざまな客観的なデータを集め，メンタルの状態がもたらすフィジカルの不調もアセスメントし，ケアできるようになりましょう.

実例9 地域看護のケーススタディ

❶

提出日　〇〇〇〇年〇月〇日

❷**脳内出血後遺症をもつ在宅療養高齢者を支える家族介護者の看護について**

学籍番号　201234
氏名　〇山□美
担当教員　〇川□子

❶

- 看護研究やケースレポートでは表紙をつけます．表紙には，テーマ，学籍番号，氏名，提出年月日を記載します．学校や課題によって課題名，実習名，担当教員名，実習指導者名などを記載することもあります．また，表紙をつけずに本文に課題名，実習名，担当教員名，実習指導者名などを記載することもあります．学校や課題で指定された通りに作成しましょう．
- なお，表紙のほか，本文の記載についてもフォントやポイント，文字数や行数，段組み，余白，見出し，引用文献の記載方法，図表の書き方などが指定されることがあります．規定を確認して，指定された通りに記入しましょう．

❷

テーマは，読む人にこのケースレポートで何が書かれているかを最初に伝える大切な情報です．適切なテーマをつけることで読みたいという関心を多くの人にもってもらえます．このケースレポートでは，家族介護者の介護負担と訪問看護師の支援について取り上げています．テーマに家族の介護による負担と訪問看護師による支援を入れると内容がより明確になります．

↓

脳内出血後遺症をもつ在宅療養高齢者を介護する家族の負担と訪問看護師による支援について

❸**抄録**

テーマ：脳内出血後遺症をもつ在宅療養高齢者を介護する家族

の負担と訪問看護師による支援について

学籍番号 201234

氏名　○山□美

研究目的：本研究では，脳内出血後遺症をもちながら療養生活を送る高齢者を介護する家族が抱える介護の負担について明らかにする．さらに家族介護者が抱える介護の負担への訪問看護師の支援について考察する．

方法：在宅看護学実習で訪問した脳内出血後遺症をもちながら療養生活を送る高齢者とその家族介護者を対象に，実習記録や同行訪問の会話や観察などの情報から介護者の抱える介護の負担や訪問看護師による支援の実際を振り返り，訪問看護師の支援について考察した．

結果：脳内出血後遺症により左上下肢の不全麻痺をもつ療養者の介護は生活全般におよび，介護する家族は移動の介助による腰痛や排泄介助による睡眠不足による血圧の上昇のような身体的な負担，介護の不安や疲労によるイライラなど精神的負担，外出の機会の減少など社会的負担のさまざまな介護負担を感じていた．訪問看護師は，介護者の健康状態を確認することで介護負担のアセスメントを行い，身体的負担には具体的な介護方法，効果的休息の助言，精神的負担には不安の傾聴や介護へのねぎらい，社会的負担では介護サービス利用を促すなどさまざまな支援を行っていた．一方，介護は家族のやりがいのようなプラス意識にもつながっていた．介護サービス利用では介護サービスの利用を自己決定できるように家族を支援していた．

考察：脳内出血後遺症をもつ療養者の介護を行う家族は，身体的や精神的，社会的な負担を感じていた．訪問看護師は，家族の介護負担をアセスメントし，負担軽減のためのさまざまな支援を行い，介護のプラスの側面である家族のやる気を支えていた．家族の介護の継続を支えるためも介護負担の軽減とやる気を支えることが大切である．

❹**キーワード**：脳内出血後遺症，在宅療養者，家族，介護負担，自己決定

❸

●看護研究や研究レポートでは，要旨や抄録をつけることがあります．本文の内容を簡潔に述べたものです．400字や800字程度でまとめることが多く，まとめ方は研究目的，

方法，結果，考察と項目を立てる書き方と項目を立てないでまとめる書き方があります．今回は，項目を立てて，800字程度で記入しています．

❹

卒業研究や論文，学会発表の際にキーワードを5つ程度設定することがあります．ケースレポートの内容を反映する言葉を選びましょう．このケースレポートでは，脳内出血後遺症をもつ在宅療養者の介護を行う家族の介護負担について書かれていますので，脳内出血後遺症，在宅療養者，家族，介護負担の4つを取り上げました．また，介護サービス利用の際の本人と家族の自己決定について書かれていますので自己決定を5つ目に追加しています．

Ⅰ．はじめに❺

我が国の高齢化率は1970年に7％を超え，2000年には17.4％，2019年には28.4％まで徐々に増加，現在の65歳以上の高齢者人口は3,588万人（2019年）まで増加している[1]．また，高齢化に伴う要介護高齢者の増加に対応するため，2000年に介護保険法が施行され20年が経過しようとしている．制度ができたときは要介護の認定者数218万人（2000年4月末）であったが，2019年には659万人となりほぼ3倍となり[2]，在宅療養生活に介護を必要とする高齢者は年々増加している．❻

在宅看護学実習で脳内出血の後遺症をもちながら療養生活を送る高齢者とその家族のお宅へ同行訪問する機会をもった．❼家族は熱心に介護を行っていたが，介護による体調不良や心理的なストレスを抱え．介護保険制度によりさまざまな介護サービスの利用ができるようになったが，在宅療養において療養者の介護を支えるのは家族であり，家族は大切な介護の担い手である．しかし，自分の生活と介護を両立すること，病気をもった療養者を医学の知識がない家族が介護することは大変な苦労があり，家族は身体的や精神的，経済的，社会的のさまざまな負担を抱えることになる[3]．❽

家族が介護の負担によって体調を崩すようなことがあれば，療養者は家での生活が続けられなくなってしまう．よって，療養者を支えるとともに，介護を行う家族を支えることも訪問看護師の重要な役割の1つであると考える．

そこで，在宅看護学実習の経験を振り返り，脳内出血後遺症をもちながら療養生活を送る高齢者を介護する家族が抱える介護の負担について明らかにし，訪問看護師による介護負担への支援について考える．

Point ❻

社会的背景を表わすのに統計的数値を引用することがあります．このケーススタディでは，高齢化率や要介護認定者数の変化がこれにあたります．社会の変化や時代の流れによって情報の内容は常に変化します．取り上げたテーマの根拠としては最も新しい情報を引用するようにしましょう．毎年発刊される「国民衛生の動向」や厚生労働省ホームページの統計情報のページから各種統計調査の最新情報を入手するとよいでしょう．

Point ❼

ケースレポートの全体を通じて，読者にわかりやすい文章で伝えることが大切です．例文では，文章が長くなり，主語と述語が不一致になっているため内容が読者に伝わりません．文章が長くなりすぎないように，主語と述語が一致するように意識しましょう．仲間や同僚など他者の目で読んでもらい意見をもらうとよいでしょう．自分で確認するときは，声に出して音読してみると気づきやすいかもしれません．

❺

- **【はじめに】**では，ケーススタディのテーマを選択した理由，動機，文献を用いた問題提起，ケーススタディで明らかにしたいこと（ケーススタディの目的）を書きます．**【はじめに】**は，このケーススタディに取り組む理由になります．取り組むテーマに関する社会状況やその変化，今までの研究でわかっていることや今後取り組む必要あること，このテーマに取り組むことの意義について述べた後，最後にこのケースレポートで取り組む目的を述べます．このケースレポートでは，まず社会状況として我が国の高齢化の状況，介護を必要とする高齢者の増加という社会の変化について取り上げました．その変化に対応するために介護保険制度が導入され，導入した後には要介護者数が増えている社会状況を述べています．
- 次に，在宅看護学実習での経験から介護者の生活にふれ，介護保険制度でサービス利用が可能となっても家族は大切な介護の担い手であることを取り上げています．一方で，介護によって家族には苦労や負担があるため，療養生活を続けていくために，訪問看護師による家族への支援が重要であると考えています．そこから，脳内出血後遺症を抱える在宅療養高齢者を支える家族介護者の介護の負担を明らかにすることと，訪問看護師による介護の負担への支援について考えること目的としています．

Point ❽

テーマで脳内出血後遺症をもつ在宅療養高齢者を介護する家族を対象にしています．脳内出血後遺症の特徴が介護へ影響することも**【はじめに】**で記述する必要があります．「さらに，脳内出血は，発症部位によりその症状は多様であるが四肢麻痺や歩行障害，構音障害や嚥下障害などさまざまな後遺症を生じ，後遺症をもつ療養者は生活全般の介護が必要とされる[4]．よって，介護を担う家族への負担は大きいと考えられる」のような内容を【はじめに】に根拠として追加するとよいでしょう.

Ⅱ．研究目的⑨

本研究では，脳内出血後遺症をもちながら療養生活を送る高齢者を介護する家族が抱える介護の負担について明らかにする．さらに家族介護者が抱える介護の負担への訪問看護師の支援について考える．

Point ⑨
研究目的は，**【はじめに】**の最後に述べられています．研究としてケーススタディに取り組むときは，研究で取り組む目的を明確にするために項目を立てて記述するとよいでしょう．

Ⅲ．研究方法⑩

Point ⑩
ケーススタディでは，研究方法を記述しないこともあります．今回は卒業研究や研究レポートを書くことを想定して研究方法として研究デザイン，研究期間（実習期間），データ収集方法，分析方法を記入しました．

1）研究デザイン

事例研究

2）対　象

脳内出血後遺症をもちながら療養生活を送る高齢者Cさんとその家族介護者Dさん

3）実習期間：XX年X月X日～XX年X月X日（5日間）

学生は，実習期間中に2回の同行訪問を行い，訪問時間はいずれも60分であった．

4）データ収集方法

看護記録，実習記録，同行訪問の会話や観察，訪問看護師からの情報から家族介護者の介護の負担と訪問看護師の支援について情報を収集した．

5）データ分析方法

収集した情報から，家族介護者の抱える介護の負担や訪問看護師による支援の実際を振り返り明らかにし，家族介護者が抱える介護の負担への訪問看護師の支援について考察する．

6）倫理的配慮⑪

在宅看護学実習の最初の同行訪問の際に，療養者と家族の方々に実習へのご協力のお願いとして，実習で学生が訪問に同行すること，実習の受け持ちとしてレポートにまとめることについて十分に説明し，理解のうえで同意を得た．

Point ⑪

ケースレポートにまとめ，病院内外の事例検討会や学会発表，学生実習の学校全体での発表会や卒業研究としてまとめるとき，ご本人やご家族の人権を守るためにインフォームド・コンセントが必要になります．ケースレポートの目的や情報の取り扱い，発表の方法，自由意志による協力，途中での撤回が可能であるなど十分な説明のうえで同意を得る必要があります．また，公の場での発表をする，例えば卒業研究や学会発表で発表するときは，研究倫理審査の承認が求められます．倫理審査では，研究が適切な手順を踏んでいるか，個人情報が保護されているかなどが審査されます．ケースレポートの発表を予定している場合は，ケースレポートを始める前に，必ず所属施設や学校，所属の学会の倫理審査を受けましょう．倫理審査の承認を受けて研究を行ったときは「本研究は，○○○の研究倫理審査の承認を得て実施した」のように書きましょう．

Ⅳ．結　果

1．事例紹介

Cさん80代の男性，主介護者の妻Dさん

1）主たる病名

右脳内出血，左不全麻痺，高血圧

2）現病歴と訪問看護導入の経過

10年前から高血圧を指摘され内服治療中であった．仕事中に意識を失い救急搬送され入院，右脳内出血と診断される．内科的治療により症状が安定，リハビリテーション開始となる．

病状も落ち着き，Cさんと妻Dさんの希望により自宅への退院となる．退院後の自宅療養におけるCさんの健康状態の観察と介護を行う家族の支援のために訪問看護が導入となった．病院から退院して2ヵ月が経過しているが，バイタルサイン測定において血圧130〜140/70〜80 mmHg，脈拍60〜70回/分で血圧は内服治療で安定している．現在のところ，脳内出血の再発の徴候は見られていない．

3）既往歴

10年前より高血圧，現在も降圧剤を内服治療中，医師から食事の塩分をできるだけ控えるように話されている．

4）介護保険等の認定状況⑫

①要介護度4

②障害者の日常生活自立度（寝たきり度）B2

B：屋内の生活は何らかの介助を要し，日中もベッド上での生活主体であるが，坐位を保つ．

2：介助により車いすに移乗する．

③認知症高齢者の日常生活自立度：Ⅰ

Ⅰ：何らかの認知症は有するが，日常生活は家庭内および社会的にほぼ自立している．

⑫
介護保険制度で訪問看護などのサービスを利用するために，市町村に要介護認定の申請をして認定を受ける必要があります．認定された要介護度によって介護保険制度の居宅サービス利用限度額が異なります．療養者さんの状況とサービス利用についての大切な情報です．

5）現在のCさんの生活状況

右脳内出血後遺症のため，左上下肢の不全麻痺および軽度の構音障害がある．軽度の構音障害により少し聞き取りにくさはあるが日常生活でのコミュニケーションはとれている．家事全般は妻Dさんが行い，食事はセッティングすれば自力で摂取可能，食事は妻Dさんが血圧に配慮して薄味にしている．血圧は塩分制限と内服により現在は安定している．軽度の構音障害はあるが嚥下には問題なく，朝昼夕3食を車いすに座り，妻Dさんとともに食べている．左上下肢不全麻痺のため，車いすなどの移動では妻Dさんの介助が必要であるが，ベッド上は右手で柵をつかみ寝返りやおしりも自力で持ち上げられ，手すりに掴まることで短時間であれば端坐位の保持も可能である．排泄は，日中は妻Dさんの介助でできるだけトイレに行き，夜間はオムツを使用しているが，オムツ交換時はおしりを上げることができる．発症前は仕事後の入浴を毎日楽しみにしていたが，現在は週 2 回訪問看護の際にシャワー浴を行い，そのほかは妻 D さんの介助で清拭を行っている．日中は，C さんは車いすに座り，妻 D さんと 2 人でテレビを見たり本を読んだりリビングで静かに過ごし，子どもや孫たちの訪問はあるが外出することはほとんどなく，以前より行動範囲は狭く社会的な交流は少なくなっている．

6）生活歴

C さんと D さんは結婚後，自営業（八百屋）を夫婦で営んで 3 人の子どもを育て上げた．今も夫婦仲はとても良好であり，2 人とも明るい性格で商店街のご近所さんとの交流も活発で商店街の旅行などにも参加していた．C さんの脳内出血の発症とともにお店を閉め，ご近所との交流もほとんどなくなっている．現在は不動産収入と年金で生活している．

7）家族背景

C さんと妻 D さん夫婦 2 人と長男の 3 人暮らし．子どもは，長男，長女，次女，3 人とも成人して自立している（図 1）．

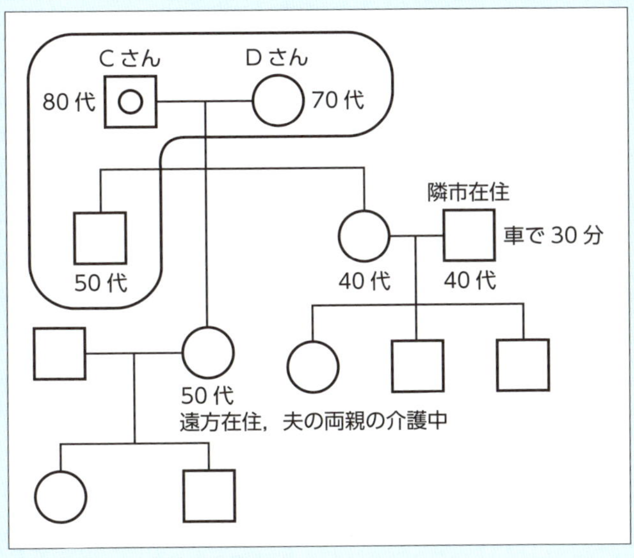

図 1　C さんのジェノグラム

8）介護状況⑬

主介護者は妻 D さんであり，熱心に介護に取り組みつつ家事全般をこなす．5 年前から高血圧があり内服治療中，かかりつけ医に 1 回/月受診中である．以前から仕事のためか腰痛が

⑬
家族の誰が，どのような介護を行っているのか，健康状態などを含めてよく情報が集められています．在宅療養では，介護を家族が担いますので，介護のアセスメントのために大切な情報になります．

あったが，左半身不全麻痺があるCさんは日常生活全般で介護が必要であり，移動の介助による負担のため腰痛が強くなっている．また，介護が始まってから夜間もCさんのことが気になり睡眠が浅くなり血圧も高めになっている．妻Dさんは介護にとても熱心であり，Cさんの介護はできるだけ自分で行いたいと考えているため，介護サービスの導入にはあまり積極的ではない．

同居の長男は独身，同居しているが仕事が多忙で帰宅が遅く，本人に協力したい気持ちはあるが，平日・休日ともに介護の協力は困難である．

長女は結婚後に遠方に居住，子育てに加えて夫の両親の介護を行っている．なお，遠方に居住のため子どもの長期休暇に帰省するが日々の介護への参加協力は難しい，電話での連絡はある．

次女は，結婚して専業主婦，車で30分程度の隣市に住んで小学生の子ども2人の子育て中であるが，夫の協力を得て週末や休み，平日の日中に介護を手伝いに訪れる．子どもたちも休日を利用してCさんと妻Dさんに会いに訪れる．

9）本人の希望⑭

家族に負担をかけたくない，自分でできることを続けていきたい．家でずっと家族とともに過ごしたい，これからの孫の成長を見守りたい．

10）家族の希望⑭

妻Dさんの希望は，本人の希望をかなえたい，できるだけ家でCさんと一緒に過ごしたい．Cさんと孫の成長を一緒に見届けたい．

長男・長女・次女は，Cさんと妻Dさんの希望を尊重したいと話している．

11）療養環境

エレベーター付きのマンションに長男と同居で3人暮らし．退院時にトイレと浴室に手すりを設置，車いすで生活できるように床の段差をなくす住宅改修も行った．車いすの移動がしやすいように部屋は整えられ掃除も行き届いている．居室は**図2**の通りである．

⑭

在宅療養の生活では，療養者と家族がどのような療養生活を送りたいかの希望が，療養生活の目標につながるためとても大切な情報です．Cさんと介護を担う妻Dさん，子どもたちのそれぞれの希望がよく把握できています．

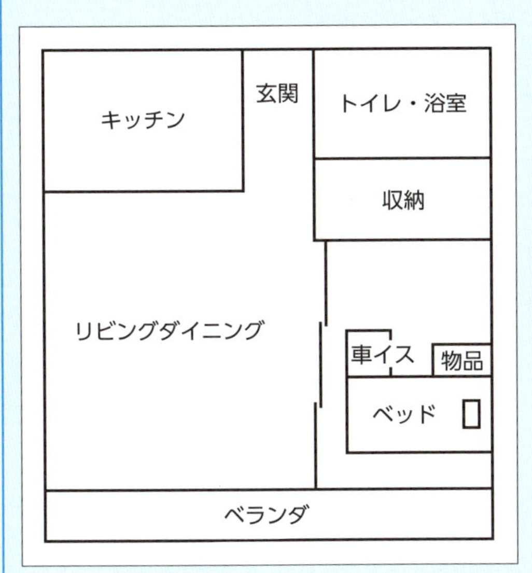

図 2　C さんの居室

12）医療・介護等サービスの利用状況⑮

各種サービス利用状況は，訪問看護を 2 回/週（月・金），訪問リハビリテーション 1 回/週（水），福祉用具貸与として車いす，特殊寝台と付属品，病状の管理と内服薬処方のために 2 回/月で訪問診療を受けている．1 週間のサービス利用状況は**図 3，表 1** の通りである．

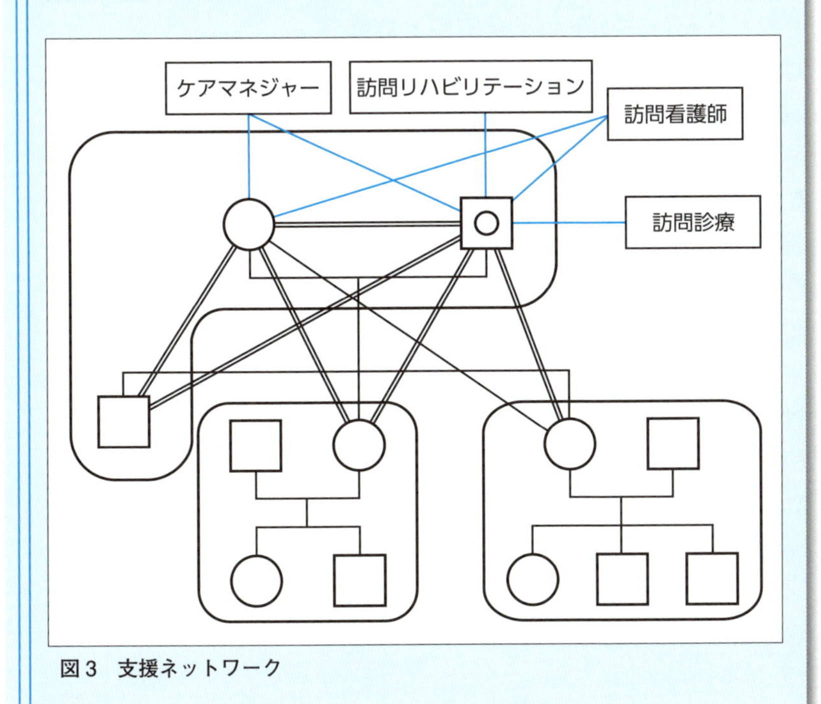

図 3　支援ネットワーク

⑮
在宅療養で療養者と家族は，介護保険制度の利用などさまざまなサービスを利用して生活しています．サービスの利用状況や関係する専門職について包括的に把握することが大切です．全体を示すのに図や表を使用するのはよい方法です．

妻Dさんは C さんの介護はできるだけ自分で行いたいと考えているためサービスの導入はまだ少ない.

表1　現在のサービス利用状況

	月	火	水	木	金	土	日
午前							
午後	訪問看護		訪問リハビリテーション		訪問看護		

福祉用具貸与として車いす，特殊寝台と付属品

2. アセスメント⑯

C さんと妻 D さんはともに在宅での療養生活を希望，孫たちの成長を楽しみにしている．子どもたちも C さんと D さんの希望を尊重したいと考えている.

高血圧の既往があり，食事の塩分制限と内服で治療中であったが右脳内出血を発症，内科的治療により症状が安定し C さんと妻 D さんの希望により自宅へ退院となった．退院後 2 ヵ月を経過するが今後も加齢に伴う動脈硬化の進行や塩分摂取などにより血圧が上昇することで脳内出血の再発の危険があり，内服や減塩による血圧の管理が重要である.

脳内出血の後遺症として C さんは左上下肢不全麻痺と軽度の構音障害が残っているため, 日常生活の全般に介護を要する．日中は車いすで過ごすことが多く，夫婦ともに発症前は仕事や近所付き合いでの外出が多かったが，発症後は外出することがほとんどなくなっている．脳内出血後遺症による ADL や活動の低下に伴い廃用性症候群を起こす可能性がある.

家族は，長男と同居の 3 人暮らし，結婚した長女が遠方に次女が隣市に住んでいる．長男と長女は仕事や家の事情で介護への協力が難しく, 週末や日中に介護に次女が協力しているが，妻である D さんが主に介護を行う．D さんは介護には積極的に取り組んでいるが，高齢で高血圧や腰痛の既往があり介護により健康状態への影響が見られ，介護を続けることや体調不良についての不安も感じている．介護サービス利用は，訪問看護と訪問リハビリテーションのみでありサービス利用について D さんはまだ消極的である．在宅療養の継続のために D さんの介護の負担の軽減が必要である.

⑯
在宅での療養生活を続けるために，療養者 C さんのアセスメントを行うとともに，介護を担う妻 D さんの介護状況や健康状態などのアセスメントも行うことが大切です.

1）長期目標[17]

脳内出血の再出血を起こさず，現在の機能を維持しながら家族とともに在宅で療養生活が継続できる．

2）看護問題[18]

＃１　加齢に伴う動脈硬化や塩分の取りすぎなどによる血圧の上昇に伴う脳内出血の再発の可能性がある

＃２　脳内出血後遺症の左不全麻痺によるADL低下に伴う廃用性症候群を起こす可能性がある

＃３　主介護者の妻も高齢のため，介護負担による健康状態の悪化により介護が継続できなくなる可能性がある

3つの看護問題を抽出した．研究目的である脳内出血後遺症をもちながら療養生活を送る高齢者を介護する家族が抱える介護の負担と訪問看護師による支援について明らかにし，家族介護者が抱える介護の負担への訪問看護師の支援について考えるに沿って，今回は＃３の家族の介護負担の看護問題に焦点をあてて以降は記述する．

3）短期目標　＃３[19]

妻Dさんの介護負担が増加しない．

4）訪問看護計画

①訪問の際に妻Dさんの介護の状態と負担の程度を確認する．

②妻Dさんと家族の介護についての心配や不安，思いを聞く．

③妻Dさんの健康状態について観察や確認をする．

④妻Dさんの介護への取り組みのねぎらいと介護を支援する．

⑤妻Dさんが休養をとれるように支援する．

⑥介護負担が減らせる社会資源の活用や家族の協力を働きかける．

⑦介護負担の少ない方法の提案と指導を行う．

Point [17]

長期目標と短期目標が立てられています．長期目標は療養者Cさんと妻Dさんがどのような療養生活を送ることを希望しているかの長期的な視点，短期目標は長期目標を阻む看護問題それぞれの目標となります．

Point [18]

アセスメントの結果3つの看護問題があがりました．このケーススタディでは，家族の介護の負担について研究目的で取り上げています．よって，研究目的を明らかにするために看護問題＃３のみを取り上げるのはよいでしょう．

❾19 短期目標は，訪問計画の立案と達成状況の評価のため，介護負担の理由や今後どのようになってもらいたいかの視点を含めた具体的な表現で記入しましょう

Dさんが必要な社会資源や家族の協力を得て体調を維持し，やりがいをもちながら介護を継続できる.

3. 看護の実際

1）訪問時の状況[20]

①同行訪問1回目：×月×日（月）

玄関で妻Dさんにあいさつをすませてリビングに入室するとCさんが車いすに座り待っていた．部屋の中は，整理され清掃が行き届き，ベッドサイドに必要なものは整えられていた．訪問時，訪問看護師は介護者である妻Dさんから前回の訪問から本日までの間のCさんの健康状態や生活状況について情報収集していた．訪問看護師が「Cさん，体調はいかがですか」と問いかけると「変わんないよ」とのこと．バイタルサイン測定を行い血圧136/89 mmHg，脈拍75回/分，体温36.5℃，SaO_2 95%，訪問看護師が「お変わりないですね」と話しかけると「そうでしょう」と笑顔で答える.「昨日，娘（次女）と孫が来てご飯を食べていった．やんちゃ盛りで大変だったよ」とにこにこしながら話してくれる.

加えて，妻Dさんに「寒くなってきましたが，体調はいかがですか．昨年も寒くなると血圧が上がり気味だったと思いますが」の問いかけにDさんは「そうねぇ，少し上がっているかしら」とはっきりしないようだった．訪問看護師から「では，血圧は測りましょうか」と促され，血圧を測定，140/85 mmHgであった．妻Dさん「あら，いつもより少し高め」と，訪問看護師から「何か理由はありそうですか」に「寒さはあまり感じないけれど，夜にオムツが気になって一度確認しているから，寝不足かしら」とのことだった．訪問看護師からは「昼間に少し仮眠をとられてもよいと思います」と話された．Dさんが立ち上がるときに少し動きがぎこちなく腰をさする様子が見られ，訪問看護師から「腰の調子は大丈夫ですか」との問いにD

⓴20 療養者Cさんと妻Dさん，訪問看護師の状況を，会話だけでなく表情やしぐさ，療養環境などさまざまな情報を捉えていて，訪問の際の状況がよく把握されています.

さん「病院に行くのも時間がね」とのことであった．訪問看護師は腰に負担の少ない動き方や介護の方法のアドバイスを行い，「無理なさらないでください．娘さんがいらしたときに受診できるといいですね」と受診を促していた．訪問看護師はDさんの介護について「頑張っていらっしゃいますね」ねぎらいの言葉をかけていた．Cさんのシャワー浴の介助を行い訪問終了となった．

・訪問看護師からの情報（1回目の訪問後） ㉑

ご夫婦仲もよく，妻Dさんは介護にとても積極的である．介護への子どもたちの協力は，それぞれ子育てや介護，仕事があり今以上には難しい状況のため，妻Dさんが介護の中心となって頑張っている．Dさんが頑張って介護にやりがいも感じているので，できるだけ自分で介護をしたい気持ちは支えていきたいが，一方で妻Dさんも高齢であり，介護で腰痛が悪化し始めている．夜間の睡眠も十分ではなく，血圧も高くなっているので体調を崩すのではないかと心配している．腰への負担が少ない動き方の助言や受診の促しを行って様子を見ている．介護のサービスを利用することで介護の負担が軽くなると考えられるが，Dさん自身はサービスを導入することにはまだ消極的である．CさんとDさんの状況を見ながら，話を聞きながら，機会を見てはデイサービスやホームヘルパーなどの介護サービスについて情報提供は行っている状況である．

Point ㉑

在宅看護実習の実習期間に同じ療養者さん宅に同行訪問できるのは1～2回，介護保険制度利用では訪問時間は1回30～90分となり，学生が訪問時に得られる情報は限られます．長く支援にかかわっている訪問看護師はさまざまな情報をたくさんもっています．今回も学生から訪問看護師に質問することでたくさんの情報を得ることができています．実習では訪問看護師に積極的に質問して情報収集をしましょう．情報源は，療養者と家族だけではありません．機会があれば支援にかかわるケアマネジャーなどの専門職から情報が集められると多様な側面からの情報でよりよいアセスメントを行うことができます．また，取り上げるテーマ，例えば多職種連携による支援などでは，支援にかかわるすべての職種や施設の方からの情報収集が必要になるでしょう．

②同行訪問２回目：×月×日（金）

訪問看護師は介護者である妻Ｄさんから前回訪問から本日までの間のＣさんの健康状態や生活状況について確認していた．加えて，介護者Ｄさんの血圧や疲労，生活の状況を確認，介護について「頑張っていらっしゃいますね」ねぎらいの言葉をかけていた．

今回の訪問では，訪問看護師がＣさんのシャワー浴介助を行っている間に，学生は妻Ｄさんに介護についての話を聞かせていただいた．

・妻Ｄさんからのお話

介護について，Ｃさんが病気で倒れて以前とは違って大変だけど，それまでは夫と協力して仕事も子育ても何でもしてきた．これからも２人でこのまま家での生活を続けたい．Ｃさんができなくなったことは私が手伝って代わりに頑張っていこうと思う．Ｃさんが笑っていてくれると頑張んなければと思うし，苦労が吹き飛ぶ，最近は介護にやりがいも感じてきた．

体調についてお聞きすると車いすやトイレの移動を１日に何度も介助するので少し腰痛が出てきている．年のせいかもしれないけど，夜はＣさんのオムツが気になり眠りが浅いことがあり，高血圧の薬は飲んでいるが前回の受診で医師にいつもより少し高いと言われた．血圧が高くなっているし，このまま介護を続けていけるのか，大丈夫かと少し不安がある．疲れがたまっているせいかもしれないが，たまにイライラすることもある．以前は友人との外出やお茶をしながらおしゃべりすることがとても楽しかった．今は外に出るのは買い物くらいでずっと２人だけで家にいるから話すことがなくなっちゃうことがときどきある．Ｃさんも外出したいのかもしれないけれど，車いすで外出するのは大変だと思う．訪問看護師さんから，デイサービスは家までお迎えに来てくれるし，リハビリもできて，お昼ご飯もあって，お風呂にも入れる，友だちもできると話を聞いている．Ｃさんも話が好きなので友人ができるのはいい機会かなとも思う．退院してからシャワーばかりでお風呂にも入っていないのでお風呂が好きなＣさんを入れてあげたいとも思う．ケアマネジャーさんと訪問看護師さんから，一度Ｃさんと一緒に見学に行きませんかと誘われています．どうしようかまだ迷っていますとのことであった．

ご家族の協力については，息子は仕事が忙しくて手伝ってもらうことは難しい．長女は義理の両親の介護で私より大変そう．次女が週末や日中にときどき手伝いに来てくれるので，その時間を使って自分の受診や買い物にあてている，できるだけ迷惑はかけたくない．孫が週末や夏休み，冬休みのときに顔を見せてくれるのでそれが楽しみ．Cさんと孫が大きくなるのは早いねと，孫の成人式まで，できれば結婚式までまだまだ元気でいなくちゃねといつも話しています．

・**訪問看護師からの情報（2回目の訪問後）**

妻Dさんから聞いたお話を訪問看護師に伝える．

訪問看護師から，Cさんの在宅療養はDさんに支えられている．子どもたちの介護の協力を増やしてもらうことは難しく，この状態で介護を続けることでDさんの腰痛がひどくなり，血圧が高くなり体調を崩すことで介護ができなくなると，CさんとDさんが望んでいる家での療養生活ができなくなってしまう．Dさんも体調があまりよくないのでこのままではいけないと感じてはいる様子だがサービス利用する決心がまだついていない様子である．介護を頑張りたいDさんの気持ちは大切にしたいので，デイサービスや訪問介護の情報提供をして判断を待っている状況である．特にデイサービスは，送迎がありCさんに友人ができることや入浴，リハビリなどのメリットが大きいと感じている．デイサービスに日中参加することでDさんも休める時間ができる．サービスを導入する最初は誰でも心配だと思うので，ケアマジャーや訪問看護師などの顔見知りが付き添って見学に行くことで行きやすくなると考えて見学をお誘いしているとのことであった．

V．考　察[22]

1．脳内出血後遺症をもつ療養高齢者の介護を行う家族の介護負担について[23]

家族が病気になり介護を必要とする療養者なることで家族には新たに介護の役割が生じる[3]．介護を行うことは，身体的，精神的にも大きなストレスを抱えることになり介護者の健康問題とした現れることもあり，介護者が病気で倒れ介護を続けられなくなることは，療養生活ができなくなることにつながる[3)]．介護による負担には，身体的，精神的，社会的，経済的の４つがあげられる[3)]．

脳内出血は，その障害の部位により多様な症状を引き起こすといわれ[4)]，Ｃさんの場合，脳内出血後遺症により左上下肢の不全麻痺と軽度の構音障害が生じていた．左上下肢の不全麻痺は，日常生活において車いすやトイレなどの移動への介助を必要とする．妻Ｄさんは，頻回な移動の介助によってもともとあった腰痛の症状が悪化，介護により受診する時間をつくるのも難しい様子であった．また，夜間のＣさんのオムツが気になることからくる睡眠の不足から血圧が高めになっていた．これらは，介護によって起こる身体的な負担と考えられる．また，このまま介護を続けていけるのか，Ｄさん自身の血圧が上がっていることによる不安を感じていた．さらに介護による疲労からイライラすることもときどき起こっていた．これらは，介護による精神的な負担であると考える．介護による社会的な負担についても，子どもたちの介護への協力には限界があり，妻Ｄさんがほとんどの介護の役割を担っていた．

また，ＣさんもＤさんも社交的で発症前はご近所の方々と仲が良く，一緒に食事をしたり外出したりしていた．Ｃさんが車いすの生活になることでＣさんだけでなく，介護するＤさんも外出する機会が減り，発症前にあったご近所との交流もほとんどできなくなっていた．経済的な負担については，不動産収入と年金により今のところ生じてはいない様子であった．

以上のことから，Ｃさんの脳内出血の発症により妻Ｄさんが介護の役割を担うことで，さまざまな介護の負担が生じていることが明らかになった．このまま介護の負担が増加することで妻Ｄさんが体調を崩すことになれば，在宅で療養生活を続けることができなくなる．よって，ＣさんＤさんへの訪問看護師によるさまざまな介護の負担を軽減する支援が必要と考える．

Ｄさんは介護をすることに対してさまざまな負担を感じる一方で，今まで協力してともに生きてきたＣさんとこれからも家で一緒に暮らして頑張っていきたいと考え，介護にやりがいを感じていた．一般的に介護は負担のマイナスイメージが強いが，介護を家族への恩返しと感じたり，介護をやり遂げることで満足感を得たり，最後までともに生活したいというプラスの意識をもって介護に取り組む人もいる[3]．やりがいなどのプラスの意識は，負担が多い介護を続けていくうえで介護者のこころの支えになると考えられる．訪問看護師による負担を軽減する支援に加えて，やりがいを支える支援も大切であると考える．

Point ㉒

在宅看護学実習では，学生が実習期間中に同じ療養者さん宅に訪問できる回数が少ないため，学生が立てた看護計画を実習期間中に実施することは難しいです．今回のケースレポートでは，情報収集して看護計画を立て，同行訪問で訪問看護師の支援の実際を体験，家族や訪問看護師からの情報収集を行い介護の負担と支援について考察しています．支援の実施はできませんが，実際に行われている支援を学び，その意味を振り返ることで学ぶことは多いです．もし，疑問に感じることがあれば，その理由を考えることで学びを深めることができると考えます．実際に訪問看護師として活動されている方は，看護計画を立て，実際に支援を行う過程を振り返り，今後のよりよい支援につなげていただければと思います．

Point ㉓

【考察】ではケーススタディの目的に沿って２つの項目を立てて記述しています．まず，1. 脳内出血後遺症をもつ療養高齢者の介護を行う家族の介護負担についてでは，介護を行うＤさんの介護の負担を，文献で述べられている身体的・精神的・社会的・経済的の４つの側面から整理するとともに，介護のプラス面の気づきを文献によって裏づけています．

2. 介護を行う家族の介護負担を軽減するため訪問看護師の支援について㉔

Ｃさんの介護を行うことで妻Ｄさんはさまざまな負担を感じ，一方でやりがいのプラスの意識も感じていた．家族の介護を支えるために，訪問看護師は負担を軽減するための支援を行っていた．

訪問看護師は，介護者である妻Ｄさんに腰痛があることや血圧が高いことを事前に把握，訪問の際に健康状態の確認をしていた．訪問看護師には，介護の負担をアセスメントしたうえで支援する役割がある[3]．介護者Ｄさんの既往や健康状態の確認をすることはアセスメントのための情報収集の１つであっ

㉔

【考察】の 2. 介護を行う家族の介護負担を軽減するため訪問看護師の支援についてでは，ケーススタディの目的の介護負担への訪問看護師の支援と負担軽減のための介護サービスの利用について述べています．目的に沿った項目立てで記述するこ

たと考える．

介護の負担を軽減の支援として，療養者の症状の緩和や介護の内容の再検討，介護の技術の伝達，介護の代替，ショートステイなどがある[3]．

介護負担への具体的な支援は，身体的な負担である車いすやトイレの移動による腰痛の悪化に対しては，腰に負担のない腰に負担の少ない動き方や介護の方法のアドバイスを行うとともに，腰痛が悪化しないように可能な範囲で受診を促していた．不眠についても夜の睡眠時間の不足を日中に仮眠をとることで補えるように助言していた．これらは介護技術の伝達にあたると考える．

また，介護を続けることや血圧が上がっている体調不良に対する不安を感じていた．さらに介護による疲労からイライラする精神的な負担に対しては，不安の原因になる体調不良への対応，話を聞くことや介護の頑張りを認める言葉かけを行っていた．

妻Dさんが介護の役割を担い，外出する機会が減りご近所との交流ができなくなっている社会的な負担に対しては，デイサービスの利用について情報提供を行っていた．デイサービスの利用では，Cさんがデイサービスに参加している間にDさんが自分の時間がもつことができ，社会的な負担だけでなく，身体的負担や心理的負担の軽減もできると考えられる．また，送迎があり入浴や昼食，リハビリテーションもあることで，Cさんの入浴の希望や血圧管理のための塩分計算のされた食事，ADL低下を防ぐリハビリテーション，友人との社会的交流など参加することで多くのメリットが考えられる．これは，社会資源の利用による介護の代替の支援と考える．

しかし，Dさんは介護サービスの利用にはまだ消極的であった．デイサービスの利用には利点が多いが，Dさんが納得しない状況での利用は精神的な負担となってしまう．また，在宅看護の主体は本人と家族であり，望ましい方向での自己決定できることが望ましく[5]，デイサービスの利用についてもCさんと妻Dさんが納得のうえで利用を決定することが望ましい．そのために，訪問看護師はデイサービスについての情報提供を行うとともに，見学への同行など，介護サービスの導入を納得のうえで決定できるように支援をしていた．

Dさんの家族の役に立ちたいというやりがいのプラス意識を

とで，目的で取り上げた問題提起について結果をふまえて考察することができています．

促すために，介護への努力を認めてねぎらいの言葉を訪問の際に伝えていた．負担の軽減だけでなく，継続するプラスの気持ちを支えることも大切であると考える．

以上のように，家族の介護の負担を軽減し，介護へのやる気を支えるさまざまな支援を訪問看護師は行っていた．家族の介護の継続を支えるには，介護負担の軽減とやる気を支えることが大切と考える[25]．

25

【考察】では，結果の内容を振り返り，先行研究と比較して実践について考えを述べます．**【考察】**それぞれに引用文献が記載されていることはよいでしょう．

Ⅵ．結　論[26]

本研究では，在宅看護学実習の経験を振り返ることで脳内出血後遺症をもちながら療養生活を送る高齢者を介護する家族が抱える介護の負担を明らかにし，訪問看護師による介護の負担への支援について考察した．

結果として，脳内出血後遺症をもつ療養者の介護を行う家族は，身体的や精神的，社会的な負担を感じていた．訪問看護師は負担を軽減するために情報提供やケアの実施，傾聴などのさまざまな支援を行うとともに，家族の介護のプラスの側面であるやる気を支援していた．また，介護負担の軽減のための介護サービス利用については家族がよりよい自己決定ができるよう支援していた．

介護の継続を支えるためには，家族の介護負担の軽減とやる気を支えることが大切である．

26

【考察】の後に，**【おわりに】**または**【結論】**で論文を締めくくります．**【結論】**は，研究全体のまとめになります．目的に合わせてこのケースレポートで明らかになったことを簡潔に記入しましょう．

引用文献[27]

・厚生労働統計協会：国民衛生の動向 2020/2021．厚生労働統計協会，pp.46–47，2020.

・厚生労働統計協会：国民衛生の動向 2020/2021．厚生労働統計協会，pp.242–243，2020.

・河原加代子他：在宅看護論．医学書院，pp.82–88，2013.

・正野逸子，本田彰子：関連図で理解する在宅看護過程 第 2 版.

・河原加代子他：在宅看護論．医学書院，pp.380–384，2013.

[27]

引用文献は書き方が決まっています．指定された書き方で記入しましょう．また，このケースレポートでは，本文中の引用の部分に○[1)] のように番号が書かれています．引用文献の番号と本文中の番号が一致する番号順で記入しましょう．

1）厚生労働統計協会：国民衛生の動向 2020/2021．厚生労働統計協会，pp.46–47，2020.
2）前掲書 1）．pp.242–243，2020.
3）秋山正子，小倉朗子，乙坂佳代，他：在宅看護論．医学書院，pp.82–88，2013.
4）正野逸子，本田彰子：関連図で理解する在宅看護過程 第 2 版．メヂカルフレンド社，pp.106–119，2014.
5）前掲書 3）．pp.380–384，2013.

●講　評

在宅看護学実習の経験をまとめたケースレポートです．在宅においては，療養者本人はもちろん，介護を担われる家族への看護は療養生活を続けるためにとても大切なことです．このレポートでは，在宅看護学実習の 2 回の同行訪問，家族からの情報，訪問看護師からの情報，看護記録の情報から家族の介護負担について少ない情報から学生が意欲的に取り組んだ内容だったと思います．在宅療養では，家族が療養者の介護の担い手になります．このケースレポートでは家族の介護の大変さが伝わる内容でした．また，介護は負担というネガティブな側面が強調されますが，プラスの側面のやりがいの存在にも気づけたのは大きな学びだと思います．介護の負担を軽減しつつ，やりがいを支えることが訪問看護師の役割の 1 つです．ケースレポートへの取り組みを通して，同行訪問の中で学生自身が介護者にお話を聞く機会も得られ，在宅で家族が介護をすることについて深く考えるよい機会になったと思います．

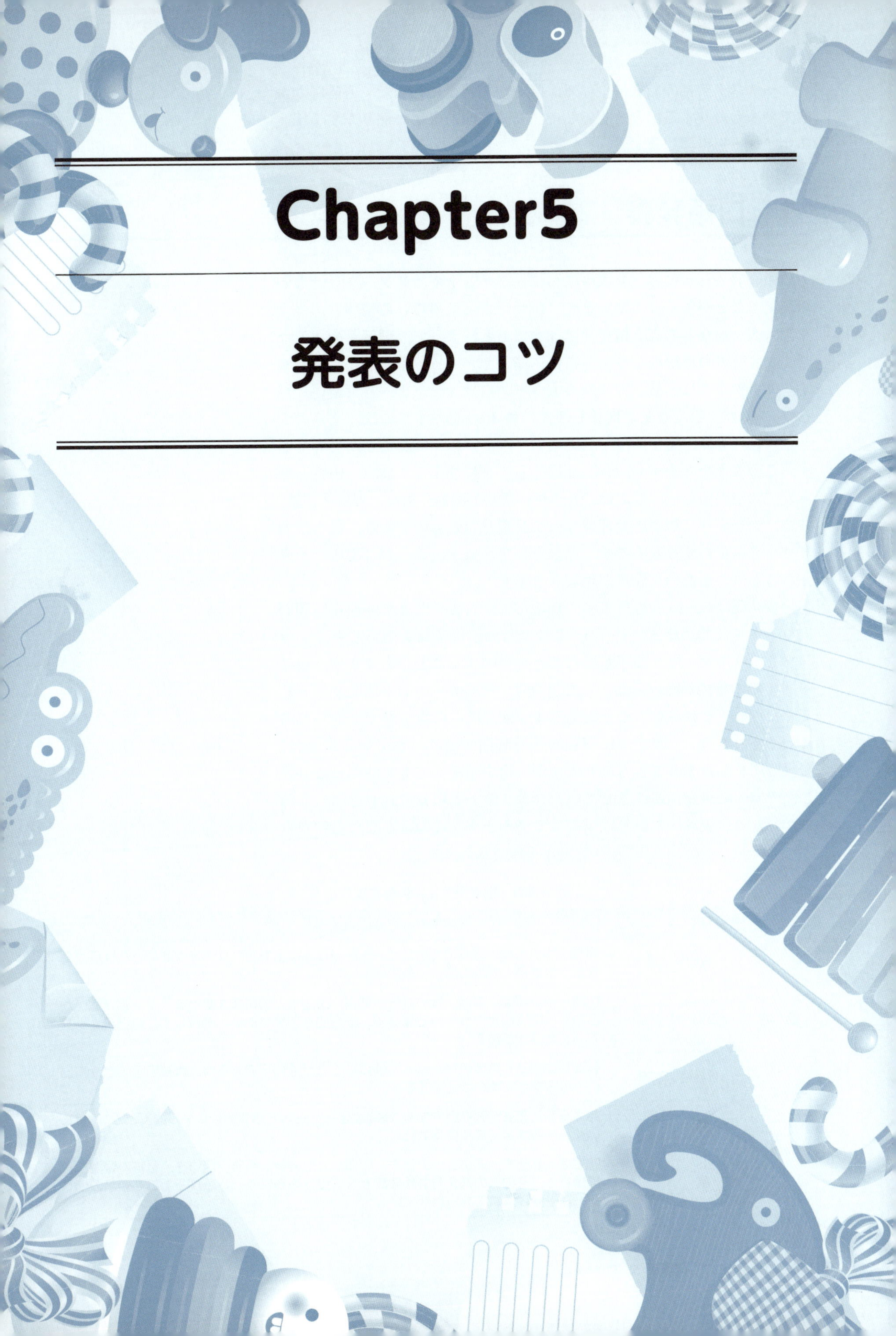

Chapter5

発表のコツ

ケーススタディの発表について，学生が実習後に行ったり看護師が院内で発表したりする場合を想定して，初めて聞く人にわかりやすく伝えるポイントを整理します．

1　口頭発表

口頭発表のときには，発表中にパワーポイントやポスターを見せながら伝えることが多くなっています．聴覚によって得られる情報に，文字や図・表・絵などの視覚情報を追加することによって，理解しやすくなります．発表の理解のしやすさには，聞きやすさ，見やすさが影響します．聞きやすさは，話し方（声の大きさ，口調・テンポ，言葉遣い，話し癖），時間，態度などが関係します（**表1**）．見やすさには，文字の大きさ，色，書体，文字間隔，言葉遣い，図表，絵・写真などが影響します．このような「話す」「書く」「描く」ことに加えて，構成（内容と組み立て）が大切です．構成は，具体性，経験の喚起，簡潔，理解，共感，共有，つながり，順序，論理性などを具現化したものであり，最も伝わりやすさを左右するものです．発表原稿を作成することが「構成」を考えることになるため，思考が整理されます．

発表時間は5～10分程度です．登壇して話し始めたところから時間がカウントされ始めます．終了1～3分くらい前に予鈴を鳴らしたり，ランプをつけたりして，終了が近いことを合図することがあります．終了時間までに発表が終わらなかった場合は，座長から「1分程度でまとめてください」と促されることもありますが，その時点で終了させられることもあります．1題ずつに質疑応答の時間が設けられている場合は，発表時間を延長することもありますが，途中であっても「時間となりましたので，結論だけ述べさせていただきます」と自分で終わりにしたほうが，他の発表者への影響は少なくて済みます．このようなことになら

表1　聞きやすさに影響すること

影響因子		ポイント
話し方	声の大きさ	声が小さいと聞き取りにくいため，30～40人以上であればマイクを使ったほうが聞き取りやすい．会場の広さにもよる．
	口調・テンポ	口調・テンポは，声色，声の高低，抑揚，滑舌などの影響を受ける．テンポが速いからわかりにくいというものではなく，総合的な印象である．録音して，自己チェックすると気づきがある．
	言葉遣い・癖	言葉遣いや話し癖は原稿を作って練習しておけば修正できるが，質疑応答のときに日ごろの習慣が出るので注意する．
時　間		与えられた発表時間を遵守する．時間をオーバーして話すのはルール違反とみなされ，いくら内容がよくても評価は低い．
態　度		態度は，歩き方，あいさつの仕方，仕草，立位姿勢，服装，目つき，化粧，髪型などに現れる，その人の考え方や価値観として受け取られる．好感がもたれる態度のほうが，話を受け入れてもらいやすい．

ないように，パワーポイントやポスターを使いながら事前に練習して，時間内に発表できるように発表原稿を調整しておきます．

発表練習を他者に聞いてもらったり，ビデオに録画したりして，わかりにくいところがないか確認します．パワーポイントやポスターに書かれているキーワードを見れば内容が思い出せるくらいになるまで練習します．発表原稿を棒読みするのではなく，「伝える」ことに努めると，聴衆が顔を上げて聞いてくれるようになります．

2　発表資料の作り方

発表資料として，抄録（抄録をまとめたものを抄録集または集録集といいます）を配布することがあります．抄録は，ケースレポートの中から内容を抜き出して整理したものであり，企画者が示す規定により，A4 判 1～4 枚程度にまとめます．学生や新人看護師が課されるケーススタディでは，ケースレポートは冊子にして別に配布され，発表では抄録とパワーポイントまたはポスターを用いることが多いようですが，院内での事例発表会などでは 4～5 枚程度のケースレポートをそのまま発表資料とすることもあります．

抄録の内容は，基本的にはケースレポートと同じです．タイトル，はじめに，（目的），事例紹介，看護計画（アセスメント，看護問題，看護目標，具体策），看護の実践（実施，評価），考察，おわりに（結論），文献，などが記載されます．

図 1 は Chapter3 の「活動性が低下した患者の昼夜逆転を改善するかかわりにおける成果の要因」のケーススタディの抄録です．約 7,000 文字だったケースレポートがほぼ半分の文字数に整理されています．ケースレポートのどこを残し，どこを削除するか迷うところですが，テーマについて得られたことが読者に伝わるように，文章を精選した後の内容に一貫性のあることを確認します．例えば，考察では，ケースレポートで用いた文献 1 と昼夜逆転を説明する部分を削除していますが，ケアの成果を意味づける文献と考察は残しましたので，昼夜逆転が改善された要因は伝わってきます．

この抄録の形式は余白上下左右 20 mm，文字の大きさは 10.5 ポイント（タイトルのみ 11 ポイント），2 段組みで 1 段は 23 文字×46 行（1 枚目はタイトルが入るため 40 行）で作成していますが，2 段組にしないこともあります．余白や文字数は企画者側の規定に従ってください．

抄録が事前に配布されている場合には，抄録に目を通してから参加する聴衆もいます．前述の「構成」が整っていると内容が伝わりますので，口頭発表を聞いてもらうことによって，より理解が深まります．

抄録と発表内容が異なる場合は，訂正を伝える必要があります．単純な訂正であれば発表のはじめに，「訂正をお願いします．何ページの××は○○に変更をお願いします」と伝えてもかまいませんが，訂正に時

活動性が低下した患者の昼夜逆転を改善するかかわりにおける成果の要因

学籍番号 1234　○川△子

Ⅰ．はじめに

担当した患者は，肺炎治療の入院中に発症した脳梗塞により，日常生活の大部分に介助を要する状態となり，表情は乏しく，日中はほとんど眠っていた．活動性の低下や昼夜逆転を起こしている要因として，脳梗塞による認知機能の低下，入院による刺激の低下や生活サイクルの変化により睡眠・覚醒リズムが障害されていることがあげられた．日中の覚醒を促すような刺激や生活サイクルを取り戻すように援助を実施したところ，発語や反応が見られるようになり，昼夜逆転が改善された．そこで，このような成果をもたらした要因について考察する．

Ⅱ．事例紹介

1）患者の概要

Aさん，80歳代，男性，家族で農業を営んでおり，入院前まで毎日畑仕事をしていた．肺炎のため入院したが，入院中に脳梗塞を発症した．妻，息子（50歳代），息子の妻と孫2人の6人暮らし．収穫の時期のため，家族は見舞いに来ることができない．

2）受け持ち時の状況（入院15日目）

①病状

肺炎は数日で安定したが，入院5日目に軽い脳梗塞と診断された．軽度の運動神経障害が見られ，右の上下肢に十分に力が入らない．

②意識レベル

JCSⅡ-20（大きな声または体を揺さぶることにより開眼する）であり，質問には縦横に軽く首を振ることもあるが，反応しないこともある．

③睡眠

入院後は日中眠っていることが多く，声をかけても覚醒しなかったり，話しかけている間に眠ってしまったりする．夜は覚醒していることが多い．

④活動

リハビリテーションでは端坐位保持練習が行われている．リハビリテーションのために離床する以外は仰臥位で過ごしている．

⑤清潔・整容

洗面，口腔ケア，清拭などすべて全介助である．

Ⅲ．アセスメントと看護上の問題，看護目標

1．アセスメント

Aさんの看護上の問題として，昼夜逆転していることがあげられる．その原因は活動性の低下である．活動性の低下には，身体が自由に動かせないことと認知機能の低下が関係している．

身体が自由に動かせない原因は，運動神経障害によって右上下肢に力が入らないことと，ベッド上生活による筋力の低下である．また，入院により環境や状況が一変し，普段の生活の刺激がなくなったことにより生活リズムを整えにくいことが認知機能低下の要因となっている．さらに，身体が自由に動かせなくなったことや環境・状況の変化に対する不安・緊張や昼夜逆転も認知機能の低下に影響していると考えられる．

以上のように活動性が低下し，活動と睡眠のバランスが変化したことによって睡眠・覚醒リズムが障害され，昼夜逆転が生じている．逆に昼夜逆転もまた活動性の低下に影響し，悪循環を招いている．

2．看護上の問題

活動性の低下により昼夜逆転している．

3．看護目標

活動性が高まり昼夜逆転が改善される．

Ⅳ．看護の実際

1．具体策

OP：認知機能の状態と運動機能の観察

夜間と日中の睡眠・覚醒状態，発語の有無や内容，話しかけたときの反応，自発的な行動の有無，坐位姿勢の保持状況，関節可動域，力の入り具合などを観察する．

TP：生活の中でのリハビリテーション

モーニングケア（顔拭き，口腔内清拭，ひげ剃り，整髪）を行う．日中はベッドをギャッチアップし，話しかけたり，身体をさすったりする．昼の経管栄養のときにイヤホンで音楽を聞く．

EP：自立に向けたかかわり

①家族に，Aさんの好きな音楽，趣味，好きな話題，テレビ番組などを確認する．

②モーニングケアや清拭のとき，できる範囲は自分でやってみるように声をかける．

2．患者の反応・変化

1）受け持ち1週目

肩をさすらなければ覚醒せず，すぐに眠ってしまった．質問に対しては首振りのみで返答した．夜間は開眼していた．1分程度であれば自力で姿勢保持ができた．モーニングケアは顔の清拭，口腔内清拭（スポンジ使用），ひげ剃りを全介助で行った．口腔内清掃時はしかめ面をした．

2）受け持ち2週目

モーニングケアの間は覚醒していたが，それ以外は覚醒してもすぐに眠ってしまった．週の後半になると理学療法中は眠らなくなった．夜間は眠っている日もあった．経管栄養中は音楽を聞きながら眠っている．モーニングケアでは，ギャッチアップ 60 度にして左手を誘導すると自分で顔を拭き，「あぁー」と気持ちよさそうな声を出した．シェーバーを渡すと最初は眺めていたが，使い方を説明し，鏡を見せながら左手に持ってもらうと自分で剃った．端坐位保持練習では，身体がやや右に傾いたが，理学療法士が指示すると身体の傾きを正そうとした．

3）受け持ち 3 週目

名前を呼ぶだけで開眼し，モーニングケアのときは覚醒していた．午前中は眠ることなく過ごした日もあった．午後も起きていることが多くなった．名前を呼ぶと返事をするようになり，「おはよう」「ありがとう」という簡単な言葉を発するようになった．ひげ剃りを褒めると，笑顔を見せた．看護記録では，夜間は眠っているという記載が多くなった．モーニングケアでは自らシェーバーに手を伸ばし自分でひげ剃りを行うようになった．口腔ケアも自分で行うようになった．ベッドと車いす間の移乗練習が開始され，自ら車いすに移乗しようとした．午後はギャッチアップ 60 度で，写真集を見るようにした．自分が見たい本を選んだり，ページをめくったりした．「おいしそうな料理の写真が見たい」と言った．

4）受け持ち 4 週目

朝はすぐに開眼し，自分から「おはよう」と声をかけるようになった．「昨日，息子たちが来たよ」「早く退院して，畑仕事をしたいな」「畑は今が一番忙しいんだよ」など会話に支障がなくなった．1 時間程度昼寝をする以外は眠ることはなくなった．夜は眠っている．モーニングケアでは，自らシェーバーでひげを剃っている．口腔ケアには歯ブラシを使うようになった．理学療法では歩行練習が開始された．椅子に座って話すことが増えてきた．経管栄養は中止となり，自分でスプーンを使って流動食を食べている．車いすで病院の庭に散歩に行ったときに，畑の話をしてくれた．

Ⅴ．考　察

紙屋は「意識障害患者の看護の基本は，脳の学習性・可逆性・代償性に期待し，患者の状態に適した刺激を与えることによって学習効果を高め，生活行動を獲得させることにある」[1]「患者に残された能力や小さな変化，（中略），健康時の日常生活に基づく方法で看護援助を提供するならば，意識障害患者にも生活行動を獲得する可能性が十分にあることが確認された」[2] と述べている．A さんにとってシェーバーを用いたひげ剃りは生活習慣であったため，この繰り返しが脳の学習効果を高め，失われていた生活行動を再獲得することができたと考える．

能條は「座らせることで，姿勢保持のためのコントロール機能を働かせ，そのことが脳幹部にある脳幹網様体を刺激し，その刺激が大脳に覚醒を起こす」[3] と述べている．坐位で過ごす時間を増やしたことや端坐位姿勢保持の練習によって，姿勢保持のためのコントロール機能が働き，脳幹部が刺激され大脳に覚醒を起こすことができた．これにより，覚醒時間の延長や認知機能の改善につながった．

梅津らは「昼間に多くの刺激を与え，睡眠・覚醒リズムを確立させてやれば意識レベルのアップがはかれるとの報告がある」[4] と述べている．モーニングケアによる触覚刺激，坐位姿勢や写真集による視覚刺激，経管栄養中の音楽という聴覚刺激など，昼間に多くの刺激を与えたことで，睡眠・覚醒リズムが確立され，日中は覚醒していることができるようになった．このような生活の中でのリハビリテーションや自立へのかかわりを継続したことにより，昼夜逆転が改善され，徐々に意識レベルがアップし，会話できるようになっていったと考えられる．

Ⅵ．おわりに

昼夜逆転を改善するかかわりにおける成果の要因として以下の 3 つが抽出された．

1. 生活習慣を繰り返し行うことが脳を刺激し，学習効果を高め，生活行動を再獲得することができた．
2. 坐位保持が大脳を刺激し，覚醒時間の延長や認知機能の改善につなげられた．
3. 多くの刺激によって，睡眠・覚醒リズムが確立し意識レベルのアップをはかることができた．

Ⅶ．引用文献

1）紙屋克子：日常生活における看護技術の効果．保健の科学，36(6)：360，1994．
2）前掲書 1)．364．
3）能條多恵子：脳外科ナースのための看護プログラムとその実際：札幌麻生脳神経外科病院の看護実践．医学書院，p.18，2000．
4）梅津徳子：意識レベルアップをはかる刺激づけの効果．第 24 回日本看護学会集録（成人看護Ⅱ），p.71，1993．

図 1　抄録の例

＊実際のサイズより縮小しています

間がかかるようであれば，発表の途中で「この部分につきましては，抄録には××と書かれていますが，○○に修正いたしましたので，これ以降は○○についてご説明します」のように訂正することもあります．いずれにしても，訂正内容を説明するぶん，発表時間が無駄になりますので，修正がないように事前によくチェックして提出してください．

なお，発表では「です・ます調」を用いる人が多いようですが，「である調」で発表する人もいます．特に決まりはありません．

3 スライドの作り方

スライドをスクリーンに投影させながら口頭発表を行うことが多くなっています．主に，パソコンソフトのパワーポイントを用いて，画面を切り替えながら発表します．聴衆は画面を見ながら，説明を聞いていますので，視覚と聴覚が共同作業しやすい画面を作る必要があります．

視覚は瞬時の情報処理に優れているため，写真，絵，単純な図表は視認しやすい情報です．単語や短文であれば瞬時に読み取れますが，長い文章や複雑な内容を理解するためには時間がかかります．聴覚情報は，選択の余地なく，話し手によって一方的に次々と入ってきますので，一瞬の集中力の欠如が情報の空白を作ることがあります．メモをとっていると，その間は耳からの情報に集中できなくなるのがその例です．

文章や文字で表現する場合，画面と耳から入ってくる言葉が一致しないと，頭の中で解釈したり，変換しなければならなくなりますので，考えているうちに発表が進んでしまい，内容についていけなくなったりします．

文字を読む速度は人によって異なりますが，耳で聞き取りやすい速度

Ⅰ．はじめに

患者は，肺炎治療の入院中に発症した脳梗塞により，日常生活の大部分に介助を要する状態となり，表情は乏しく，日中はほとんど眠っていた．活動性の低下や昼夜逆転を起こしている要因として，脳梗塞による認知機能の低下，入院による刺激の低下や生活サイクルの変化により睡眠・覚醒リズムが障害されていることがあげられた．日中の覚醒を促すような刺激や生活サイクルを取り戻すように援助を実施したところ，発語や反応が見られるようになり，昼夜逆転が改善された．そこで，このような成果をもたらした要因について考察する．

図2 抄録をそのまま写した場合

は1分間に300字程度といわれています．

抄録をすべて読んで発表する人もいますが，発表者が抄録をそのまま読み，抄録を貼り付けただけの文字だらけのパワーポイントを作ると，聴衆は抄録を読みながら聞くほうが楽なので，スクリーンを見なくなります．

前述の抄録の「はじめに」をそのままパワーポイントに貼り付けると，**図2**のようになります．パワーポイントの標準は4：3の長方形になります．かなり文字だらけの印象です．これを全部読むと1分程度かかります．

発表原稿は「はじめに」をそのまま読むと想定して，**図3**のように

図3　文字数を減らした場合

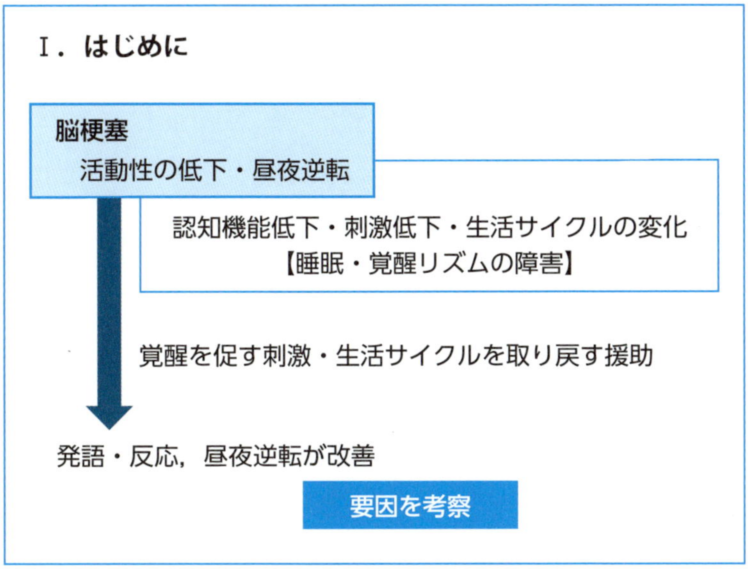

図4　図のように示した場合

作り直してみました．

行数は**図2**と同じですが，文字数が減ったので少し見やすくなりました．しかし，まだ文字が多い印象のため，**図4**のようにしてみました．長い文章での表現がなくなり，ひとかたまりの文字の意味を一目で理解できるようになりました．

最初の**図2**は文字を目で追いながら，耳で聞きますので，視覚も聴覚もフル回転です．**図3**のように文字を減らすと，視覚での情報処理は少し楽になります．さらに**図4**になると，文字は簡単に読み取れますので，耳から入って来る文章を聞きながら，文字の意味やつながりを立体的に理解することができます．

逆に，耳からの情報量よりも読む量が多いと理解が難しくなります．**図1**の抄録をそのまま写した場合の画面を見ながら，右の発表原稿を誰かに読んでもらってみてください．

Ⅰ．はじめに

患者は，肺炎治療の入院中に発症した脳梗塞により，日常生活の大部分に介助を要する状態となり，表情は乏しく，日中はほとんど眠っていた．活動性の低下や昼夜逆転を起こしている要因として，脳梗塞による認知機能の低下，入院による刺激の低下や生活サイクルの変化により睡眠・覚醒リズムが障害されていることがあげられた．日中の覚醒を促すような刺激や生活サイクルを取り戻すように援助を実施したところ，発語や反応が見られるようになり，昼夜逆転が改善された．そこで，このような成果をもたらした要因について考察する．

はじめに．患者は脳梗塞により日常生活の大部分に援助が必要であり，傾眠状態でした．このような活動性の低下や昼夜逆転傾向は，認知機能低下や環境の変化による睡眠・覚醒リズムが乱れているためと考えられます．そこで覚醒を促し，生活サイクルを整える援助を実施したところ，効果が見られたので考察しました．

図5　スライドと発表原稿が一致しない場合

発表原稿での表現と文字の表現が一致していないと，聴衆はどこを説明されているかわからなくなることがあります．

スライドで伝えたい内容によっては，文字や文章が簡潔であるほどいいとはいえませんが，情報が入って来る印象が異なりますので，**図3～5**の3つの違いを試してみてください．

以下は，このケーススタディの抄録を10分程度の発表にまとめたパワーポイントの例です．この発表原稿は約3,000文字です．「はじめに」は**図4**を用いています．

なお，本書ではパワーポイントの柄や絵，多色使い，フォントの種類，アニメーションについては説明しませんが，伝わる工夫として必要に応じて使ってください．

活動性が低下した患者の
昼夜逆転を改善するかかわりにおける成果の要因

学籍番号 1234
○川△子

活動性が低下した患者の昼夜逆転を改善するかかわりにおける成果の要因
○川△子です．よろしくお願いします．

タイトルや氏名は座長または司会者が読み上げたときには，タイトルは読まずに，「○川△子です．よろしくお願いします」と始めればよいでしょう．

Ⅰ．はじめに

脳梗塞
活動性の低下・昼夜逆転

認知機能低下・刺激低下・生活サイクルの変化
【睡眠・覚醒リズムの障害】

覚醒を促す刺激・生活サイクルを取り戻す援助

発語・反応，昼夜逆転が改善

要因を考察

はじめに．患者は脳梗塞により日常生活の大部分に援助が必要であり，表情は乏しく，日中は傾眠していました．このような活動性の低下や昼夜逆転を起こしている要因として，認知機能の低下，刺激の低下，生活サイクルの変化による睡眠・覚醒リズムの障害があげられます．
日中の覚醒を促し，生活サイクルを取り戻すように援助を実施したところ，発語や反応が見られるようになり，昼夜逆転が改善されました．そこで，このような成果をもたらした要因について考察しました．

Ⅱ．事例紹介

1）患者の概要

A さん（80 歳代，男性），肺炎，脳梗塞

農業，妻，息子一家と 6 人暮らし

2）受け持ち時の状況

①脳梗塞による軽度の運動神経障害（右麻痺）

②意識レベル　JCS II -20

③昼夜逆転

④端坐位保持練習以外は仰臥位

⑤清潔・整容など日常生活はすべて全介助

⑥経管栄養

事例は，A さん，80 歳代の男性です．肺炎で入院中に脳梗塞を起こしました．家族で農業を営んでおり，6 人暮らしです．

入院 15 日目から受け持ちました．肺炎は改善されていましたが，脳梗塞による軽度の運動神経障害があり，右の上肢，下肢に十分に力が入りませんでした．意識レベルはジャパンコーマスケールⅡの 20 で，大きな声または体を揺さぶることによって開眼する状態でした．質問には首を振ることもありましたが，発語はなく，反応しないこともありました．夜間は覚醒していることが多く，昼夜逆転していました．リハビリテーションで端坐位の練習をする以外は，仰臥位で過ごしていました．洗面，口腔ケア，清拭，ひげ剃りなど，日常生活は全介助でした．食事は経管栄養でした．

- 事例の状況を理解してもらい，次のアセスメント，看護上の問題，看護目標，具体策につなげるために，事例紹介は丁寧に行います．
- 食事が経管栄養だったことは，抄録にはありませんが，聴衆が事例についてよりイメージしやすくなったり，発表の中で必要な情報だったりするのであれば追加してもかまいません．本来は抄録にも書いておくべきだったのかもしれませんが，すでに抄録を提出してしまい，抄録では削除した情報が発表では必要と判断されることもあります．ケーススタディを重ねていくと，ケースレポート，抄録，パワーポイントが一貫性のあるものになっていきます．よほど抄録から逸脱するようなことでない限り，最初はあまりこだわらず，発表内容を理解してもらえるようにパワーポイントを作っていきます．

Ⅲ．アセスメントと看護上の問題，看護目標

<アセスメント（関連図）>

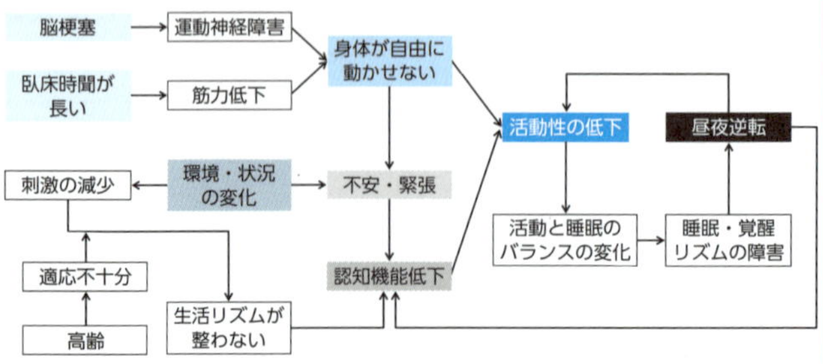

脳梗塞
運動神経障害
臥床時間が長い
筋力低下
身体が自由に動かせない
刺激の減少
環境・状況の変化
不安・緊張
活動性の低下
昼夜逆転
適応不十分
認知機能低下
活動と睡眠のバランスの変化
睡眠・覚醒リズムの障害
高齢
生活リズムが整わない

アセスメントと看護上の問題，看護目標です．

まずアセスメントです．昼夜逆転となっていることを看護上の問題としてあげました．その原因は活動性の低下です．活動性の低下には，身体が自由に動かせないことと認知機能の低下が関係しています．

まず身体が自由に動かせない原因ですが，脳梗塞に

- アセスメントの原稿はほぼ抄録のままですが，関連図を使うことで，よりわかりやすくなります．しかし，説明がいきなり右端の「昼夜逆転」から始まり，その後も真ん中，左上，左下，右と説明の場所が動いていきますので，画面を見せているだけでは，聴衆はどこを説明しているのかはわかりません．指しながら説明すると，視覚からの理解と聴覚からの理解が一致し，効果的です．
- 関連図はケースレポートで作成したものをそのまま貼り付けると，横長のため文字が小さくなってしまいました．画面に合わせて，形を変えています．スライドで図を使うときには見栄えを大事にします．

よる運動神経障害によって右上下肢に力が入らないこと，臥床時間が長いことによる筋力低下です．

また，入院により環境や状況が一変し，普段の生活の刺激がなくなったことにより生活リズムを整えにくくなったことが，認知機能が低下する要因となっています．

さらに，身体が自由に動かせなくなったことや環境・状況の変化に対する不安・緊張や昼夜逆転も認知機能の低下に影響しています．

このように活動性が低下し，活動と睡眠のバランスが変化したことによって睡眠・覚醒リズムが障害され，昼夜逆転が生じています．逆に昼夜逆転もまた活動性の低下に影響し，悪循環を招いています．

看護上の問題

活動性の低下により昼夜逆転している．

看護目標

活動性が高まり昼夜逆転が改善される．

そこで，看護上の問題は，活動性の低下により昼夜逆転している，としました．看護目標は，活動性が高まり，昼夜逆転が改善される，です．

- 抄録では，「1. アセスメント，2. 看護上の問題，3. 看護目標」となっていますが，この画面では，2や3の数字は意味がありませんので，削除しました．それを受けて，前の画面も「1. アセスメント」とせず項目は<　>で示しました．

Ⅳ．看護の実際

＜具体策＞

OP：認知機能の状態と運動機能の観察
　睡眠・覚醒状態，発語，反応，自発的行動，座位姿勢，力の入り具合などを観察

TP：生活の中でのリハビリテーション
　モーニングケア，ギャッチアップ，コミュニケーション，音楽など

EP：自立に向けたかかわり
　好きな音楽，話題などを家族に聞く，できる範囲は自分でやってみるよう声をかける

●パワーポイントの画面では文字数を減らすために単語の羅列になっているところがありますので，内容がわかるように口頭で説明を加えるとわかりやすくなります．ここも項目は数字で示すのではなく＜　＞を用いています．

次に，看護の実際です．

具体策ですが，OPは認知機能の状態と運動機能の観察として，睡眠・覚醒状態，発語，反応，自発的行動，坐位姿勢の保持状況，力の入り具合などを観察しました．

TPは生活の中でのリハビリテーションとして，モーニングケアの実施，日中ギャッチアップをしてコミュニケーションをとったり，昼の経管栄養中に音楽を聞いたりするなど，刺激を与え覚醒を促す援助をしました．

EPは自立に向けたかかわりとして，好きな音楽や話題などを家族に聞きケアに取り入れること，ケアのときに，できる範囲は自分でやってみるように声をかけることとしました．

＜患者の反応・変化＞

	1週目	2週目	3週目	4週目
睡眠・覚醒	肩をゆすると覚醒するがすぐに眠ってしまう	モーニングケア以外は眠ってしまうが，理学療法中は眠らず	名前を呼ぶだけで開眼する 午後起きていることが増えた	すぐに開眼する
	夜間覚醒	夜間眠っていることもある	夜間眠っていることが増えた	夜間眠っている
	首振りで返答	顔を拭いたときに「あぁー」と気持ちよさそうな声を出す	「おはよう」「ありがとう」と言葉を発し，笑顔が見られる	自分から「おはよう」と言い，息子たちが面会に来たことや畑の話をする
姿勢・移乗・移動	端坐位保持は1分程度	ギャッチアップ60度 右に傾いた身体を直そうとする	自らベッドから車いすに移乗 写真集を選んだり，ページをめくったりする	歩行練習が開始，椅子に座って会話，車いすで散歩
モーニングケア	全介助	促すと，自分で顔を拭いたりシェーバーでひげを剃る	自らひげ剃りや口腔ケアをするようになった	自らひげ剃りや歯ブラシを使った歯磨きをする
食事	経管栄養	経管栄養	経管栄養	自分で流動食を食べる

患者の反応と変化です．

睡眠・覚醒の状態，姿勢・移乗・移動，モーニングケア，食事について，受け持ち1週目から4週目までの状況を表にしました．

1週目は，肩をゆすると起きますがすぐに眠ってしまいました．夜間は起きていました．首振りで返答するのみで発語はありませんでした．端坐位は1分程度しか保持できませんでした．モーニングケアは全介助，食事は経管栄養を行っていました．

2週目は，モーニングケア以外，経管栄養のときも音楽を聞きながら眠ってしまいましたが，理学療法中は起きているようになりました．夜間は眠っていることもありました．顔を拭いた後に「あぁー」と気持ちよさそうな声を出しました．日中はギャッチアップ60度にして過ごしました．端坐位保持練習のとき，理学療法士に指示されて，右に傾いた身体を自分で直そうとしました．指示が理解できている様子でした．

3週目になると，名前を呼ぶだけで目を開け，午後も起きていることが増えました．夜は眠っていることが増えました．「おはよう」「ありがとう」という言葉を発し，笑顔が見られるようになりました．ベッドと車いす間の移乗練習では，自分で車いすに移乗しようとしていました．いくつかの写真集の中から自分が見たいものを選んだり，ページをめくって見入ったりしていました．自らシェーバーに手を伸ばしてひげ剃りを<u>したり</u>口腔ケアをするようになりました．

4週目には，訪室すると気配ですぐに目を開けるようになり，夜は眠っていました．自分から「おはよう」と言い，息子さんたちが面会に来たことや畑の話をするなど，会話に支障がなくなりました．歩行練習が開始となり，椅子に座って話をしたり，車いすで散歩に行ったりしました．また，歯ブラシを使って歯磨きをするようになりました．食事は流動食が開始になり，自分で食べていました．

- 患者の反応と変化は，表にしました．表のどこを読んでいるのかわかるように，読み始めは指し示す必要があります．表の中で言葉足らずなところは口頭で追加して説明します．発表原稿は「○○しました」「○○でした」と短い文章がぶつ切りになっていますが，聞くときには気になりません．また，下線部の「〜たり」は並列を表すため，「ひげ剃りをしたり口腔ケアをしたり」が正しい使い方ですが，耳で聞くときには後ろの「たり」を省略しても気になりません．

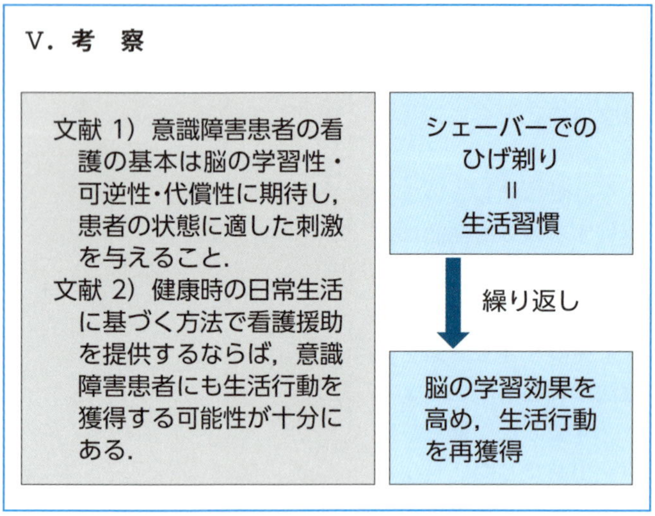

V．考　察

文献 1）意識障害患者の看護の基本は脳の学習性・可逆性･代償性に期待し，患者の状態に適した刺激を与えること． 文献 2）健康時の日常生活に基づく方法で看護援助を提供するならば，意識障害患者にも生活行動を獲得する可能性が十分にある．	シェーバーでのひげ剃り ＝ 生活習慣 ↓ 繰り返し 脳の学習効果を高め，生活行動を再獲得

考察です．

文献１では「意識障害患者の看護の基本は，脳の学習性・可逆性・代償性に期待し，患者の状態に適した刺激を与えることによって学習効果を高め，生活行動を獲得させること」であると述べられています．

文献２では「健康時の日常生活に基づく方法で看護援助を提供するならば，意識障害患者にも生活行動を獲得する可能性が十分にある」と述べられています．

Ａさんにとってシェーバーでのひげ剃りは生活習慣でした．毎日この行動を繰り返すことが脳の学習効果を高め，失われていた生活行動を再獲得することができたと考えます．

- このケーススタディでは，文献ごとに現象を意味づけているため，発表のときも，その関係がわかるように示されています．
- 文献のキーワードに線を引いたり色をつけたりすることにより，ポイントを視認しやすくなります．

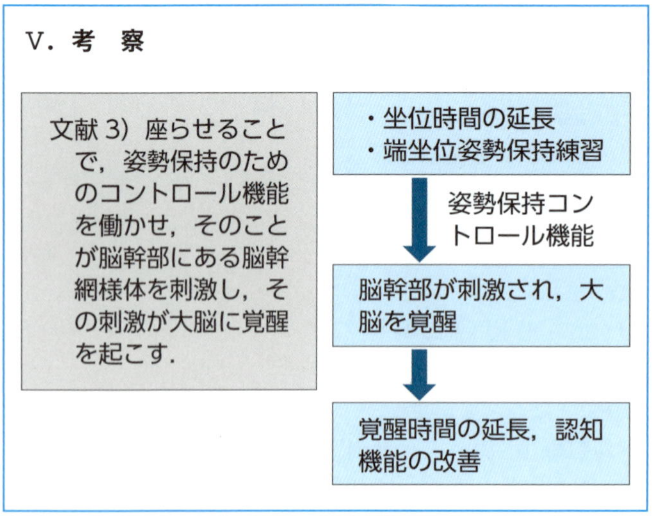

V．考　察

文献 3）座らせることで，姿勢保持のためのコントロール機能を働かせ，そのことが脳幹部にある脳幹網様体を刺激し，その刺激が大脳に覚醒を起こす．	・坐位時間の延長 ・端坐位姿勢保持練習 ↓ 姿勢保持コントロール機能 脳幹部が刺激され，大脳を覚醒 ↓ 覚醒時間の延長，認知機能の改善

文献３では「座らせることで，姿勢保持のためのコントロール機能を働かせ，そのことが脳幹部にある脳幹網様体を刺激し，その刺激が大脳に覚醒を起こす」と述べられています．

坐位で過ごす時間を増やしたことや端坐位姿勢保持の練習によって，姿勢保持のためのコントロール機能が働き，脳幹部が刺激され大脳に覚醒を起こすことができたと考えられます．これにより，覚醒時間の延長や認知機能の改善につながりました．

V．考　察

文献 4）昼間に多くの刺激を与え，睡眠・覚醒リズムを確立させてやれば意識レベルのアップがはかれる．

モーニングケア，坐位姿勢，写真集，音楽

【生活の中でのリハビリテーション，自立へのかかわり】

↓ 睡眠・覚醒リズムの確立

・昼夜逆転の改善
・意識レベルのアップ

文献 4 では「昼間に多くの刺激を与え，睡眠・覚醒リズムを確立させてやれば意識レベルのアップがはかれる」と述べられています．

モーニングケアによる触覚刺激，坐位姿勢や写真集による視覚刺激，経管栄養中の音楽という聴覚刺激，など昼間に多くの刺激を与えたことで，睡眠・覚醒リズムが確立され，日中は覚醒していることができるようになりました．このような生活の中でのリハビリテーションや自立へのかかわりを継続したことにより，昼夜逆転が改善され，徐々に意識レベルがアップし，会話できるようになっていったと考えられます．

VI．おわりに

昼夜逆転を改善するかかわりにおける成果の要因

1．生活習慣を繰り返し行うことが脳を刺激し，学習効果を高め，生活行動を再獲得することができた．
2．坐位保持が大脳を刺激し，覚醒時間の延長や認知機能の改善につなげられた．
3．多くの刺激によって，睡眠・覚醒リズムが確立し意識レベルのアップをはかることができた．

おわりに，昼夜逆転を改善するかかわりにおける成果の要因として次の 3 つが抽出されました．

1．生活習慣を繰り返し行うことが脳を刺激し，学習効果を高め，生活行動を再獲得することができた．
2．坐位保持が大脳を刺激し，覚醒時間の延長や認知機能の改善につなげられた．
3．多くの刺激によって，睡眠・覚醒リズムが確立し意識レベルのアップをはかることができた．

Ⅶ. 引用文献

1）紙屋克子：日常生活における看護技術の効果．保健の科学，36(6)：360，1994.
2）前掲書 1)．364.
3）能條多恵子：脳外科ナースのための看護プログラムとその実際：札幌麻生脳神経外科病院の看護実践．医学書院，p.18，2000.
4）梅津徳子：意識レベルアップをはかる刺激づけの効果．第 24 回日本看護学会集録（成人看護Ⅱ），p.71，1993.

以上で発表を終わります．

●引用文献は読む必要はありません．抄録に書いてありますので，パワーポイントで示さなくてもかまいません．今回は，引用文献を使いながら考察していますので引用文献のスライドを作っています．

活動性が低下した患者の
昼夜逆転を改善するかかわりにおける成果の要因

学籍番号 1234
○川△子

ご清聴ありがとうございました

ご清聴ありがとうございました．

●最後の画面にもう一度タイトルのスライドを用いたり，「ご清聴ありがとうございました」という文字をスライドで示したりして，締めとすることもあります．ただし，必ずしなければならないことではありません．

4　ポスターの作り方

ポスターは A0（841×1,189 mm），A1（594×841 mm），B0（1,030×1,456 mm），B1（728×1,030 mm）の紙のサイズや企画側の規定が示されますので，その大きさの範囲で作成します．パワーポイントで作成したスライドを A4，A3，B4 などの紙に 1 枚ずつ印刷して示された範囲に会場で貼ったり，あらかじめ模造紙のような下紙に貼ったりします．あるいは，パワーポイントで作成したスライドを大判プリンターで拡大して 1 枚に印刷したポスターも多く見られます．大判プリンターを所有している病院や大学，印刷屋に依頼する必要があり，有料です．紙に印刷した場合は丸めて専用のポスターケースに入れて持ち運びしますが，専用の布に印刷したポスターであれば折りたたむことができます．

ポスターの上部に発表番号や記号を貼るスペースを空けてタイトルを記載しなければならない場合がありますので，企画側の指示に従ってください．

図6は「活動性が低下した患者の昼夜逆転を改善するかかわりにおける成果の要因」を1枚のポスターにした例です．発表原稿はスライドと同じものとし，10分程度の発表用のポスターです．その場での発表のわかりやすさを重視しつつ，事例紹介はスライドよりは文字数を増やして作っています．上部のほうには比較的空白の部分があり，中央から下が混雑しています．ポスターではよほど見づらくならなければ，並べ方は自由に変えてかまいませんので，工夫してください．ただし，左右の高さや項目の左位置が揃っていないと見栄えが悪くなりますので，注意します．引用文献を入れるスペースがなくなりましたので，考察の「文献」の横に著者の姓だけ載せています．

ポスター発表は，ポスターの前に立って発表します．ポスターを指しながら発表しやすく，部屋を暗くしませんので聴衆の反応がよく見えます．発表者の近くに聴衆がいますので，質疑応答が活発に行われやすく，交流しやすいのが特徴です．しかし，聴衆は何重かの半円になりますので，マイクが使われなかったり声が小さかったりすると聞き取りにくくなります．ポスターの文字が小さいと後ろの方の人からはほとんど見えません．

その場での発表のわかりやすさを重視するか，自由に見てもらったときにも理解しやすくするかで，ポスターの作り方は違ってきます．前者であればスライドと同様ですが，後者であれば説明しないとわからない図で示すのではなく，文字で読んで理解できるようにしたほうが親切です．

ポスターもスライドと同様，柄や絵，多色使い，フォントの種類やレイアウトにはさまざまなものがあります．スライドやポスターの作り方を解説した書籍がありますので，検索してみてください．

5　質疑応答時の対応

1つひとつの発表の後，あるいは何題かの発表の後に質疑応答の時間が設けられています．質問者は自身の所属と名前を述べます．質問する前に「発表お疲れ様でした」「発表ありがとうございました．興味深く聞かせていただきました」と発表の労をねぎらったり，発表に対してお礼を言ってくれたりすることがあります．こちらも，質問に答える前に「ご質問ありがとうございます」とお礼を述べると，やりとりしやすい雰囲気になります．

発表の途中で終了時間となったときに，抄録を読んできている聴衆から発表できなかった内容について質問されることがあります．そのよう

活動性が低下した患者の
昼夜逆転を改善するかかわりにおける成果の要因

学籍番号 1234　○川△子

Ⅰ．はじめに

患者は脳梗塞により日常生活に介助を要し，表情が乏しく，日中は眠っている

●活動性の低下・昼夜逆転の要因
- 認知機能の低下
- 刺激の低下
- 生活サイクルの変化

などによる睡眠覚醒リズムの障害

●日中の覚醒を促し，生活サイクルを取り戻す援助を実施
- 発語や反応

⇒このような成果をもたらした要因を考察する

Ⅱ．事例紹介

1）患者の概要

Aさん（80歳代，男性），肺炎のため入院中に脳梗塞を発症，家族で農業，妻，息子夫婦、孫2人と6人暮らし

2）受け持ち時の状況

①脳梗塞による軽度の運動神経障害（右麻痺）
②意識レベル　JCSⅡ-20，質問には首を振ることもあるが，発語はなく，反応しないこともある
③夜間は覚醒しており，昼夜逆転している
④端坐位保持練習以外は仰臥位で過ごす
⑤清潔・整容など日常生活はすべて全介助で行っている
⑥食事は経管栄養

Ⅲ．アセスメントと看護上の問題，看護目標

<アセスメント>

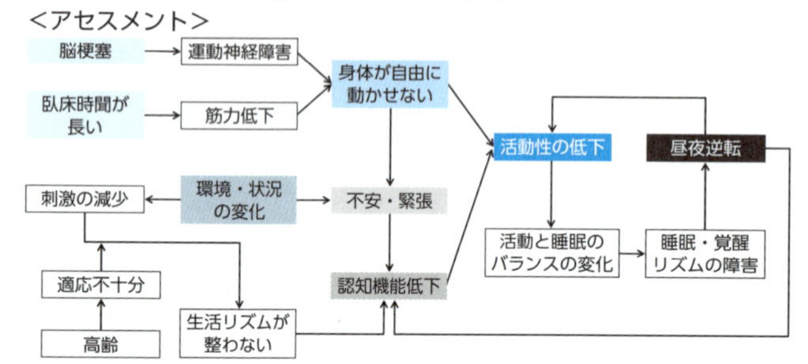

<看護上の問題>
活動性の低下により昼夜逆転している．

<看護目標>
活動性が高まり昼夜逆転が改善される．

Ⅳ．看護の実際

1．具体策

OP：認知機能の状態と運動機能の観察
睡眠・覚醒状態，発語，反応，自発的行動，坐位姿勢，力の入り具合などを観察

TP：生活の中でのリハビリテーション
モーニングケア，ギャッチアップ，コミュニケーション，経管栄養中の音楽など

EP：自立に向けたかかわり
好きな音楽，話題などを家族に聞く，できる範囲は自分でやってみるよう声をかける

2．患者の反応・変化

	1週目	2週目	3週目	4週目
睡眠・覚醒	肩をゆすると覚醒するがすぐに眠ってしまう	モーニングケア以外は眠ってしまうが，理学療法中は眠らず	名前を呼ぶだけで開眼する 午後起きていることが増えた	すぐに開眼する
	夜間覚醒	夜間眠っていることもある	夜間眠っていることが増えた	夜間眠っている
	首振りで返答	顔を拭いたときに「あぁー」と気持ちよさそうな声を出す	「おはよう」「ありがとう」と言葉を発し，笑顔が見られる	自分から「おはよう」と言い，息子たちが面会に来たことや畑の話をする
姿勢・移乗・移動	端坐位保持は1分程度	ギャッチアップ60度 右に傾いた身体を直そうとする	自らベッドから車いすに移乗 写真集を選んだり，ページをめくったりする	歩行練習が開始，椅子に座って会話，車いすで散歩
モーニングケア	全介助	促すと，自分で顔を拭いたりシェーバーでひげを剃る	自らひげ剃りや口腔ケアをするようになった	自らひげ剃りや歯ブラシを使った歯磨きをする
食事	経管栄養	経管栄養	経管栄養	自分で流動食を食べる

Ⅴ．考　察

文献1）紙屋
意識障害患者の看護の基本は脳の学習性・可逆性・代償性に期待し，患者の状態に適した刺激を与えること．
文献2）紙屋
健康時の日常生活に基づく方法で看護援助を提供するならば，意識障害患者にも生活行動を獲得する可能性が十分にある．

シェーバーでのひげ剃り
＝
生活習慣
↓ 繰り返し
脳の学習効果を高め，生活行動を再獲得

文献3）能條
座らせることで，姿勢保持のためのコントロール機能を働かせ，そのことが脳幹部にある脳幹網様体を刺激し，その刺激が大脳に覚醒を起こす．

・坐位時間の延長
・端坐位姿勢保持練習
↓ 姿勢保持コントロール機能
脳幹部が刺激され，大脳を覚醒
↓
覚醒時間の延長，認知機能の改善

文献4）梅津
昼間に多くの刺激を与え，睡眠・覚醒リズムを確立させてやれば意識レベルのアップがはかれる．

モーニングケア，坐位姿勢，写真集，音楽
【生活の中でのリハビリテーション，自立へのかかわり】
↓ 睡眠・覚醒リズムの確立
昼夜逆転の改善
意識レベルのアップ

Ⅵ．おわりに

昼夜逆転を改善するかかわりにおける成果の要因

1. 生活習慣を繰り返し行うことが脳を刺激し，学習効果を高め，生活行動を再獲得することができた．
2. 坐位保持が大脳を刺激し，覚醒時間の延長や認知機能の改善につなげられた．
3. 多くの刺激によって，睡眠・覚醒リズムが確立し意識レベルのアップをはかることができた．

図6　ポスターの例

な場合は，発表できなかった内容について簡潔に伝えたうえで，質問に答えます．ただし，発表の時間を与えられたわけではありませんので，延々と発表原稿を読むのはルール違反です．

質問者の声がよく聞こえなかったり，質問の意図がつかめなかったり，たくさん質問があり途中で忘れてしまったりしたときには，「もう一度お願いします」「××についてのご質問でしょうか」「1つ目のご質問ですが×××．2つ目のご質問をもう一度お願いします」のように，聞き直して，正しく答えられるようにします．たくさん質問があったときにはメモをとって，もれがないように答えます．質疑応答は，会場にいる他の人にとっても知りたい内容であることが多いので，誠実に答えます．

考えていなかったようなことを質問されたり，明確に答える準備ができていなかったりしたときには，「ご指摘いただいた点について，今回は検討していませんでした．参考にさせていただきます．貴重なご意見ありがとうございました」「手元に資料がありませんので，あとで調べてお答えします」など，今は答えられないということを伝えます．コメントや助言をしてくれた人や，あとで調べて答えると返事をした人に対しては，発表後に直接声をかけて，指摘の意図を詳しく尋ねたり，回答をどちらに送ればよいかを確認したりします．質問をしてくれた人は，テーマに興味をもっていることが多いので，学びの機会を逃さないようにします．

Chapter6

ケーススタディの指導のポイント

1　学生のケーススタディに対する指導者または教員の役割

1）実習とケーススタディの関係

実習は，学生が学内で学んだ知識や技術を実際の患者に適応させながら実際の患者を理解し，実践的な看護を学ぶ場です．実習では学内の講義や演習の何倍もの情報が飛び交い，時間の経過に伴って状況が変化していきますので，患者の状況に遅れないように計画を立ててケアを実施するだけで精一杯という学生も多いと思います．指導者または教員は，学生が情報やアセスメントを追加したり修正したりできるように，情報・アセスメントの記録，看護計画，行動計画，実施・評価記録，口頭での報告，カンファレンスなどの場で指導します．

実習には学ぶべき生きた材料がたくさんありますので，患者とのコミュニケーションの振り返り，チーム活動，他職種との連携，自己評価・他者評価など，さまざまなことを学内で整理し直す必要があります．実習後に行うケーススタディも１つの学習方法として用いられています．テーマに沿って看護を実践する中で体験したことや考えたこと，そのときの思いなどを文章化するプロセスを通して，看護の価値を確認します．

2）実習と記録のサポート

学生が実習で受け持った患者のケーススタディを通して，看護について学びを深めるためには，看護過程を展開し丁寧に記録することと，看護過程をもとに患者に十分にかかわったという体験が必要です．学内に戻ってからの学びには，実習での指導が大きな影響をもたらします．特にケーススタディは看護過程がもとになりますので，実習の場での指導者または教員の指導は看護過程に大きく反映されます．

実習では，患者と学生が良好な関係をつくることができるように配慮し，学生がケアを実施できるようにサポートします．時には指導者または教員がケアをする場面を観察させ，自身が観察したことやアセスメントと照らし合わせながら，その場面について学生と話し合います．学生から報告を受けるときには，事実の確認だけではなく，事実をどのように判断したか表現させ，指導者または教員の判断を伝えて，相違を考えさせることも必要です．

指導者または教員は，学生が論理的な思考を身につけられるように，「なぜ他の方法ではなくその方法を選択するのか」「なぜそうしなければいけないのか」「なぜそうしてはいけないのか」「なぜそのように解釈するのか」「なぜそこがポイントだと思うのか」と投げかけます．そして，学生と一緒に考え議論することにより，学生に指導の意図が伝わります．もし投げたまま放置してしまうと，学生は自分の考えが指導者または教員の考えに一致しているのか，ずれているのか，どのように修正したらいいのかわからず，何のためにそれを考えたのかさえ理解できずに終わってしまうかもしれません．

また，話をすることと書くことは別の能力のため，話をしたときにはわかったようであっても，記録に書かれていないということがあります．わかっていないので書けないのか，わかっているけれども書き方がわからず書けなかったのか，指導された内容はわかったが違う考えをもっていて書きたくなかったのか，指導者または教員は何が原因なのか見極め，書くことを指導する必要があります．特にアセスメントはある程度の長文で表現することによって，論理的思考ができているのか指導者または教員にはもちろん，本人も自覚できますので，関連図を書くだけではなく，文章で表現するように指導します．「文章を書くのは苦手」で終わらせず，書くことによって論理的思考を育てる機会にしてください．他職種に対して看護という複雑な現象を論理的に説明できる看護師になるかどうかは，学生時代に受けた指導が影響するといっても過言ではありません．

実習記録に記載されていない事実をケーススタディの中で取り上げなければならない場合は，ケースレポートを書きながら思い出すのではなく，いったんその場面の記録を書くように促し，すでに書かれている記録との整合性がとれているかを確認します．そのうえでケーススタディの中で取り上げます．記録されていない場面を思い出しながらケースレポートを書くと，都合のいいことだけを取り上げてしまう可能性があります．

3）カンファレンス

実習では，学生が受け持つ患者の看護過程が異なるため，指導者または教員は個別に学生の指導を行います．しかし，学生1人ひとりをサポートするだけではなく，実習グループの学生間のグループダイナミクスが有効に働くようにサポートする必要があります．

カンファレンスは，ケースレポートを書く前に思考を整理したり，新たな考えを見出したりする貴重な場となります．そのため，経過報告のみで学生の考えが述べられなかったり，指導者または教員からの一方的なコメントに終わらせたりせず，ディスカッションできる場にします．質問に答えたり他の学生の意見を聞いたり，他の学生の看護過程の考え方を知ることで，思考が刺激されます．他のメンバーの事例についても一緒に考えさせながら共通点と相違点を確認させることは，抽象と具体を行き来させる思考の訓練になります．

4）レポートへのコメントと面接

ケースレポートの指導は，レポートにコメントする場合と面接によって行われる場合があります．レポートにコメントすると，どうしても言葉足らずになりがちです．肯定的なメッセージは嬉しいものですが，「もう少し具体的に」「××という意味でしょうか」「？」などの赤字を入れたり，波線を引いて二重丸をつけたりされると，学生は，質問形のコメントに心の中で答えを伝えたとしても，フィードバックがないので不全感が残ります．ケースレポートへのコメントは，相手の具体的な行動に結びつくように書く必要があります（Chapter4 参照）．

レポートを読むポイントは以下のとおりです．

・誤字，脱字がないか
・テーマの設定，表現は適切か
・看護問題の設定は適切か
・実践を通して事実が記述されているか（主観が混ざっていないか）
・看護問題を解決するための方法をどのように選択し，決定したかがわかるようにアセスメントが書かれているか
・看護問題は解決されたか．なぜそのような結果になったのか（解決されたか否かにかかわらず），知識と関連づけて考察しているか
・アセスメントは思い込みになっていないか
・アセスメントは事実の羅列になっていないか
・必要時，言葉を定義しているか
・ケースレポートを通して，事例に対する望ましい援助について考察しているか

もし，丁寧にコメントするのが難しければ，レポートにコメントして返却した後，面接します．指導者または教員が書いたコメントの意味を伝え，学生がその疑問に対して自分の考えを言い，お互いに納得できるようなやりとりの機会をつくることができれば，学生はさらに貴重な経験知を得ることができます．

5）ケーススタディの評価

ケーススタディの評価は，基本的には学校の基準に沿って行われます．実習の一部としてケーススタディが位置づいていれば，実習目標に沿って評価します．また，指導前の状態を評価するのではなく，指導によって到達した状態を評価します．

評価はケーススタディを行う目的（3 頁参照）とケーススタディのテーマ（14 頁参照）によって，看護の考え方を学ぶことができたか，看護実践を評価し，よりよい方策を見出すことができたか，リフレクションにより「行為の中の知」を明らかにできたか，論理的な思考力を高めることができたか，現象の特徴や法則性を抽出できたか（事例研究の場合）を視点にして行います．

6）指導の姿勢

ケーススタディは，事例の振り返り方（視点）によって，学びになる内容が異なります．指導者または教員の役割は，テーマを明確にしたり，テーマに沿って考えを表現したりできるようにサポートすることです．指導者または教員の考えに基づく結論に誘導することではありません．ケーススタディは，指導者や教員にとっても自身の看護を振り返る機会ですので，学生と一緒に考えることを大事にしたいものです．

2　看護師のケーススタディに対するかかわり

看護師のケーススタディでは，54 頁の実例 2 のように，「看護の統一」や「技術の向上」がテーマとして取り上げられることがあります．看護の考え方として当然と思われる表現のため，看護師にとっては違和感がありませんが，あまり意味を考えずに使っているのかもしれません．「看護の統一」というと，ロボットのように完璧な同じ行動をとることを指しているわけではないと思いますが，それならばどの範囲で，どのようなルールのもとで，何をすることを統一というのか，などを明確にしておく必要があります．また，ケースレポートでは，技術の向上に向けて，技術に関する原理・原則を見出すことはできても，「技術の向上」そのものはケースレポートの中で目指すことはできません．ケースレポートの中で具体的な方法まで提案したとしても，実践してみなければ技術の向上にはつながりません．テーマについて一方的に助言するのではなく，本人の考えを聞きながら意見交換することで，納得できるテーマを設定することができます．

看護師がケースレポートを書く場合には，文章の書き方に気をつけます．看護記録では「声かけするも反応なし」「歩いてみたよ，と」のような書き方をすることがありますが，ケースレポートでは「声をかけたが反応はなかった」「歩いてみたよと患者が言った」と，文章として成立する書き方をします．また，看護記録では略語で書いていることも，ケースレポートの中では正式な表記をします．

＊本書籍の訂正などの最新情報は，当社ホームページ（https://www.sogo-igaku.co.jp）をご覧ください．

はじめて学ぶケーススタディ　第２版

―書き方のキホンから発表のコツまで―

2016 年　7 月 21 日発行	第 1 版第 1 刷
2020 年　3 月 25 日発行	第 1 版第 4 刷
2020 年 12 月 25 日発行	第 2 版第 1 刷
2024 年　5 月 10 日発行	第 2 版第 4 刷 Ⓒ

編著者　國 澤 尚 子（くに さわ なお こ）

発行者　渡 辺 嘉 之

発行所　株式会社　**総合医学社**

〒101-0061　東京都千代田区神田三崎町 1-1-4
電話 03-3219-2920　FAX 03-3219-0410
URL：https：//www.sogo-igaku.co.jp

Printed in Japan　　シナノ印刷株式会社
ISBN978-4-88378-728-9